PARQUES NACIONALES DE ESPAÑA

26 itinerarios para descubrirlos y conocerlos

Oriol Alamany y Eulàlia Vicens

PARQUES NACIONALES DE ESPAÑA

26 itinerarios para descubrirlos y conocerlos

Lynx Edicions

Con la colaboración de:

PARQUES NACIONALES

Primera edición: marzo de 2003

© **Lynx Edicions** - Montseny, 8, 08193 Bellaterra, Barcelona
© Texto y fotografías: Oriol Alemany y Eulàlia Vicens

Impreso en: Grafos, S.A., Arte sobre papel
Depósito Legal: B-9.659-2003
ISBN: 84-87334-45-8

SUMARIO

INTRODUCCIÓN

VISITAR LOS PARQUES NACIONALES

La gran diversidad natural del Estado Español permite disfrutar de parajes tan dispares como las dunas de fina arena de Doñana, los lagos glaciares de Aigüestortes, la llanura "africana" de Cabañeros o los paisajes volcánicos de las Islas Canarias. La fauna de nuestro país es de gran importancia a nivel europeo y la flora nos ofrece la belleza de múltiples especies, entre las que se cuentan endemismos únicos. Parte de este patrimonio natural está conservado bajo la figura legal de Parque Nacional, uno de los grados de calificación más elevados para un espacio natural. Su función es conservar los valores naturales –ya sean paisajísticos, geológicos, de flora o fauna–, y promover la educación y el contacto de las personas con la naturaleza.

En España, la entrada a los Parques Nacionales es libre para el público en general y el acceso es gratuito, aunque en tres de ellos hay que recurrir a un servicio organizado de visitas que sí hay que pagar. Como en todas nuestras actividades en el medio natural, nuestra estancia debe basarse en una palabra: respeto. Hay que respetar los hábitats naturales, las plantas y animales que los habitan, las leyes que los protegen y los derechos de los habitantes del lugar. En los Parques está prohibida la recolección de cualquier tipo de plantas, flores, animales –sean o no de especies protegidas por la legislación–, rocas o restos arqueológicos. No puede molestarse a los animales, circular con cualquier tipo de vehículo (incluida la bicicleta de montaña) fuera de los caminos autorizados, hacer ruidos innecesarios, abandonar residuos, acampar sin autorización (en varios de ellos hay serias limitaciones al respecto), hacer fuego fuera de los lugares habilitados al efecto, o ensuciar con jabones u otros productos el agua de fuentes, ríos o lagunas.

En algunos Parques se permite el acceso con perros, pero en su interior siempre deben ir atados para que no perturben la fauna o molesten a otros visitantes.

CÓMO USAR ESTA GUÍA

Esta guía esta pensada para ser tu compañera cuando desees visitar alguno de los Parques Nacionales que hay repartidos por la geografía española. Cada capítulo empieza con una presentación general del Parque, dónde está situado, sus hábitats o ambientes naturales, flora y fauna más característicos y los problemas de conservación que le afectan. Sigue una amplia ficha de datos útiles para la visita y dos rutas, en las que se detalla el itinerario a seguir y los atractivos que encontraremos a lo largo del camino. Los tiempos indicados están contabilizados sin tener en cuenta las paradas, por lo que son prácticamente los mínimos necesarios para completar el itinerario. Cada capítulo acaba con otra ficha donde se detallan otros lugares del área que vale la pena visitar, libros y mapas sobre la zona, así como información sobre transportes y

Oriol Muntané

alojamientos. Si no quieres cargar con la guía en la mochila durante una excursión, puedes fotocopiar tan sólo las páginas donde se describe con detalle el itinerario y llevarte tan sólo estas pocas hojas, dejando el libro en el coche o el hotel.

Para visitar los distintos Parques Nacionales intenta evitar en lo posible las épocas de mayor concentración de visitantes (mes de agosto y Semana Santa). Tómate la visita con calma: andar por la naturaleza no es participar en una competición. Saborea las pequeñas cosas como el rumor del viento entre las hojas de unos álamos, el olor del Tomillo, la humedad de la niebla envolviendo un hayedo, el destello de color de un Martín Pescador en vuelo, o la luz del crepúsculo en la alta montaña. Intenta no dedicar un sólo día a un Parque. Verás que la visita es más enriquecedora cuantos más días permanezcas en él.

Uno de los aspectos que hay que tener en cuenta a lo largo de una excursión a pie es saber reconocer los propios límites, el punto de fatiga a partir del cual completar el itinerario será un calvario. Cada persona tenemos un nivel de preparación física distinto y aunque ninguna de las rutas de esta obra es extenuante, alguna de ellas es larga o conlleva superar un buen desnivel. No menosprecies la climatología y los fenómenos de la naturaleza, ten cuidado con la niebla, las tormentas o –en primavera y en montaña–, los aludes de nieve. Llevar un teléfono móvil es una buena idea, aunque no hay cobertura en todas partes de los Parques Nacionales. En caso de problemas, puedes llamar al teléfono 112 de emergencias o al Centro de Visitantes del Parque. Vigila asimismo donde rellenas de agua tu cantimplora: evita hacerlo en cursos de agua por debajo de poblaciones o en lugares donde se bañe el ganado.

Los autores hemos andado todas y cada una de las rutas del libro –y otras más– y hemos seleccionado éstas. Pero existen otras posibilidades de las que puedes informarte en los Centros de Visitantes o en los libros citados en cada caso. Prepara tu viaje con antelación, además de pasar un buen rato haciéndolo, cuanto más sepas de un lugar, más disfrutarás de lo que veas y, una vez allí, no se te pasarán por alto cosas importantes.

QUÉ LLEVAR

La mayoría de rutas reseñadas transcurren por caminos bien marcados, pero hay que tener en cuenta que el tiempo puede cambiar repentinamente, aparecer la niebla o bajar las temperaturas, por lo que conviene ir mínimamente bien preparado. Los pequeños mapas que acompañan cada itinerario tan sólo pretenden facilitar la preparación de la ruta, por lo que es necesario complementarlos con un mapa a escala 1:25.000 o 1:50.000 de los recomendados al final de cada capítulo. Una brújula o un GPS nos permitirán orientarlo correctamente y nos serán muy útiles para regresar en caso de niebla cerrada.

El calzado suele ser uno de los elementos de la indumentaria más olvidados por los visitantes a los Parques Nacionales. Es sorprendente la cantidad de personas que los visitan ataviados con zapatos de calle, de tacón o zapatillas de tenis de suela lisa. La importancia de calzar unas botas ligeras de travesía o por lo menos unas zapatillas deportivas con suela de marcado relieve es capital en terrenos escarpados o pedregosos. Cabe recordar que jamás hay que estrenar un calzado de montaña en una excursión larga, ya que pueden producirse rozaduras y llagas. Es conveniente empezar a usarlo en salidas cortas o incluso calzándoselo a ratos en casa unos días antes de la partida. En

terrenos escarpados, andar con la ayuda de uno o dos bastones de travesía descarga el trabajo de piernas y tobillos.

En los Parques de montaña hay que prever vestimenta de abrigo, incluso en verano. El sistema más en boga entre los montañeros es el de vestirse por capas. Para la capa más cercana al cuerpo, vestiremos una camiseta de fibra sintética –de poliéster o poliamida–, que absorbe el sudor y lo expulsa hacia el exterior, manteniendo seco nuestro cuerpo, al contrario de una camiseta de algodón, que termina empapada. Para la segunda capa, se recomienda una chaqueta de forro polar; ligera, de gran aislamiento térmico y que se seca rápidamente en caso de lluvia. Y la tercera capa –la más externa– será una chaqueta confeccionada con una fibra impermeable y transpirable –tipo Gore-Tex, Triplepoint, Sympatex, Omni-Tech, Novadry, etc–, que actúa de impermeable y paraviento. Para las piernas, un pantalón largo de fibra sintética –de secado rápido– será ideal para los lugares húmedos o fríos, mientras que uno corto de algodón lo será para los lugares cálidos.

Una mochila ligera, de 25 a 40 litros de capacidad, será suficiente para llevar la ropa de abrigo, una cantimplora con agua, algo de comida, un mapa, crema de protección solar y gafas de sol, una pequeña linterna y una bolsa de basura para devolver nuestros desperdicios, además de una cámara o binoculares, según cuál sea nuestra afición.

OBSERVAR LA VIDA SALVAJE

La observación de animales salvajes es una afición apasionante que enriquece en extremo la realización de cualquier ruta a pie. El instrumento esencial son unos binoculares, de entre 8 y 10 aumentos y una luminosidad de 20 a 50, que nos permitirán observar aves y mamíferos a distancia. Un modelo ligero de 8x20 u 8x30 será ideal para llevar durante nuestras caminatas. También será conveniente tener a mano algunas guías de campo (de aves, de plantas...) que nos ayudarán a identificar las especies que observemos.

Si deseamos ver animales salvajes, la norma de comportamiento más importante es la de ser discreto: llevar ropas de colores chillones, hacer ruido y partir a mediodía son las mejores fórmulas para no ver nada. Hay que estar atento a los sonidos a nuestro alrededor, a las voces de las aves y escrutar con frecuencia el cielo para localizar las grandes aves en vuelo, o el suelo o las flores para encontrar insectos. De madrugada y al atardecer, aves y mamíferos están mucho más activos. Un reloj despertador nos ayudará a empezar a andar temprano: ello favorecerá las observaciones y andar con el frescor de la mañana es mucho más agradable que hacerlo bajo el sol de mediodía. En cambio, las mariposas están entumecidas y se dejan acercar con mayor facilidad.

Si en primavera o verano nos encontramos con algún polluelo de ave o una cría de mamíferos que parecen desvalidos, no te los lleves a casa. Sus padres no andarán muy lejos y cuidarán de ellos mejor que cualquier humano. Tan sólo en caso de hallar un animal realmente herido o incapacitado puedes llevarlo o notificar su situación al Centro de Visitantes del Parque, para que ellos procedan a su recuperación.

NOTIFICA TUS OBSERVACIONES

Si durante la visita a una de estas zonas protegidas tienes la fortuna de observar alguna especie rara o algún comportamiento inusual, vale la pena comunicarlo a los biólogos del Parque y/o a la Sociedad Española de Ornitología (SEO/Birdlife), Tel. 91 434 09 10, seo@seo.org.

Asimismo, si usando este libro encuentras alguna incorrección o se ha producido algún cambio en las condiciones de acceso, horarios de los Centros de Visitantes, teléfonos de contacto, etc., te agradeceríamos que lo comunicaras a la editorial, para así poder incorporarlo a futuras ediciones. La correspondencia debe dirigirse a : Lynx Edicions, Montseny, 8, 08193 Bellaterra (Barcelona), o al correo electrónico lynx@hbw.com.

NOMENCLATURA

La taxonomía y la nomenclatura de los seres vivos ha variado de modo considerable en los últimos años, al haber sido profundamente revisada por los especialistas. Sin embargo, en lo que a nuestro país respecta, los nombres vernáculos "oficiales" de mamíferos, aves, anfibios y reptiles parecen estar más o menos bien establecidos. En lo concerniente a los vertebrados, en este libro se sigue la nomenclatura más reciente, y que podría no coincidir exactamente con la utilizada en algunas guías de campo del mercado. En el mundo vegetal,

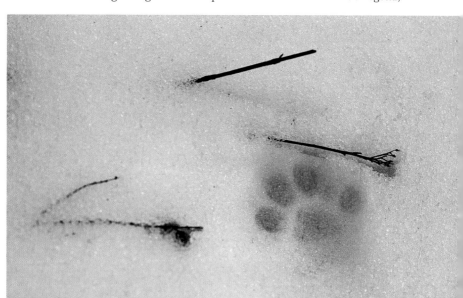

la nomenclatura es aún inestable y a muchas especies jamás se les ha asignado un nombre popular.

Aunque para que su identificación no conduzca a error la solución es indicar siempre el nombre científico tras el nombre común, cada vez que en el texto se nombra a una especie, la verdad es que, en un libro de carácter divulgativo, esto acaba entorpeciendo la lectura. Por ello, hemos escogido la opción de obviar los nombres científicos de mamíferos, aves, anfibios, reptiles y árboles, ya que sus nombres populares son plenamente clarificadores. En cambio, los nombres científicos sí que aparecen acompañando a la designación popular –cuando ésta existe– en el caso de invertebrados, arbustos y plantas, si bien tan sólo la primera vez en que una especie determinada aparece citada en cada capítulo.

FOTOGRAFÍA

Además de obtener imágenes para el recuerdo, tomar fotografías es una buena manera de enriquecer nuestra visita a un Parque Nacional. Una cámara réflex de película de 35 mm o digital es relativamente liviana y dispone de una amplia gama de objetivos y accesorios para cubrir todas las necesidades. Un equipo básico de objetivos estaría integrado por dos zoom 28~80 mm y 70~200 mm o similares. Los aficionados a la fotografía de flores o pequeños invertebrados deberán hacer uso de tubos de extensión, de una lente de aproximación de 2 ó 3 dioptrías, o bien de un macroobjetivo de aproximadamente 100 mm para poder acercarse a sus diminutos sujetos. Para fotografiar aves y mamíferos salvajes, el objetivo "normal" será un teleobjetivo de 400 ó 500 mm de distancia focal, complementado por un teleconvertidor de 1,4x.

Si nos tomamos lo de la fotografía un poco en serio, en el equipo no deben faltar un trípode y un filtro polarizador, que nos ayudará a eliminar la calina y saturar los colores de nuestras fotografías, en especial el azul del cielo. Las películas más adecuadas son las diapositivas de 50 ó 100 ISO de sensibilidad o el negativo de 100 a 400 ISO. Es mejor no confiar en encontrar nuestra película favorita en las poblaciones alrededor de los Parques Nacionales. Y en

todo caso, es fácil que allí esté más cara que en nuestra tienda habitual. No tires los envoltorios de película al suelo, deposítalos en un lugar de recogida de basura. Es indispensable llevar pilas de recambio, sobre todo si usamos una cámara digital, ya que es posible que también tengamos dificultades para encontrar el modelo adecuado.

Las mejores luces para fotografiar suelen producirse al atardecer y al amanecer, la misma hora en la que es más fácil ver animales y en la que es más placentero andar, por lo que, aunque estemos de vacaciones, vale la pena madrugar.

VÍDEO

Si tu afición es el vídeo, ten presente los defectos más habituales en este tipo de grabaciones: las imágenes que trepidan al utilizar la posición "tele" del objetivo zoom, la exagerada longitud de los planos, y el exceso de movimientos con la cámara. Un trípode equipado con una rótula fluida o una cámara dotada de estabilizador de imagen nos ayudará a minimizar las vibraciones. Hay que grabar mirando por el ocular con la cámara firmemente apoyada en la cara: alejarla de nosotros para mirar por la pantallita LCD reduce la estabilidad de las imágenes.

Durante la grabación de planos conviene imponerse un límite máximo de unos 10 segundos para cortar y cambiar de ángulo: si nos fijamos en una película o documental de televisión comprobaremos que la mayoría de planos raramente duran más de 3 a 5 segundos. Por otra parte, hay que reducir los movimientos de panorámica o del zoom a tan sólo uno por plano –¡si realizamos una panorámica de izquierda a derecha, jamás regresar hacia la izquierda de nuevo!–. También hay que pensar en intercalar algunos breves planos totalmente fijos, a modo de fotografías. Con todo ello, nuestro vídeo ganará mucho en ritmo y vivacidad.

Al igual que en la fotografía, conviene llevar baterías de reserva y cintas o tarjetas de almacenamiento suficientes. En la mayoría de Parques Nacionales, la realización de vídeos o fotografías comerciales requiere de una autorización.

DIRECCIONES ÚTILES

- Organismo Autónomo Parques Nacionales
  Gran Vía de San Francisco, 4
  28071 Madrid
  http://www.mma.es/parques/lared
- SEO/BirdLife
  Melquiades Biencinto, 34
  28053 Madrid
  www.seo.org
- Asociación Herpetológica Española (AHE)
  Apartado de Correos, 191
  28911 Leganés (Madrid)
  elebo.fbiolo.uv.es/zoologia/AHE/
- Sociedad Española para la Conservación y estudio de los Mamíferos (SECEM)
  Apartado de Correos, 15450
  29080 Málaga
  www.secem.es
- Sociedad Hispano Luso Americana de Lepidopterología (SHILAP)
  Apartado de Correos, 331
  28020 Madrid
- Foro y revista digital Fotonatura
  www.fotonatura.org

PARA SABER MÁS

Generales

- **Sterry, P.** (2001). *Flora y Fauna de España y del Mediterráneo*, Lynx Edicions, Barcelona.

Botánica

- **Delforge, P.** (2002). *Guía de las Orquídeas de España y Europa, Norte de África y Próximo Oriente*, Lynx Edicions, Barcelona.
- **González, J.** (1999). *Plantas silvestres de la flora ibérica*, Grijalbo, Barcelona.
- **Polunin, O.** (1995). *Guía de campo de las flores de España, Portugal y Sudoeste de Francia*, Editorial Omega, Barcelona.
- **Romo, A.** (2001). *Árboles de la Península Ibérica y Baleares*, Planeta, Barcelona.

Aves

- **De Juana, E. y Varela, J. M.** (2001). *Guía de las aves de España*, Lynx Edicions-SEO/BirdLife, Barcelona.
- **Jutglar, F.** (1999). *Aves de la Península Ibérica*, Editorial Planeta, Barcelona.
- **Mullarney, K., Svensson, L., Zetterström, D. y Grant, P. J.** (2001). *Guía de Aves*, Ediciones Omega, Barcelona.

Mamíferos

- **Blanco, J. C.** (1998). *Mamíferos de España* (2 volúmenes), Editorial Planeta, Barcelona.
- **Rodríguez Piñero, J.** (2002). *Mamíferos Carnívoros Ibéricos*, Lynx Edicions, Barcelona.
- **Rodríguez Sánchez, J. L.** (1993). *Guía de Campo de los mamíferos terres tres de España*, Ediciones Omega, Barcelona.

Anfibios y reptiles

- **Arnold, E.** (1997). *Guía de campo de los reptiles y anfibios*, Editorial Omega, Barcelona.
- **Barbadillo, L.** (1999). *Anfibios y reptiles de la Península Ibérica*, Editorial Planeta, Barcelona.

Invertebrados

- **Chinery, M.** (2001). *Guía de los insectos de Europa*, Editorial Omega, Barcelona.
- **Tolman, T. y Lewington, R.** (2002). *Guía de las Mariposas de España y Europa*, Lynx Edicions, Barcelona.

Fotografía

- **Alamany, O.** (2001). *Fotografiar la naturaleza*, Editorial Planeta, Barcelona.
- **Alamany, O.** (2001). *Viajar con tu cámara*, Ediciones Península, Barcelona.
- **Harcourt Davies, P.** (2002). *Macrofotografía*, Editorial Omega, Barcelona.

Grabaciones

- **Roché, J. C. y Chevereau, J.** (2001). *Guía sonora de las aves de Europa*, 10 CD, Lynx Edicions, Barcelona.
- **Matheu, E.** (2001). *Guía práctica de cantos de aves*, 1 CD, Alosa, Barcelona.
- **Márquez, R. y Matheu, E.** (1998). *Guía sonora de las ranas y sapos de España y Portugal*, 1 CD, Alosa, Barcelona.

PARQUES NACIONALES	AÑO DE DECLARACIÓN	EXTENSIÓN (en ha)	N° VISITANTES (2001)
COVADONGA*	1918	–	–
ORDESA Y MONTE PERDIDO	1918	15.608	652.000
TEIDE	1954	18.990	3.300.000
CALDERA DE TABURIENTE	1954	4.690	353.000
AIGÜESTORTES Y SANT MAURICI	1955	14.119	400.000
DOÑANA	1969	50.720	391.000
TABLAS DE DAIMIEL	1973	1.928	100.000
TIMANFAYA	1974	5.107	1.840.000
GARAJONAY	1981	3.984	600.000
ARCHIPIÉLAGO DE CABRERA	1991	10.021	60.000
PICOS DE EUROPA	1995	64.660	1.600.000
CABAÑEROS	1995	39.001	50.000
SIERRA NEVADA	1999	86.208	285.000
ISLAS ATLÁNTICAS DE GALICIA	2002	2.772	(sin datos)

Actualmente integrado en Picos de Europa

AGRADECIMIENTOS

Mirando hacia atrás, después de haber recorrido en el espacio de un año los trece Parques Nacionales españoles, quedan en nuestro recuerdo una serie de personas que nos ayudaron en nuestra labor y a quienes estamos agradecidos por ello. Éstas son algunas de ellas:

A Lynx Edicions, y en especial a Albert Martínez, por proponernos la realización de este libro que nos ha permitido trabajar durante varios meses en los lugares más fascinantes de la naturaleza española –¡aunque también nos ha obligado a pasar algunos meses más encerrados en Barcelona ante la pantalla de un ordenador!–. También a los diseñadores gráficos Xavier Ruiz y Elena Teruel por su trabajo y su esfuerzo en satisfacer nuestros deseos como autores.

En algunos Parques Nacionales hemos recibido una especial colaboración que deseamos agradecer: en el Parque Nacional de Cabañeros, a su director José Jiménez, así como a los guardas Julián y Gil Fernando; en Cabrera, a Pep Amengual, Gabriel, Joan, Llorenç, Tomàs y demás personal del Parque, y al equipo de anillamiento del GOB por su ayuda y cálida acogida, a Juan Manuel Borrero por su compañía, y a la Guardia Civil Marítima por sacar a Oriol de la isla un día de temporal; en Doñana, a Teresa Agudo, Directora de Uso Público, y a Ambrosio Lago por hacernos de guía en el interior del Parque; en Garajonay, a Jacinto Leralta, por descubrirnos algunos rincones del monteverde gomero; en las Islas Atlánticas de Galicia, un recuerdo especial para Fernando Bandín y Eva González por su ayuda, compañía e inigualable hospitalidad, así como a Miguel, Guillermo y Mari de Sanxenxo, por su colaboración; en Tenerife, a Emeterio Suarez, Gustavo Peña y SEO/Birdlife Canarias; y, en Timanfaya, a Santiago Vázquez.

Finalmente, a José Manuel Reyero por echarnos una mano en la intrincada maraña administrativa de la obtención de algunos permisos. Y a Basilio Rada –Director del Organismo Autónomo de Parques Nacionales– por facilitarnos la autorización pertinente para poder trabajar en todos ellos.

PARQUE NACIONAL MARÍTIMO–TERRESTRE
DE LAS ISLAS ATLÁNTICAS DE GALICIA

PARQUE NACIONAL MARÍTIMO-TERRESTRE
DE LAS ISLAS ATLÁNTICAS DE GALICIA

Las islas atlánticas de Galicia han sido la última adición a la Red de Parques Nacionales Españoles. Tanto en su aspecto, como por el griterío y abundancia de aves marinas, estas islas nos recuerdan a las del norte de Europa. Los paisajes costeros son de gran belleza: abruptos en su vertiente oeste –la que se encara al bravío océano Atlántico–, con cortados rocosos, incesantemente batidos por el oleaje. En cambio, el relieve es más suave en la cara orientada hacia la costa, donde sus playas de arena blanca y transparentes aguas de un bello color turquesa son más propias de unas islas mediterráneas. Entre sus valores naturales, destacan sus importantes colonias de cormoranes y gaviotas, y la riqueza de sus fondos marinos.

Playa de Melide, isla de Ons

Estas islas tienen una extensa historia de ocupación humana: desde sus primeros pobladores en el Paleolítico a la existencia de una factoría ballenera noruega –a primeros del siglo XX–, pasando por los castros de la Edad del Bronce, los romanos, el asentamiento de monasterios y castillos en la Edad Media, las incursiones de los piratas turcos y tunecinos –e incluso del conocido corsario Francis Drake– en los siglos XV y XVI.

SITUACIÓN

Este Parque Nacional engloba diversas áreas de las Rías Baixas de Galicia. Las tres islas Cíes (Isla de San Martiño o del Sur, Isla del Faro o del Medio e Isla del Monteagudo o del Norte), además de los islotes de Os Viños y Boeiro, están situadas en la entrada de la ría de Vigo, en la provincia de Pontevedra, a unas tres millas de la costa y a unos quince kilómetros de esta ciudad.

El archipiélago de Ons se encuentra una decena de kilómetros más al norte, también en la entrada de una ría –en este caso la de Pontevedra–, a unos ocho kilómetros de la localidad costera de Portonovo.

El archipiélago de Sálvora, más pequeño que Cíes y Ons, pero con mayor número de islotes, se encuentra en el extremo occidental de la ría de Arousa. En esta misma ría, frente el pueblo de Carril y cerca de Vilagarcía de Arousa, Cortegada es la más septentrional de todas las islas que componen este Parque Nacional y la más cercana a la costa.

AMBIENTES NATURALES

Estos archipiélagos forman parte de una cadena montañosa que se hundió en el mar hace varios millones de años. El hecho de que, tanto las Cíes como las Ons, cierren –en parte– la entrada de las rías en las que se encuentran enclavadas, favorece que las aguas de estos profundos golfos queden a resguardo de los temporales del Atlántico, siendo muy distinto el estado del mar en sus vertientes este u oeste. Esto condiciona, en gran medida, el contrastado aspecto de ambas vertientes.

Formadas básicamente por granito, el relieve de las Cíes es abrupto, siendo éste mucho más suave en las Ons. La altitud culminante se alcanza en el Alto de las Cíes, de 197 metros, sito al norte de la isla de Monteagudo. En su cara este, podemos encontrar bellas playas como la de Figueiras y la cala de As Cantareiras, en isla de Monteagudo; o la Playa de Rodas, en el istmo de arena que une esta isla con la del Faro. Sus tres islas tienen unas medidas de entre 1,5 y 3 kilómetros de largo. Ons tiene 5,5 km de largo y una anchura media de 800 metros, siendo la isla más extensa de

Playa de Cantareira, Isla de Monteagudo

*Margarita Mayor (*Leucanthemum merinoi*)*

Galicia. Presenta menos acantilados y está acompañada por pequeños islotes. Su punto culminante alcanza tan sólo los 128 metros y en él se levanta un faro. En su cara este, más a resguardo de vientos y temporales, se asientan algunas viviendas, acompañadas de sus característicos hórreos, así como los cultivos de maíz y patata, a ellas ligados. En Ons, están las playas de las Dornas, Melide, Area dos Cans y Canexol. Su cercana compañera, la isla de Onza, es mucho más pequeña y está deshabitada.

El **clima** se podría clasificar entre oceánico húmedo y mediterráneo, con una mediana de 1.500 mm de precipitación anual en las Ons y de 1.000 mm en las Cíes. Curiosamente, en las Cíes llueve casi la mitad que en la cercana Vigo. En verano, las precipitaciones suelen ser escasas.

Las **plantas** de las islas han debido adaptarse a la severa climatología. Los vientos cargados de sal afectan el desarrollo de los árboles, por lo que la vegetación está integrada básicamente por formaciones arbustivas donde predomina el Tojo (*Ulex europaeus*), acompañado de Jaguarzo Negro (*Cistus salvifolius*), Retama Mansa (*Osyryis alba*),

Esparraguera (*Asparagus sp.*), Endrino (*Prunus spinosa*), brezos (*Calluna vulgaris* y *Erica scoparia*) y helechales de *Pteridium aquilinum*.

El hombre ha alterado profundamente la vegetación original mediante la plantación de especies exóticas como el Eucalipto (*Eucalyptus globulus*), la Acacia (*Acacia melanoxylon*), o los Pinos Insigne o Rodeno. En algunos enclaves, aún pueden encontrarse algunos ejemplares de Roble Melojo o de Sauce, restos de los antiguos bosques autóctonos de estas islas. La isla de Cortegada es la única que alberga un bosque de Laurel, de gran interés natural.

La vegetación original se encuentra mejor conservada en las laderas acantiladas, en las playas y en las dunas. En los acantilados, crecen –entre otras especies– el Hinojo Marino (*Crithmum maritimum*), la *Calendula algarbiensis* y las matas de *Armeria maritima, Armeria pubigera* y *Angelica pachicarpa*. Las

*Camarina (*Corema album*)*

Centro de Interpretación, Isla del Faro

ramas de este última especie, endémica de la costa noroccidental de la Península Ibérica, son utilizadas por los cormoranes en la construcción de sus nidos.

En playas y dunas, aparece otra especie de Armeria, la *Armeria pungens*, aquí bautizada con el nombre de "Herba de namorar". Otras plantas propias de suelos arenosos y que ayudan a fijarlos son: el Barrón *(Ammophila arenaria)*, el *Elymus farctus*, el Carraspique *(Iberis procumbens)*, la Correhuela Rosa *(Calystegia soldanella)*, el Tomillo Bravo *(Helychrysum picardii)* – endémico del litoral occidental ibérico– y la Camarina. Este escaso arbusto se ha convertido en uno de los símbolos del Parque, ya que en las dunas de las Cíes se encuentra una pequeña población que, sin embargo, es la más importante de Galicia.

En lo concerniente a su **fauna**, durante la época invernal, estas islas y las aguas de su entorno dan acogida a multitud de aves marinas, siendo también un lugar importante de descanso para ellas durante la época de migración. Entre las aves que no se reproducen aquí –pero que pueden observarse en diferentes épocas– destacan el Cormorán Grande (abundante), el Alcatraz Atlántico, las pardelas, los negrones, el Alca Común, los colimbos, el Págalo Grande y el Charrán Patinegro. Pero lo verdaderamente destacable de este Parque Nacional son las colonias de reproducción de aves marinas. La de Gaviota Patiamarilla de las Cíes, con nada menos que unas 18.000 parejas reproductoras en el año 2001 (4.200 en 1970), está considerada una de las mayores del mundo. En las Ons, crían alrededor 5.800 parejas y, en Sálvora, otras tantas, lo que sitúa la población reproductora en el Parque Nacional alrededor de las 30.000 parejas. Numéricamente le sigue en importancia el Cormorán Moñudo (la mayor colonia europea), que en las Cíes pasó de unas 200 parejas en 1970, a un millar en la actualidad. En Ons, parecen haber unas 200 parejas. Otra especie de interés es la

Gaviota Sombría: el mayor número de parejas se encuentra en Sálvora, mientras que, en Cíes, tan sólo hay tres y, en Ons, es inexistente. Otra ave rara y esquiva es el Paíño Europeo del que 7 u 8 parejas crían en las Cíes.

Entre las aves no estrictamente ligadas al mar, cabe nombrar a la ruidosa Chova Piquirroja, el Cuervo, la Grajilla, el Vencejo Real, la Paloma Bravía y el Halcón Peregrino, todos ellos habitantes de los acantilados. En las arboledas de Cíes existe el Azor Común, que caza Palomas Torcaces.

Los mamíferos siempre tienen difícil la colonización de las islas, y suelen acabar haciéndolo de la mano del hombre, como sucedió con el Conejo, el Erizo Europeo y la Rata Negra. En la isla de Sálvora, también hay Ciervos Rojos y Caballos. Tan sólo la Nutria Paleártica –aquí de hábitos marinos– y el Serotino llegaron por sus propios medios.

Asimismo, pocas especies de anfibios podemos encontrar aparte de la Salamandra Común, el Tritón Ibérico y el Sapillo Pintojo Ibérico. La representación de reptiles es algo más variada: Lagarto Ocelado, Lagartija Ibérica, Lución, Eslizones Ibérico y Tridáctilo Ibérico, y las Culebras de Escalera, Viperina y Lisa Meridional. Entre los insectos, cabe nombrar a la mariposa *Zerynthia rumina*.

El **ecosistema submarino** de estas islas es de gran importancia y forma parte integral del Parque Nacional. La zona protegida comprende una franja marítima de protección que engloba diversos biotopos costeros y marinos. También existen restos de naufragios de valor histórico y arqueológico. La diversidad de algas es inmensa, existiendo "bosques" de algas pardas (de los géneros *Laminaria* y *Saccorhiza*), algas rojas y verdes (*Chondrus crispus* y *Ulva*

Faro al atardecer, Isla de Ons

rigida) y corales blandos del genero *Gorgonia*. La variedad de peces, moluscos y crustáceos es notable, gozando de fama destacada el Pulpo (*Octopus vulgaris*), de gran tradición gastronómica, en especial en Ons.

CONSERVACIÓN

El estreno del Parque Nacional no pudo ser más fatídico, al sufrir la marea negra provocada por el hundimiento del petrolero «Prestige», a los pocos meses de su declaración. Murieron muchas aves marinas y las costas y el fondo marino se vieron afectadas, aunque después de los trabajos de limpieza y con el paso del tiempo cabe esperar una progresiva recuperación del ecosistema marino. Este deplorable suceso no reduce el atractivo de una visita al archipiélago. Dada su proximidad a Vigo, en verano las Cíes soportan una invasión humana que ha obligado a limitar a 3.000 el número de visitantes diarios. El problema no es tan grave en Ons, de momento menos frecuentada.

También lamentable fue la desaparición de las antiguas colonias de Arao Común. La población de las Cíes se redujo de una veintena de parejas en el año 1970, a tan sólo una en 1986 –el último ejemplar autóctono se observó en 1987–. En Ons, la colonia desapareció en los años 60. La causa de esta extinción podría ser la sobrepesca de las especies de que se alimentaban estas aves. La introducción de eucaliptos, acacias, pinos y otros vegetales foráneos, redundó en la desaparición del bosque original, que ahora se intenta recuperar. En el ámbito submarino, cabe destacar la invasión del Alga Japonesa *(Sargassum muticum)* por culpa de los cultivos de ostras y de la que ya existe un programa de erradicación.

Por otra parte, la declaración del Parque dejó fuera de sus límites a zonas de interés como el complejo dunar Umia-Grove, la Costa da Vela en O Morrazo, las islas de San Simón, Sisargas o Lobeiras y la Costa da Morte.

*Centaura (*Centaurium sp.*)*

DATOS DE INTERÉS DEL PARQUE Y RECOMENDACIONES

Extensión: 2.772 hectáreas, de las cuales 3/5 partes son sumergidas.

Año de declaración: 2002

Dirección:
Casa del Parque Nacional
986 805 469

Sitio web:
www.mma.es/parques/lared/
 islas_atlan/index.htm
www.gpx.es/islas/islas.html

Acceso al Parque: en Semana Santa y desde mayo a finales de septiembre – las fechas varían cada año según la meteorología–, un barco de la compañía naviera Mar de Ons* une el puerto de Vigo con las **islas Cíes**. El trayecto dura entre media hora y 45 minutos y, en verano, parte cada hora (de 9 a 13 y de 15 a 19 h). En Cíes, atraca en el embarcadero de Rodas, en la isla de Monteagudo. El barco de regreso sale también cada hora (de 11 a 14 y de 16 a 20 h). El resto del año es mejor llamar por teléfono* para averiguar si el servicio funciona. Los billetes hay que adquirirlos en la Nueva Estación Marítima de Vigo, cerca de donde parte el barco. Existen otros servicios desde Baiona y Cangas do Morrazo. El acceso a estas islas se encuentra limitado a un máximo de 2.200 visitantes diarios, más las 800 personas que pueden estar establecidas en el camping.
Para acceder a la **isla de Ons** existe comunicación marítima con las localidades costeras de Bueu, Marín y Sanxenxo-Portonovo. El servicio regular desde Bueu lo realiza la Naviera Illa de Ons*, que funciona de junio a septiembre y de manera irregular el resto del año. El trayecto dura una media hora y, al igual que en las Cíes, está totalmente sujeto al estado del mar. La isla dispone de un diminuto puerto donde pueden atracar embarcaciones privadas. También puede llegarse con Cruceros Rías Bajas*.
Una vez en el Parque, hay que tener en cuenta que está prohibido acceder a las áreas de Reserva, que propor-cionan protección a las colonias de aves marinas. Al resto de islas que integran el parque tan sólo puede llegarse mediante embarcaciones privadas. El acceso a Cortegada, a Sálvora y a Onza está restringido.

Servicios y equipamientos: punto de información cerca del puerto de atraque de Cíes, Centro de Interpretación en el monasterio de Santo Estevo de la isla del Faro, con una exposición, proyección de audiovisual y posibilidad de comprar algún libro o mapa. Teléfonos públicos y servicio de Cruz Roja. Observatorios de aves en isla do Faro e isla de Monteagudo. En Ons existe un punto de información en el barrio de Curro y un mirador en Fedorentos. No existen facilidades especiales para el acceso a minusválidos.
En Cíes hay un camping y dos restaurantes. En Ons hay una zona de acampada en el pinar de Chan de Pólvora, dos hostales y tres restaurantes, así como un área de acampada y un campo de trabajo.

Recomendaciones generales: el imprevisible clima gallego hace recomendable no dar nada por sentado y llevarse tanto un bañador, como ropa y calzado impermeables. El servicio de transporte depende por absoluto de la climatología local –por lo que no está garantizado– y siempre existe la posibilidad de quedarse aislado, si el estado del mar no hace aconsejable la navegación. Los caminos son anchos y están en muy buen estado, pero los bordes de las zonas acantiladas son peligrosos. De mediados de junio hasta mediados de julio, las gaviotas suelen estar un tanto agresivas en la cercanía de las colonias, por lo que es aconsejable el uso de un gorro.
En ambos archipiélagos, está prohibido acampar fuera de las instalaciones autorizadas y tampoco está permitida la pesca deportiva ni el submarinismo sin autorización. Los desperdicios que generemos no hay que dejarlos en las islas, es mejor llevárnoslos con nosotros.

---

ver Información Turística en la ficha del final del capítulo

ASCENSIÓN AL MONTE FARO (ISLAS CÍES)

La embarcación que nos transporta hasta las islas Cies deja al pasaje en el **embarcadero de Rodas**, situado en la isla de Monteagudo. Durante el trayecto desde Vigo, vale la pena estar atentos al mar, ya que es posible observar diversas especies de aves marinas, como el cormoranes o pardelas. Una vez desembarcados, cogeremos el arenoso camino que bordea un grupo de dunas. Éstas se encuentran protegidas por una cerca, puesto que en su interior se encuentra una de las pocas poblaciones gallegas de Camarina, un arbusto que constituye un endemismo iberoatlántico de pequeñas hojas oscuras y frutos redondos grisáceos o blanquecinos. En verano también podemos disfrutar de las bellas flores blancas de la Azucena de Mar (*Pancratium maritimum*), que en gallego denominan "cebola das gaivotas". También en verano florece el Cardo de Mar (*Eryngium maritimum*).

En el primer cruce, junto al Punto de información y la cabaña de la Cruz Roja, seguiremos por el sendero de la izquierda, entre pinos y acacias introducidas, bordeando el **lago dos Nenos**, enclavado entre la bella Playa

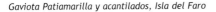

Gaviota Patiamarilla y acantilados, Isla del Faro

Orquídea (Serapias cordigera)

donde podemos conseguir alguno de los folletos informativos publicados, o adquirir algún libro, visitar la interesante exposición o asistir a la proyección de un audiovisual. Cabe destacar el sepulcro antropomorfo medieval visible en el suelo de la planta baja, que fue encontrado, junto a otros, durante unas excavaciones. Rodeado de un umbrío dosel de grandes acacias, éste es un buen sitio para observar pájaros propios de zonas arboladas, como el Pinzón Vulgar, el Verdecillo, el Mirlo Común, el Zorzal Común, el Chochín, el Verderón Común, el Petirrojo o la Paloma Torcaz.

Proseguimos el camino y, a 200 metros, la pista se separa en dos: la de la izquierda –que desciende en dirección al mar–, conduce al Faro da Porta, mientras que la de la derecha – que es la que tomaremos– indica que asciende hacia "O Faro". Atravesamos una antigua plantación de pinos y eucaliptos, donde luego se plantaron de modo experimental robles y otros árboles autóctonos. Durante la ascensión puede observarse, a lo lejos, la Illa de San Martiño y, abajo,

de Rodas y un dique artificial que une la isla de Monteagudo con la del Faro. Este dique fue construido en los años 70 para instalar un vivero de mariscos y perturbó el funcionamiento natural del lago en relación a las mareas, por lo que existe el proyecto de readaptarlo. En el lago, es posible observar alguna Garza Real y las manchas oscuras producidas por la planta acuática *Zostera* y en las rocas que bordean el camino algunos seres marinos, como peces, cangrejos o erizos de mar.

Acto seguido, llegamos al restaurante y al camping, instalado bajo una arboleda. Las Gaviotas Patiamarillas suelen hurgar entre tiendas y campistas en busca de algo de comida y, en los alrededores, es posible ver algunos pájaros, como por ejemplo el Escribano Soteño.

A cinco minutos del camping, se encuentra el edificio restaurado del **monasterio de San Estevo**. Se trata de un monasterio benedictino que se fundó en el siglo XI. El actual edificio data del siglo XVIII o inicios del XIX. En su interior, se aloja ahora el Centro de Interpretación del Parque,

Conejo

Pedra da Campá, Isla del Faro

la playa de Nosa Señora, con sus bellas aguas color turquesa, y el islote Viños enfrente. Este ramal zigzaguea luego por entre el monte bajo, donde dominan el Tojo o bien el Helecho, tan característico de estas islas. Destacan también las varas floridas del Gamón (*Asphodelus albus*). En esta zona es fácil observar algún Conejo, entretenido en pastar la hierba en los márgenes del camino. Los años de protección de que gozan en la isla hace que aquí podamos observar a placer estos atractivos mamíferos, habitualmente esquivos debido a la presión a la que son sometidos por los cazadores.

Pasados unos quince minutos de ascenso, llegamos a un nuevo cruce. Aunque para ir al faro hay que seguir por la izquierda, primero nos desviaremos un centenar de metros por el sendero a nuestra derecha para llegarnos hasta la curiosa **"Pedra da Campá"** (Roca de la Campana), un arco de piedra fantasioso producto de la erosión del viento y de la lluvia, y utilizado como posadero por las Gaviotas Patiamarillas. Detrás de la roca, en la vertiente que cae hacia el mar, se extiende una ruidosa colonia de reproducción de estas aves, que

ocupan los acantilados desde enero hasta primeros de agosto. La puesta la realizan en el mes de mayo, criando a sus polluelos entre junio y julio.

La Roca de la Campana queda a la izquierda del sendero. A su misma altura –pero a la derecha–, si lo abandonamos y seguimos unos metros campo a través en dirección al cercano bosque, crece un nutrido grupo de orquídeas *Serapias cordigera*, que florecen en el mes de mayo. Tanto aquí como en el resto de zonas cubiertas de matorral, es posible observar la Curruca Rabilarga, la Tarabilla Común, el Chochín o el Acentor Común.

Un centenar de metros más adelante existe un interesante **Observatorio de aves marinas**, que, en caso de lluvia, puede servirnos de refugio y desde cuyo interior se disfruta de una magnífica vista sobre los acantilados y la colonia situados al sudoeste, así como sobre la Praia de Rodas y la laguna de la que venimos al noreste. Desde aquí puede apreciarse muy bien la marcada diferencia entre la abrupta vertiente occidental de las islas –de acantilados paisajes– y la más suave y protegida vertiente oriental –con playas y

Siempreviva (Sedum arenarium)

bosques–. Aparte de las gaviotas, en las rocas más cercanas al mar, podemos observar los Cormoranes Moñudos. Estas aves crían en zonas más abruptas y próximas al agua.

Regresamos a la ruta principal y proseguimos la ascensión al Monte Faro a través de un tojal en el que, sobretodo en mayo, destaca la presencia de vistosos grupos de margaritas, de grandes flores blancas con el centro amarillo. Se trata de la Margarita Mayor, un endemismo propio de las costas gallegas y del norte de Portugal. El faro se levanta ante nosotros, observando ahora como el camino asciende hasta él en cerrados zigzags. En la primera curva antes de empezar a subirlo, pueden descubrirse los escasos restos del poblado castrense Castro das Hortas, que se asienta en la ladera entre el camino y el pequeño faro da Porta. Este poblado podría datarse entre los siglos IX a IV antes de Cristo.

El último tramo de la ascensión hasta alcanzar **el faro** constituye el punto culminante del itinerario: la vista sobre la cercana isla de San Martiño –separada de nosotros por el canal da Porta– es espléndida, y el camino asciende entre rocas decoradas de naranja por los líquenes y adornadas -en primavera- por montones de flores de abigarrados colores. ¡Un buen lugar para disparar

unas cuantas fotografías! Entre la vegetación, destacan las florecillas amarillas del Sisimbrio (*Sisymbrium austriacum*), una crucífera endémica del norte de la Península Ibérica, que florece en los roquedos de mayo a septiembre. Sus flores, con cuatro pétalos en cruz de color amarillo intenso, agrupadas en el extremo del tallo, son fáciles de reconocer. También lo es la Colleja de mar (*Silene uniflora*), endemismo de las costas portuguesa, gallega y asturiana que de febrero a agosto forma matas almohadilladas repletas de flores blancas. La Siempreviva (*Sedum arenarium*), también crece sobre las rocas, formando pequeñas alfombras de florecillas blancas en forma de estrellitas de cinco puntas. Otras plantas que podemos identificar en este tramo de la ruta son: el Jacinto Silvestre (*Hyacinthoides paivae*) –también endémico de Galicia y el norte de Portugal–, la Malva Silvestre (*Malva tournefortiana*) y la *Armeria pubigera*. Durante este tramo, además, traspasamos la colonia de Gaviota Patiamarilla y las aves nos sobrevuelan inquisitivamente. A partir de mediados de junio, hay que ir con cuidado con los ataques de los padres, dispuestos a asestar algún picotazo para defender a sus polluelos.

Por fin, a la hora y media de camino alcanzamos los 172 metros

Sisimbrio y líquenes

Gaviota Patiamarilla

de altitud del monte desde donde, si el día es claro, se disfruta de una amplia panorámica. En cambio, si hay niebla no podremos observar los paisajes lejanos, pero los acantilados a nuestro alrededor adquieren una misteriosa belleza. Este **faro** fue construido entre 1850 y 1853, y estuvo habitado por fareros hasta los años 60 del pasado siglo. Como tantos otros, en la actualidad funciona de modo automático.

El regreso debe hacerse por el mismo camino, aunque en la ruta de bajada, antes de llegar al desvío de A Campá, existe la posibilidad de tomar un sendero a la derecha que baja entre tojos y helechos hasta encontrarse el camino hacia el faro da Porta. Si vamos hacia la derecha llegaremos al faro y, por la izquierda, a la Playa de Nosa Señora y al monasterio-Centro de Información de donde venimos.

FICHA ITINERARIO A

Época de visita: interesante todo el año, aunque de abril a junio puede observarse la floración del matorral. Ésta es también la época de cría de gaviotas y cormoranes, que puede prolongarse hasta primeros de julio.

Horario y duración del recorrido: desde el muelle de Rodas hasta el faro y regresar hay unos 9 kilómetros, que pueden andarse en unas 3 horas, más los ratos que nos dediquemos a observar las flores y ver las aves. El desnivel es de 172 metros.

Dificultades y recomendaciones: el ancho camino no presenta ninguna dificultad. Tan sólo hay un par de tramos en que hay algo de subida. Según la época del año, es mejor prevenir los cambios meteorológicos e ir equipado para la lluvia.

Interés: observación de las colonias de reproducción de Gaviota Patiamarilla y Cormorán Moñudo, espléndidas vistas desde el faro, abundante flora endémica.

ITINERARIO B
RUTA DE LOS CORMORANES
(ISLA DE ONS)

Nuestra visita a la isla de Ons también se inicia en el muelle donde nos deja la embarcación, junto al grupo de casas conocidas como O Curro, donde se encuentran los hostales, restaurantes, una tienda de comestibles y el punto de información del Parque. Cabe recordar que el trayecto en barco se presta a interesantes observaciones de aves marinas.

A la izquierda del espigón donde se desembarca, podemos ver la pequeña Playa das Dornas. Su nombre es debido a las características barcas, propias de estos lares, cuya forma se inspira en las embarcaciones que usaban los normandos que se piensa que llegaron a Galicia, hacia el siglo XV. Pero nosotros nos dirigiremos por el centro de la población hasta que, poco más allá de la iglesia, cogeremos a la izquierda una pista de roderas de cemento que indica "Burato e Miradoiro", que entre árboles nos acerca al mar, en compañía de los sonidos del Pardillo Común, el Jilguero, la Tarabilla Común y el Mirlo Común. El camino bordea la **playa Area dos Cans** donde, si la marea está muy baja,

Horreo en las casas de Canexol

Cormorán Moñudo

podemos llegarnos a las rocas donde está el sepulcro medieval antropomorfo "Laxe do Crego".

A los diez minutos de iniciar el itinerario, llegamos al grupo de **casas de Canexol**, donde podemos ver los característicos hórreos gallegos. Especialmente largos son los que quedan escondidos tras la casa que fue rectoral, escuela y casa de la maestra, y que sólo veremos si en nuestro andar nos giramos para mirar hacia atrás. En Canexol, hay una bella playa y un desvío que sube al lavadero, a una fuente y al enclave donde se levantaba un antiguo castro, hoy en día oculto por la vegetación.

Pero nosotros seguimos por el camino principal, que continúa entre el mar y cultivos de maíz por las **casas y la Playa de Pereiró**. A los veinte minutos, pasa al lado de un Campamento Juvenil de la Xunta y se adentra hacia el interior de la isla por entre el matorral de Tojo y Helecho, donde habitan el Verdecillo, el Mirlo Común y el Petirrojo. La pista empieza a ascender hasta que, en medio del helechal, se separa en dos. Tomaremos el ramal de la izquierda, siguiendo las indicaciones de "Miradoiro" y, en el siguiente desvío, haremos lo mismo. Pasamos bajo un gran pino de esbelta figura y seguimos hasta que, a los 2,6 km de camino llegamos al desvío que, en cinco minutos, nos lleva al **Mirador de Fedorentos**, situado a 64 metros de altitud, en un promontorio desde donde se divisa perfectamente Onza, la otra isla de este archipiélago –y a lo lejos la silueta de las islas Cíes–.

Después de un descanso y gozar de la vista, reharemos nuestros pasos hasta el cruce y proseguiremos hacia la izquierda, resiguiendo la costa por entre un tojal animado por el gorjeo de la Alondra Común y los carraspeos de las Currucas Rabilarga y Cabecinegra.

Medio kilómetro más adelante, parte el sendero que desciende hasta el **Burato do Inferno**. Esta curiosa formación geológica consiste en un agujero de unos 5 metros de diámetro por unos cuarenta de profundidad que baja hasta el mar, con el que se comunica a través de una "furna", una cueva excavada por el oleaje. Se trata de un sitio peligroso y por eso está vallado. Para los isleños, este enclave es el origen de numerosas leyendas y creencias: dicen que, en los días de temporal, pueden oírse los gemidos de las almas atrapadas por el Diablo.

La vista desde aquí es de las mejores de la isla, siendo un lugar adecuado para tomar fotografías, sentarse, observar la furia del mar y el ir y venir de los Cormoranes Moñudos, de las Gaviotas Patiamarillas y de las Chovas Piquirrojas. Con las últimas luces del atardecer, los bandos de Vencejos Reales animan la velada con sus piruetas y agudos chillidos. Aquí es donde criaban los Araos Comunes y su presencia se echa en falta.

Cruz en Burato do Inferno

Al lado del Burato, hay dos cruces elevadas sobre rocas, que recuerdan sendos accidentes mortales ocurridos en este paraje. La más antigua de ellas recuerda a un miembro de la Infantería de Marina que murió haciendo prácticas de escalada hacia los años 60. La más reciente conmemora la muerte –en los años 90– de dos visitantes de Madrid, que fueron arrastrados por una ola mientras tomaban el sol en unas rocas junto al mar.

Abandonamos al fin este enigmático lugar y reemprendemos nuestra ruta, que ahora se dirige en dirección norte, siguiendo la costa occidental de la isla. Los acantilados a nuestra izquierda y el **islote de Freitosas** son Zona de Reserva, ya que aquí crían muchas parejas de aves marinas. Pasado el islote, la pista gira hacia el Este y rodea la **ensenada de Caniveliñas**, desde donde podemos ver, a lo lejos, la figura del faro que domina la parte más elevada de la isla. Vamos descartando todos los desvíos hacia la derecha, que retornan hacia la habitada costa este, y

siguiendo siempre la pista principal pasamos cerca del faro, que queda a nuestra derecha. Durante todo el recorrido, nuestra atención de divide entre las conspicuas gaviotas y cormoranes de la costa y las discretas currucas, Chochín y flores del matorral, como las orquídeas *Serapias.*

Al fin, la pista se aleja un poco del litoral y asciende hasta el **Alto do Cerrada**, para descender luego hacia el Monte Centolo ofreciéndonos nuevas vistas del extremo norte de Ons. Después de unas dos horas y media de camino desde que empezamos la ruta, habremos recorrido unos 9 kilómetros y llegaremos al desvío que conduce a la **Punta do Centolo**, habiendo desechado poco antes otro desvío a la izquierda que conducía a la Punta Pasante. Si deseamos acercanos a la Punta do Centolo –en contra de lo que cabría esperar, el camino no goza de demasiada vista–, deberíamos añadir un par de kilómetros más al recorrido. El trayecto discurre a través de una colonia de Gaviotas Patiamarillas,

Temporal en Burato do Inferno

cuya agresividad puede ser elevada a inicios del verano.

Si por hoy ya hemos visto suficientes gaviotas, evitaremos este desvío y cogeremos la pista principal que sigue por la derecha. El interminable y espinoso matorral de Tojo es finalmente substituido por un bosque de Eucaliptos acompañados de helechos. Aquí cogemos un desvío a la izquierda que baja hasta la bella **Playa de Melide**, la preferida por los nudistas, y que conserva un cinturón dunar donde crecen el Barrón, la Azucena de Mar y la Correhuela Rosa. Dejando la playa, nos dirigimos entre Tojos, helechos y las bellas flores rosas de la Digital (*Digitalis purpurea*) de retorno al barrio de O Curro. Vuelven a aparecer los eucaliptos y algunos sauces –por donde es posible observar alguna Paloma Torcaz, la Curruca Capirotada, el Verdecillo, el Chochín o el Mirlo Común–, y las primeras edificaciones. Siguiendo la pista de la izquierda, llegaremos finalmente al punto de partida.

FICHA ITINERARIO B

Época de visita: todo el año. El tojal suele cubrirse de flores amarillas de mediados de abril a mediados de mayo.

Horario y duración del recorrido: unos 11,5 km que se recorren en unas 3 horas y cuarto de camino, aunque con las paradas podemos dedicarle gran parte del día.

Dificultades y recomendaciones: es peligroso acercarse a las zonas acantiladas, en especial en el Burato do Inferno. Precaución con las colonias de gaviotas, tanto para no molestarlas en sus nidos, como en proteger nuestra cabeza de sus ataques.

Interés: se trata de una ruta muy completa y sin complicaciones, que permite ver gran parte de la isla. En cualquier momento puede acortarse, regresando al barrio de O Curro por alguna de las múltiples pistas existentes. Pueden verse las comunidades vegetales más características de Ons, y realizar buenas observaciones de las colonias de Gaviota Patiamarilla y de Cormorán Moñudo. Además, en la costa oriental, hay numerosas muestras de arquitectura popular.

OTROS LUGARES DE INTERÉS NATURAL

- Alto del Príncipe (Isla de Monteagudo): espléndida panorámica de las islas Cíes desde un mirador.
- Playa Cantareira y observatorio del Faro do Peito (Isla de Monteagudo): en este recorrido podemos observar la vegetación propia de las dunas, una playa de grandes cantos rodados y una colonia de gaviotas y cormoranes desde un mirador.
- Isla de Sálvora: aunque está prohibido acampar, en una visita de un día puede verse el Pazo del Marqués, la capilla de Santa Catalina, así como los hórreos, las Gaviotas Sombrías, caballos y ciervos de esta isla. Al igual que en Cortegada, no hay transporte público.

LUGARES DE INTERÉS HISTÓRICO-ARTÍSTICO

- Sanxenxo: Ermita de Nosa Señora de A Lanzada, de estilo románico, siglo XIII.
- Pontevedra: Basílica de Santa María a Maior y casco antiguo.
- Baiona: Castillo de Monte Real con imponentes torres, con vistas del puerto y colegiata de Santa María.
- Cangas de Morrazo: colegiata del siglo XVI, iglesia de Coiro, con vistas de la ría y casa señorial de Quirós.
- Vigo: colegiata de estilo neoclásico y casco antiguo.

CARTOGRAFÍA

- Islas Cíes, Mapa 222-IV, 1:25.000. Instituto Geográfico Nacional, Madrid.
- Grove-Isla de Ons, Mapa 184-IV, 1:25.000. Instituto Geográfico Nacional, Madrid.

LECTURAS RECOMENDADAS

- **Luaces, J. y. Toscano, C.** (1998). *Islas Cíes.* Ediciones Nigra Trea.
- **Mouriño, J.** (2000). Guía de las flores de las Islas Cíes. Xunta de Galicia, Vigo.
- **Otero, M. J.** (1998). *Isla de Ons, privilegio de la Naturaleza.*
- **Otero, X. L., Mouriño, X., Sierra Abrain, F. y Alonso, P.** (1994). *Guía del Parque Natural de las Islas Cíes.* Concello de Vigo, Vigo.

INFORMACIÓN TURÍSTICA

Oficinas de Turismo
- Gutiérrez Mellado, 1, bajo, Pontevedra
  986 850 814
- Av. Cánovas del Castillo, 22, Vigo
  986 430 577

TRANSPORTE PÚBLICO

- Compañia naviera Mar de Ons
  986 22 52 72
- Naviera Illa de Ons
  986 32 00 48 / 986 68 76 99
  696 99 19 89
  www.isladeons.net
- Cruceros Rías Bajas
  986 73 13 43 / 670 518 669
  www.crucerosriasbaixas.com

ALOJAMIENTOS

- Camping Illas Cíes
  986 43 46 55 / 968 43 83 58
- Casa Acuña (Isla de Ons)
  986 68 76 99 / 986 68 72 32
- Casa Checho (Isla de Ons)
  986 68 77 67

Numerada (Vanessa atalanta)

PARQUE NACIONAL
PICOS DE EUROPA

PARQUE NACIONAL
PICOS DE EUROPA

Picos de Europa es un extenso Parque Nacional –el segundo en dimensiones del estado– nacido al amparo del que fuera el primero de España: el de la Montaña de Covadonga, declarado en el año 1918. La vorágine de abruptas peñas, desfiladeros de vértigo excavados por ríos impetuosos, e imponentes paredes de roca caliza de este macizo, contrastan con los frondosos bosques de haya y roble que las arropan y los verdes fondos de valle. Allí, entre prados, campos y setos, destacan los pueblos de montaña con sus coloreados tejados de teja. Éste es un Parque excepcional en otoño, cuando el abigarrado cromatismo de los árboles de hoja caduca aparece y desaparece entre las misteriosas nieblas que suelen asentarse en el fondo de los valles y contrasta con el blanco de los riscos.

A los atractivos que los Picos de Europa ofrecen al visitante hay que sumar una variada fauna de montaña, donde animales estrictamente forestales como el Urogallo Común y el Pito Negro comparten territorio con otros propios de zonas abiertas, como el Lobo y el Águila Real; o alpinas, como el Rebeco, el Gorrión Alpino y el Treparriscos. Todo ello hace que éste sea un espacio natural de gran interés para el naturalista, pero también para el excursionista y montañero, al que se le ofrecen multitud de senderos y ascensiones.

Garganta del río Cares

Santa Marina de Valdeón y el macizo del Cornión

SITUACIÓN

Este Parque Nacional ce encuentra en la Cordillera Cantábrica, en el punto de unión de las comunidades de Asturias, Cantabria y Castilla y León. Sus límites engloban los tres macizos en que habitualmente se divide al conjunto montañoso de Picos de Europa (Macizos Occidental, Central y Oriental), así como las cabeceras de los ríos Cares y Sella, en León, y el Deva, en Cantabria. Forma un conjunto de unos 20 por 40 kilómetros, que llega hasta tan sólo quince kilómetros de la costa del Cantábrico.

AMBIENTES NATURALES

Los Picos de Europa son un enorme macizo calizo, en parte modelado por los glaciares y, en parte, por procesos de erosión cársticos. Su levanta- miento se produjo durante la Orogenia Alpina –al mismo tiempo que los Pirineos– al producirse la colisión entre las placas ibérica y europea. Cimas, lagos, turberas, bosques de hoja caduca, cañones, dolinas y praderas alpinas forman un conjunto de ecosistemas de montaña de enorme valor natural y notable belleza.

En los Picos se distinguen tres macizos: el Occidental o del Cornión, que es el más extenso y el que ofrece mayores contrastes; el Central o de Los Urrieles, que presenta una mayor altitud y un relieve más escarpado, incluyendo el Pico Urriellu o Naranjo de Bulnes, la Peña Vieja, y la Torre de Cerredo, que con sus 2.646 m es la cima más elevada del conjunto; y el Macizo Oriental o de Ándara, que es de menor extensión y contiene menores altitudes. Por otra parte, los Picos albergan algunas simas de más de 1.000 metros de profundidad, como la Torca del Cerro, de -1.589 m, que se considera la cuarta más profunda del mundo.

El **clima** es de tipo Atlántico en la vertiente norte, y Atlántico Continental en su cara sur, encontrándonos con microclimas mediterráneos en el Este, Sudeste y en la garganta del Cares. Las montañas actúan de barrera para los frentes nubosos, por lo que se concentran las lluvias y nevadas en la vertiente norte. La precipitación ronda los 2.000 mm anuales, la mayoría entre los meses de noviembre a enero.

Botánicamente hablando, los Picos de Europa se encuentran en la denominada Región Eurosiberiana. Según la altitud y las condiciones climáticas podemos distinguir aquí cuatro pisos de **vegetación**. Hasta los 500 metros de altitud se extiende el Piso Colino donde, alternándose con cultivos y prados de siega, crecen multitud de especies arbóreas: Encina Carrasca, diversas especies de robles, Fresno de Hoja Grande, Tilo de Hoja Grande, Castaño, Cerezo, Olmo...

De los 500 hasta los 1.750 metros de altitud estamos en el Piso Montano: un paisaje relativamente humanizado con bosques caducifolios de Roble Albar, Roble Carballo y Castaño. A medida que ganamos en altitud, los robles van dado paso al Haya, que a veces aparece mezclada con el Tejo –un árbol de elevado significado mitológico para los pobladores de la Cornisa Cantábrica–, el Acebo, el Serbal de Cazadores, el Mostajo, el Avellano y el Abedul Pubescente.

De los 1.600-1.800 a los 2.000-2.200 metros nos encontramos en el Piso Subalpino, donde los árboles ya no pueden crecer debido a la abundancia de nieve y son substituidos por praderas con matorrales de Enebro Rastrero (*Juniperus communis* subsp. *nana*), Gayuba (*Arctostaphylos uva-ursi*), el Brezo *Daboecia cantabrica*, o Genista (*Genista legionensis*).

Finalmente, por encima de los 2.200 metros se extiende el Piso Alpino, donde ya no crecen ni árboles ni casi matorrales. Lo que más abunda son las especies herbáceas adaptadas al frío y a los largos periodos de innivación, por lo que se ha desarrollado una flora especialmente adaptada a las condiciones de vida que imponen los extensos canchales de rocas sueltas.

Con tal variedad de pisos de vegetación, la **fauna** de Picos de

Florecillas del Brezo

Saxifragas en un lapiaz, El Cornión

Europa es obligatoriamente variada. El mamífero más significativo es el Rebeco. El censo de este ágil herbívoro en el Parque ronda los 6.000 ejemplares, lo que no está mal después de que los cazadores lo llevaran al límite mismo de su extinción. Otros mamíferos propios de estas montañas son el Corzo, el Ciervo Rojo, el Jabalí, la Liebre del Piornal, el Zorro Rojo, el Gato Montés Europeo, la Jineta, la Nutria Paleártica y el Desmán Ibérico,

entre otros. Picos de Europa es el único Parque Nacional que alberga al Lobo, del que se estima que hay una veintena de ejemplares: se ha comprobado que el 30% de su dieta la constituyen los Rebecos. El Oso Pardo frecuenta la zona, aunque no parece contar con una población estable.

Entre las diversas especies de aves rapaces que sobrevuelan el macizo destacan el Águila Real, el Buitre Leonado, el Alimoche Común, la

Culebrera Europea, el Abejero Europeo o el Búho Real. De vez en cuando, hay observaciones de Quebrantahuesos que, después de años de ausencia, se espera que vuelva a recolonizar el macizo gracias a la protección que aporta el Parque Nacional. Abundan los córvidos, como las Chovas Piquirroja y Piquigualda, así como el Cuervo y la Corneja. Además de las características aves de cualquier zona forestal, cabe destacar la presencia del Pito Negro, del Pico Mediano y de la subespecie cantábrica del Urogallo Común. En las zonas altas podremos observar al Bisbita Alpino, la Collalba Gris, el Colirrojo Tizón, el Gorrión Alpino, el Treparriscos, el Acentor Alpino y el Roquero Rojo. En los cursos de agua, además de las típicas lavanderas, también están presentes el Mirlo Acuático y el Martín Pescador.

En el grupo de los anfibios y reptiles cabe destacar al Tritón Alpino y a la Víbora de Seoane, mientras que, entre los peces, son famosos los Salmones, que cada año ascienden a desovar en los ríos Sella, Deva y Cares. De invertebrados, son notorios algunos endemismos propios de las simas y una gran variedad de mariposas, entre las que citaremos la Piquitos Clara (*Carcharodus lavatherae*), considerada una de las veinte especies más raras de Europa.

CONSERVACIÓN

Uno de los principales problemas es la considerable frecuentación humana, que alcanza la notable cifra de 1,6 millones de visitantes anuales. En verano o algunos fines de semana y en algunos lugares concretos –Garganta del Cares, Lagos de Covadonga, Teleférico de Fuente Dé–, la cantidad de gente puede llegar a ser considerable y entorpece el contacto del visitante con la naturaleza. La explotación ganadera es también muy importante en este Parque, hecho que dificulta la regeneración del bosque y que perjudica a diversas especies de plantas, aunque por otra parte tiene su lado positivo al favorecer la población de aves carroñeras.

Oso Pardo

DATOS DE INTERÉS DEL PARQUE Y RECOMENDACIONES

Extensión: 64.660 ha.

Año de declaración: creado el año 1995, englobando al primitivo Parque Nacional Montaña de Covadonga, de 16.925 ha, declarado en 1918.

Dirección:
- Oficina de información "Casa Dago" Avda. Covadonga, 43 Cangas de Onís (Asturias) 985 84 86 14
- Centro de interpretación "Pedro Pidal" Buferrera, Los lagos de Covadonga, Cangas de Onís (Asturias)
- Oficina de información de Posada de Valdeón Travesía de los Llanos s/n Posada de Valdeón (León) 987 74 05 49
- Oficina de información de Camaleño Urbanización La Molina s/n Camaleño (Cantabria) 942 73 05 55
  En verano hay puntos de información en Los Lagos, Poncebos, Fuente Dé, Panes y Valdeón. En el futuro piensan añadirse centros en Tama y Posada de Valdeón.
- Oficina administrativa Arquitecto Reguera, 13 Oviedo (Asturias) 985 24 14 12 / 985 27 39 45 (fax) picos@mma.es

Sitio web:
www.mma.es/parques/lared/picos

Acceso al Parque: tres carreteras permiten rodear el amplio perímetro del Parque. Por el Este, la N-621 va de Unquera (Cantabria) a Riaño (León) pasando por Panes, el desfiladero de la Hermida, Potes y el puerto de San Glorio. Por el Oeste, la N-625 va de Riaño hasta Cangas de Onís (Asturias), pasando por el puerto del Pontón, Oseja de Sajambre y el desfiladero de los Beyos. La AS-114 nos conduce de Cangas de Onís a Panes, por Benia de Onís y Arenas de Cabrales. Varias carreteras de montaña por las que es necesario conducir con precaución, penetran hacia el interior del Parque. Autocares Palomera* realiza el servicio de Santander a Potes y a Fuente Dé.

La compañía Alsa* cubre los trayectos de Cangas de Onís a Covadonga y los lagos, así como el de Cangas a Arenas de Cabrales y Poncebos. El teleférico de Fuente Dé* permite acceder a la parte alta del macizo Central desde su vertiente Sur, mientras que el Funicular de Bulnes* lo hace por su cara Norte, aunque a menor altitud.

Servicios y equipamientos: existen diversos Centros de Visitantes y Oficinas de Información que suelen abrir de 9 a 14 y de 16 a 18,30 h, con algunas exposiciones y tiendas, aunque tan sólo venden publicaciones del Ministerio de Medio Ambiente. El Centro Pedro Pidal no está adaptado para minusválidos, ya que se accede a él a través de una larga escalera; los afectados deben ignorar la señal de dirección prohibida que hay en la carretera de acceso al centro y acceder en su coche. Servicio de excursiones guiadas del 1 de julio al 30 de septiembre. Unas pocas rutas señalizadas. Diversos miradores. Existen refugios de montaña con variedad de servicios. Vivaqueo permitido por encima de los 1.600 metros de altitud, montando las tiendas una hora antes de la puesta del sol y recogiéndolas hasta una hora después de la salida.

Recomendaciones generales: parque de alta montaña con un clima complejo y sujeto a bruscos cambios. El senderista debe ser precavido con la niebla, las tormentas y las crecidas de los ríos. Un mapa y una brújula o GPS serán sus mejores aliados. Hay que llevar vestimenta y calzado adecuado, previendo algo de abrigo, incluso en verano. Cuando luce el sol, el color blanco de las rocas hace recomendable el uso de gafas de sol y una crema protectora. En la zona alpina no suele haber fuentes ni riachuelos, por lo que hay que pensar en llevar siempre una cantimplora con agua. Picos de Europa es frecuentado por gran cantidad de personas, por lo que evitaremos en lo posible visitarlo en agosto o en Semana Santa. Los propietarios de perros deben llevarlos atados, y no pueden subirlos en el teleférico de Fuente Dé.

* ver *Información Turística en la ficha del final del capítulo*

ITINERARIO A
DE FUENTE DÉ A ESPINAMA
POR LOS PUERTOS DE ÁLIVA

El circo glaciar de Fuente Dé forma un anfiteatro calcáreo, cuyas paredes parecen inexpugnables para el caminante que no esté pertrechado de utensilios de escalada. Pero la existencia de un teleférico –"El Cable", como le llaman en la zona–, facilita el acceso a la parte alta del macizo. Este teleférico fue inaugurado en el año 1966 y, en cuatro minutos, supera los 765 metros de desnivel que separan la estación base –situada en la cabecera del río Deva, junto al Parador Nacional– de la estación superior, enclavada a 1.834 metros de altitud. Después de haber echado un vistazo por el mirador colgado sobre el valle, llegó el momento de iniciar nuestra andadura. Para ello tomaremos la única pista que parte de la estación y que, por un paisaje sobrecogedoramente pétreo,

se adentra hacia el interior del Macizo Central de los Picos.

A finales de primavera o principios del verano el suelo aparece salpicado del blanco de la Pulsatila de Primavera (*Pulsatilla vernalis*), el azul de la Genciana de Primavera (*Gentiana verna*) y la *Gentiana acaulis*, y del amarillo del Narciso de Asturias (*Narcissus asturiensis*). Avanzado el verano aparecen la Campanilla Cantábrica (*Campanula cantabrica*), la Siempreviva Cantábrica (*Sempervivum cantabricum*) y la diminuta *Aquilegia discolor*, endémica de los Picos. Esta variedad de flores alpinas atrae a buen número de mariposas como, por ejemplo, la Niña Gris (*Agriades pyrenaica*).

A los veinte minutos de camino, justo cuando hemos recorrido 1,1 km y las piernas se nos han puesto a tono, alcanzamos el collado **Horcadina de Covarrobres**. A nuestra izquierda –unos metros antes de culminarlo–, parte una pista que se dirige hacia los Horcados Rojos, una extensión opcional que añadiría algo

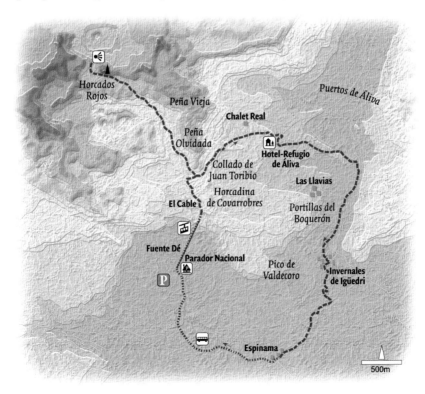

Primeros rayos de sol sobre Peña Remoña

más de 8 kilómetros y casi tres horas a nuestra ruta. Es una opción interesante si decidimos partir la ruta en dos jornadas, pernoctando en el Hotel-Refugio de Áliva. Si descartamos el camino de los Horcados Rojos y continuamos por la pista principal, no habremos ascendido ni cien metros de altitud y –ventajas de los teleféricos– todo el resto de camino será de bajada. Ahora, enfrente de nosotros se extienden los Puertos de Áliva y a nuestra izquierda –en un principio escondida por la Peña Olvidada–, la Peña Vieja y sus canchales, todo ello frecuentemente sobrevolado por grupos de Chovas Piquirrojas y también de Buitres Leonados. Más difícil de localizar son el Gorrión Alpino y el Rebeco en los canchales y, sobretodo, el Treparriscos, que habita en las paredes.

A los 35 minutos alcanzamos el Collado de Juan Toribio, desde donde se divisa una magnífica panorámica de los alrededores, el cordal de Juan de la Cuadra a su derecha y el valle del Duje y los Puertos de Áliva al Este. Llama la atención el tejado rojo vivo del Chalet Real, construido por la empresa minera *Asturiana del Zinc*, y que era utilizado por el rey Alfonso XIII para venir a cazar Rebecos. Los pedregales han sido substituidos por prados alpinos, permitiendo la aparición de gencianas (*Gentiana* y *Gentianella spp.*) y Quitameriendas (*Merendera montana*), así como del Bisbita Alpino. En una curva cerrada a la izquierda bajo unos peñones, abandonamos la pista y continuamos recto hacia el Este por un sendero que discurre por el prado y que nos lleva directamente hasta el **Hotel-Refugio de Áliva**. Hemos empleado aproximadamente 1 hora para recorrer 3,3 km.

Está enclavado a 1.666 metros de altitud, en un grandioso paisaje de pastos frecuentados por ganado vacuno, ovino y caballar, además de por Buitres Leonados, Alimoches Comunes y Cuervos. El establecimiento es más un hotel que un refugio y, si antes llevamos a cabo la fatigosa ascensión opcional hasta los Horcados Rojos, ahora nos merecemos un refrigerio y un descanso. Luego podemos proseguir la ruta, o bien dedicar lo que resta del día a descansar, pasear hacia las Minas de Mánforas o por la Lomba del Toro –que es la antigua morrena del glaciar que descendía por el valle del Duje– y pasar aquí la noche para proseguir al día siguiente.

La ruta continúa por la pista que atraviesa entre los dos edificios del hotel y parte hacia el Sur, evitando coger la que se dirige hacia el Nordeste. Ahora descendemos entre pastizales que se alternan con arbustos de montaña, como la Brecina (*Calluna vulgaris*). Además de las rapaces carroñeras, la avifauna de la zona es la característica de estos hábitats alpinos: la Collalba Gris, el Bisbita Alpino, el Pardillo Común, y las sempiternas Chovas Piquirroja y Piquigualda. A los 4,9 km pasamos cerca de una charca para el ganado, y 300 metros más adelante –cumplida 1 hora y 30 min de camino–, llegamos a un cruce de pistas. Seguiremos por la de la derecha hasta que inmediatamente nos encontramos con otra pista. La de la izquierda lleva a la cercana ermita de Nuestra Señora de las Nieves, y la que continúa recto y se encamina hacia la salida del valle es la que seguiremos. A nuestra derecha aparece luego un grupo de cabañas (Las Llavias), y a la 1 hora y 50 min alcanzamos el arroyo que luego se transformará en el **río Nevandi**. La inquieta Lavandera Cascadeña aporta un cambio en la avifauna que hemos visto hasta ahora. Otra nueva pista asciende hacia la izquierda en dirección al pueblo de Pembes, pero nosotros continuamos hacia abajo, donde el valle va encajonándose. En este punto es interesante detenerse y escrutar concienzudamente las crestas que nos rodean, ya que aquí es habitual la presencia de Rebecos.

El Chalet Real, bajo la imponente Peña Vieja

Águila Real

En unos minutos alcanzamos las **Portillas del Boquerón**, un bello enclave donde la pista que asciende desde Espinama penetra en el valle a través de unos pilones. La estrechez del paso crea un ambiente umbrío, que favorece la presencia de la Brecina y la Campanilla. En estas rocas habita el vistoso Roquero Rojo y, justo al salir del estrecho, a nuestra derecha observaremos cómo crecen varios ejemplares de Tejo en las fisuras del acantilado.

Ahora el paisaje cambia radicalmente: Hemos recorrido 7,7 km en un par de horas y pasamos por los **Invernales de Igüedri**, un conjunto de cabañas y corrales cuyo telón de fondo es el puntiagudo pico de Valdecoro. Los paisajes alpinos han sido sustituidos de repente por prados y bosquetes formados por fresnos, avellanos, rosales y espinos majuelos. La pista desciende luego a través de un robledal de Melojo, donde a ratos se entremezclan alguna Haya o Acebo, mientras que en el suelo aparecen las matas de Brecina, *Daobecia* y las rosadas flores de la Digital (*Digitalis purpurea*). También cambia la fauna, apareciendo aves forestales como el Busardo Ratonero, la Paloma Torcaz, el Arrendajo, el Trepador Azul, el Petirrojo, el Chochín o el Herrerillo Común.

Al fin, a las tres horas de andar, llegamos al pueblo de **Espinama**, situado a una altitud de 875 m, y a la carretera. A las 8,15, las 13 y las 20 horas un autobús parte de Potes, pasa por Espinama y llega a Fuente Dé. Los fines de semana tan sólo funciona el de mediodía. Si llegamos tarde habrá que pedir un taxi, o bien andar los más de 3 kilómetros que nos separan de Fuente Dé.

Extensión a Horcados Rojos

Esta extensión facultativa empieza tomando la pista que parte a la izquierda de la **Horcadina de Covarrobres**, y planea por la ladera occidental de las peñas Olvidada y Vieja. A nuestra izquierda, abajo, nos fijaremos en los Pozos de Lloroza, pequeñas lagunas de origen glaciar y cárstico donde habitan el Tritón Alpino y el Sapo Partero Común. A los 40 minutos, desde El Cable, la pista dibuja una marcada curva hacia la izquierda, llamada **La**

Vueltona. En este punto la abandonamos y seguimos hacia el Norte. Ascendemos por un estrecho sendero que discurre a través de un pedregal de piedras sueltas, dejando a la izquierda una roca donde se aprecian con claridad las marcas de la erosión cárstica. Más adelante, el camino zigzaguea en fuerte pendiente por el canchal. La vegetación –que ya era escasa– ahora desaparece casi por completo. Estos paisajes rocosos son el hábitat del Acentor Alpino y del Gorrión Alpino. Nos hará falta más suerte para localizar al Treparriscos, el señor de las paredes verticales.

Después de 1 hora y 15 min llegamos a una desviación. Hemos ascendido un desnivel de 250 metros, aproximadamente la mitad de lo que hay que superar para alcanzar el collado. Desechamos el sendero de la

Campanillas en una fisura, Hoyo Sin Tierra

derecha que asciende hacia Peña Vieja y, en unos 20 minutos más, llegamos a otro desvío que conduce al pequeño refugio Cabaña Verónica. También lo desechamos y proseguimos en dirección Norte para, en 10 minutos más de esfuerzo y, a los 5,2 kilómetros alcanzar el **collado de Horcados Rojos**. Si la niebla no lo impide, ha llegado la hora de recoger nuestro premio: una sobrecogedora vista de la desolada depresión del Jou de Los Boches, del famoso Pico Urriellu –destino soñado de montañeros y escaladores, también conocido como el Naranjo de Bulnes–

y demás cimas del macizo central. Pocas especies habitan estas altitudes, aparte de algunas *Armeria* y la endémica *Linaria faucicola*. Si nos sentamos y observamos con binoculares las laderas a nuestros pies, es posible que descubramos algún Rebeco. Y, si sacamos un bocadillo, no tardarán en aparecer las descaradas Chovas Piquigualdas, acostumbradas a que los montañeros coman aquí.

Una vez de regreso al cruce de pistas, bajo la Peña Olvidada, podemos optar por regresar a El Cable, o bien seguir hasta el Hotel-Refugio de Áliva.

El Pico Urriellu, desde Horcados Rojos

Hayedo entre la niebla

FICHA ITINERARIO A

Época de visita: desde finales de primavera a mediados de otoño, siempre que la climatología lo permita, ya que la presencia de niebla o nieve hace peligroso el recorrido.

Horario y duración del recorrido: el punto de partida se sitúa en el teleférico de Fuente Dé, al final de la carretera que desde Potes recorre el valle de Camaleño. La ruta normal es de unos 11 km, que se andan en unas 3 horas. Si optamos por subir también a Horcados Rojos, el recorrido total aumenta a 19,3 km y 5 horas 50 min. El descenso acumulado es de 1.050 metros, en la ruta básica, y de 1.470, desde Horcados Rojos.

Dificultades y recomendaciones: la ruta normal es de dificultad media, siempre que la meteorología no la complique. No está prácticamente señalizada, pero con la ayuda de un mapa no existe posibilidad de pérdida. La extensión a Horcados Rojos es bastante más difícil, debiendo superar un desnivel de 510 metros por un sendero pedregoso y resbaladizo que obliga al uso de botas de montaña para mantener los tobillos bien sujetos. El teléfono del Hotel-Refugio de Áliva es el 942 73 09 99 y el de los autobuses Palomera, que llevan de Potes a Fuente Dé pasando por Espinama, aparece indicado en la ficha del final del capítulo.

Interés: el teleférico de Fuente Dé nos ofrece la oportunidad de acceder a la parte alta de Los Picos y observar su flora y fauna alpina, en especial si realizamos un esfuerzo adicional y ascendemos a Horcados Rojos.

ITINERARIO B
RUTA DE LOS LAGOS
DE COVADONGA

Es ésta una ruta circular que vale la pena recorrer para hacerse una idea general de los lagos de Enol y Ercina, su entorno inmediato, y el talante ganadero de estos parajes. Se suele partir del aparcamiento del Centro de Visitantes Pedro Pidal, situado cerca del lago Enol, para así empezar con la visita al Centro. Pero si partimos por la mañana temprano –como debe ser si queremos evitar la vorágine de gente y disfrutar de la observación de aves–, es más recomendable iniciarla por el lago Ercina, dejando para más avanzada la mañana la visita al Centro. Desde el aparcamiento del **lago Ercina** puede apreciarse la belleza de esta masa de agua, situada a 1.100 metros de altitud, con el telón de fondo de los Picos. Esta zona es frecuentada por las Chovas Piquirrojas y Piquigualdas, córvidos propios de las zonas montañosas que en pocos lugares de la Península pueden observarse tan bien como aquí. También veremos

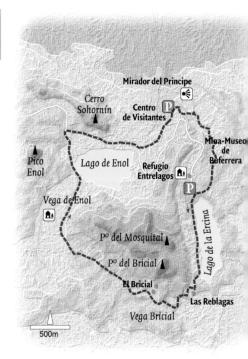

muchas vacas de raza Casina, propia de las montañas asturianas.

Empezamos a andar en dirección a la orilla derecha, ya que el sendero

Lago Ercina

Chovas Piquirrojas

pasa entre el lago y la gran peña de El Mosquital. El lago tiene apenas un par de metros de profundidad y cuenta con un cinturón de vegetación palustre que permite la presencia de algunas aves acuáticas, como el Ánade Azulón, la Focha Común, el Zampullín Común y la Cerceta Común. A orillas del agua, en primavera, florece la Hierba Centella (*Caltha palustris*) y, en los prados, el Narciso de Asturias (*Narcissus asturiensis*), el Diente de Perro (*Erytrhronium dens-canis*) y la Genciana de Primavera. En verano, la hierba se llena de las flores rosadas del Quitameriendas.

A medida que nos acercamos al Mosquital, el prado se entremezcla con rocas y un matorral espinoso.

Aparece la Tarabilla Común, el Colirrojo Tizón, el Mirlo Común, el Chochín, el Pardillo Común, el Bisbita Alpino y el Pinzón Vulgar. Si nos fijamos en el acantilado, veremos al Cernícalo Vulgar, el Cuervo y el Vencejo Común. La flora del prado está empobrecida por la intensa presión del abundante ganado, pero refugiadas en las rocas pueden observarse algunas plantas de interés, como la Onosma Borda (*Saxifraga paniculata*) y la *Linaria faucicola*. Dejamos atrás una fuente y, a los 20 minutos de camino, pasamos por **Las Reblagas**, unas cabañas situadas al pie del acantilado donde los pastores preparan queso. A final del verano, el sendero, que ahora rodea El Mosquital,

Prado repleto de Quitameriendas

aparece jalonado por las espigas violeta-azuladas del Acónito (*Aconitum napellus*) y las espinosas matas de Genista, en cuyo interior florece en junio la *Daboecia cantabrica*, a resguardo del hambriento ganado.

A nuestra izquierda vemos que, al fondo de una depresión cárstica, hay un antiguo lago colmatado, con el telón de fondo de las hayas y, a los 40 minutos, llegamos a las casas de **El Bricial**, envueltas por una docena de Fresnos y donde un panel informativo ofrece explicaciones sobre la zona. El suelo aparece revuelto por las hozaduras de los Jabalíes, y en los árboles pululan el Verdecillo, el Pinzón Vulgar y el Mirlo Común. El camino más evidente se dirige hacia la derecha, subiendo por una pendiente marcada por la erosión, pero este sendero no conduce a lugar ninguno. Hay que bajar un poco hacia la húmeda vega, donde crecen el Esfagno (*Sphagnum sp.*), la Cola de Caballo (*Equisetum sp.*) y la Alcaravea (*Carum verticillatum*); bordear un promontorio rocoso, que queda por encima del lago seco; y seguir entre rocas hasta el hayedo de Palomberu, donde aparecerán el Zorzal Común, el Acentor Común y otros pajarillos forestales.

Luego traspasamos un laberíntico lapiaz y, siguiendo en dirección noroeste, ya vemos enfrente de nosotros la pista que, partiendo del lago Enol conduce al Mirador del Rey. Hemos recorrido 2,5 kilómetros, en aproximadamente 1 hora y 10 minutos, y llegamos a los amplios pastizales de la Vega del Enol. Ahora giraremos a la derecha en ángulo casi recto y recorreremos la llanura en dirección al **lago Enol**, al que llegaremos en diez minutos más. Este lago es más profundo que el Ercina y por ello presenta menos vegetación acuática. Lo rodeamos por la izquierda por una pista y ascenderemos hasta la carretera asfaltada, por donde seguiremos hacia la derecha. En el talud rocoso de esta carretera nos llama la atención el monumento erigido en homenaje a siete personas que murieron en un accidente de helicóptero mientras participaban en el rescate de un niño perdido.

Las Reblagas

Mina-Museo de Buferrera

Pronto llegaremos a un bar y un desvío que se dirige hacia el **Centro de Información Pedro Pidal**. Yendo a pie mejor será coger el sendero empedrado que también parte hacia la izquierda y que pasa por encima del aparcamiento hasta llegar al Centro. Hemos recorrido 4,9 km en aproximadamente 1 hora y 50 minutos, y ahora podemos dedicar un rato a visitar la exposición. Luego, subiendo unas escaleras, llegamos a una zona de picnic con lavabos (abiertos tan sólo de 10 a 17 horas). En pocos minutos llegaremos a la **Mina-Museo de Buferrera**. A través de pasarelas que discurren por entre los restos de esta explotación minera –que, incomprensiblemente, estuvo explotándose hasta el año 1972–, llegaremos finalmente al frecuentado aparcamiento y al bar, a orillas del lago Ercina.

FICHA ITINERARIO B

Época de visita: la ruta puede recorrerse prácticamente todo el año, excepto cuando se acumula mucha nieve. La época más vistosa es de finales de primavera a mediados de otoño.

Horario y duración del recorrido: el periplo son 5,7 kilómetros que se andan en algo más de 2 horas, pudiendo prolongarse hasta 3, según las paradas que realicemos. El itinerario sube y baja en diversas ocasiones, pero no presenta grandes desniveles, sumando un acumulado de unos 175 metros de subida.

Dificultades y recomendaciones: algún tramo del sendero está poco indicado, pero con la ayuda de un mapa puede irse siguiendo el itinerario sin complicaciones. El único problema podría ser la niebla, frecuente en la zona y que podría despistarnos, además de taparnos la vista.

Interés: visión general de los lagos de Covadonga y sus alrededores cársticos, así como de su flora y vegetación característica. Observación de la vida ganadera de la zona.

Lapiaz y niebla, El Bricial

OTROS LUGARES DE INTERÉS NATURAL

• Desfiladero del río Cares: espectacular cañón que atraviesa el macizo de Caín a Camarmeña. Es una de las rutas a pie más transitadas del Parque, lo que en verano la convierte en una pesadilla. El último kilómetro de carretera antes de llegar a Caín, es estrecho y colgado sobre el precipicio. Mejor aparcar justo antes de este tramo y andar cinco minutos.
• Desfiladero de los Beyos: a lo largo de una decena de kilómetros, el río Sella y la carretera de Oseja de Sajambre a Cangas de Onís discurren encajonados entre paredes calizas.
• Bulnes: aunque exista un funicular para ascender de Poncebos a este poblado, la ascensión o el descenso a pie (unas dos horas), bien vale la pena. Desde el pueblo no se ve el famoso Naranjo.

• Vega de Urrielu: bajo el Naranjo de Bulnes se encuentra el refugio J. D. Ubeda, al que hay que acceder tras una larga caminata desde el Collado de Pandébano, cercano de la localidad de Sotres.

LUGARES DE INTERÉS HISTÓRICO-ARTÍSTICO

• Santuario de Covadonga: frecuentado lugar de peregrinaje donde se encuentra la imagen de la Virgen de Covadonga, patrona de Asturias. Puede visitarse la cueva donde, según la tradición, en el año 722 la Virgen se le apareció a Don Pelayo antes de vencer al ejército musulmán e iniciar la Reconquista de la Península Ibérica.
• Santa María de Lebeña: bella iglesia de origen prerrománico situada cerca de Lebeña, con un campanario mozárabe y un altar celta. Enfrente de ella se levanta un Tejo, árbol sagrado en estas tierras.

• Monasterio de Santo Toribio de Liébana: cerca de la interesante localidad de Potes. En este monasterio se conserva el *Lignum Crucis*, que se supone que es el fragmento más grande que se conserva de la cruz de Cristo. Buena vista de los Picos desde la cercana ermita de San Miguel.

• Cangas de Onís: esta localidad cuenta con un célebre puente romano y en sus alrededores están la Capilla, el Dólmen de Santa Cruz y el desfiladero de los Beyos. También aquí está la Casa Dago, centro de información del Parque.

CARTOGRAFÍA

• *Picos de Europa, Macizos Central y Oriental (Los Urrieles y Andara)* (1997), escala 1:25.000. Mapa topográfico excursionista. Adrados Ediciones.

• *Picos de Europa, Macizo Occidental (El Cornion)* (1999), escala 1:25.000. Mapa topográfico excursionista. Adrados Ediciones.

• *Picos de Europa y costa oriental de Asturias* (1998), escala 1:80.000. Mapa topográfico excursionista con 50 itinerarios pedestres. Adrados Ediciones.

LECTURAS RECOMENDADAS

• **Ena Álvarez, V.** (1995). *Por los Picos de Europa, a pie, a caballo, en bicicleta, en coche y en todo terreno.* Edilesa/Guías.

• **Adrados, M. A.** (1997). *Picos de Europa, ascensiones a las cumbres principales y 20 travesías selectas.* Adrados Ediciones, Oviedo.

• **Farino, T.** (2001). *Landscapes of the Picos de Europa, a countryside guide. Sunflower books*, Exeter.

• **Menéndez de la Hoz, M.** (Coordinador). (2001). *Guía de visita del Parque Nacional de los Picos de Europa.* Organismo Autónomo de Parques Nacionales, Madrid.

INFORMACIÓN TURÍSTICA

• Amieva   985 84 80 76
• Cabrales   985 84 64 84
• Cangas de Onís   985 84 80 05
• Peñamellera Baja   985 41 42 97
• Potes   942 73 07 87
• Camaleño   942 73 30 20

TRANSPORTES

• Funicular Bulnes   985 84 68 00
• Teleférico Fuente Dé 942 73 66 10
• Autocares Palomera 942 88 06 11
• Autocares Alsa   902 42 22 42
  www.alsa.com

ALOJAMIENTOS

• INCATUR   985 94 73 09
  info@picosdeeuropa.com
  www.picosdeeuropa.com
• Asociación de Turismo Rural de Cantabria   942 21 70 00
  www.turismoruralcantabria.com
• Asociación Leonesa de Turismo Rural   608 39 05 40
  ruraleon@aletur.es
  www.aletur.com

Refugios de montaña
Macizo Occidental
• Vegarredonda (FEMPA)
  689 52 45 43
• Vega de Ario (FEMPA)
  639 81 20 69
• Vega de Enol (Ayto. Cangas de Onís)
  985 84 85 76
• Vegabaño (Fed. Leonesa de Montañismo)   987 29 21 47

Macizo Central
• Vega de Urriello (FEMPA)
  985 94 50 24 / 985 94 50 63
• Jou de los Cabrones (FEMPA)
  985 36 69 32 / 908 18 15 81
• La Terenosa (FEMPA)
  985 25 23 62
• Cabaña Verónica (FEMPA)
  985 25 23 62
• Áliva (CANTUR)   942 73 09 99
• El Redondo   942 73 21 61
• Amuesa (FEMPA)   985 25 23 62

PARQUE NACIONAL
DE ORDESA Y MONTE PERDIDO

PARQUE NACIONAL
DE ORDESA Y MONTE PERDIDO

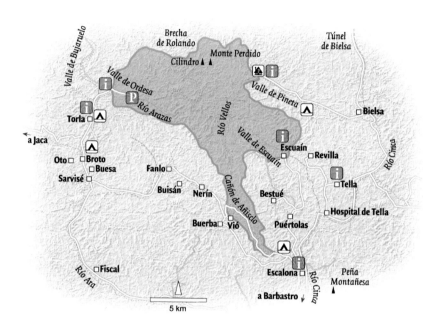

E l Pirineo aragonés posee algunos de los paisajes más soberbios de la cordillera pirenaica. El macizo del Monte Perdido supera con creces los tres mil metros de altitud (3.355 m), y acoge algunos de los últimos glaciares de los Pirineos. De él parten, de manera radial, los valles de Ordesa, Pineta, Añisclo y Escuaín, cortados a pico en la roca caliza, creando hoces profundas por donde discurren senderos que, en ocasiones, ponen a prueba al visitante propenso a sufrir vértigo. A pesar de las abundantes precipitaciones, las zonas altas son áridas, ya que el agua se filtra por las grietas que presenta la roca caliza. En cambio, en los resguardados valles, el agua corre en los ríos y lucen bosques ufanos, prados y cascadas de aguas heladas.

Esta accidentada geografía ha permitido que se conserve íntegra gran parte de la comunidad animal más genuinamente pirenaica: el Quebrantahuesos es relativamente fácil de observar y, con el Buitre Leonado, el Águila Real y las revoltosas chovas, proporcionan un estallido de vida a los cielos de este Parque. Canchales y prados alpinos son el ámbito del Sarrio, del Armiño y del Lagópodo Alpino, mientras que los bosques lo son del Urogallo Común y del Pito Negro. La pérdida más

Cañón de Añisclo en otoño

Picos de Gabieto, valle de Bujaruelo

reciente y lamentable es la extinción definitiva del Bucardo, la subespecie pirenáica de Cabra Montés.

SITUACIÓN

El Parque Nacional de Ordesa y Monte Perdido se encuentra prácticamente en el centro de la cordillera pirenaica, ocupando los altos valles de la comarca del Sobrarbe, al norte de la aragonesa provincia de Huesca. La delimitación del Parque beneficia parte de los términos municipales de Bielsa, Fanlo, Puértolas, Tella-Sin y Torla. La localidad de cierta importancia más cercana es Aínsa.

AMBIENTES NATURALES

Este Parque Nacional ofrece protección a un conjunto de sistemas naturales de montaña ligados a

formaciones de rocas sedimentarias que, a lo largo de milenios, fueron modeladas por diversos fenómenos erosivos. Estas montañas tienen su origen en una antigua fosa marina en la que se habían depositado sedimentos de naturaleza carbonatada y que, durante la orogenia alpina, sufrió sucesivos levantamientos A lo largo de las glaciaciones prehistóricas las masas de hielo cincelaron las montañas surgidas creando valles y circos. Posteriormente, el agua se encargó de retomar el trabajo iniciado por el hielo, desgastando la blanda roca calcárea excavando cañones y algunas de las simas más espectaculares de Europa. En el Parque la diferencia de altitudes oscila entre los 700 y los 3.355 metros del Monte Perdido, la tercera cumbre más alta de los Pirineos. En la actualidad, es uno de los pocos enclaves de España donde es posible observar restos de antiguos glaciares, aunque su extensión es reducida y se encuentran en franca regresión: en 1894 cubrían 556 hectáreas, mientras que en 1999 se habían reducido a tan sólo 48.

Aunque las diferencias altitudinales y de orientación de las laderas generan una gran diversidad de temperaturas y niveles de humedad, en general el **clima** es típicamente pirenaico, con abundante presencia de nieve durante el invierno. Las precipitaciones oscilan entre los 900 y los 2.000 mm anuales, y se producen con frecuencia fenómenos de inversión térmica durante los cuales en las zonas bajas y umbrías de los valles se registran temperaturas inferiores a las que se dan en las zonas altas y soleadas.

Como en todos los ecosistemas de montaña, la **vegetación** de este espacio natural se encuentra claramente influenciada por la altitud. El visitante podrá distinguir básicamente tres tipos de comunidades vegetales distintas: las submediterráneas, las montanas, y las de la alta montaña alpina.

Entre las primeras se encuentra el encinar de montaña con Boj, Gayuba (*Arctostaphyllos uva-ursi*) y Tomillo (*Thymus vulgaris*), que asciende hasta los 1.400 metros de altitud en las solanas de los valles de Añisclo y Escuaín. En algunos enclaves, el encinar es reemplazado por bosquetes de Quejigo y, en las crestas más expuestas al viento, por el matorral de Erizón (*Echinospartum horridum*), un bello arbusto de flores amarillas que puede ascender hasta los 1.800 metros.

En las solanas del más elevado piso montano se extiende el pinar de Pino Silvestre con Boj, Erizón y Enebro, mientras que en las umbrías y lugares con suelos más profundos prosperan el hayedo, el abetal o los bosques mixtos con Tilo, Fresno de Hoja Grande, Avellano, Abedul, Serbal de Cazadores y diversas especies de arces, todos ellos responsables de la belleza cromática que exhibe este Parque Nacional en el mes de octubre. A orillas de los ríos crecen fresnos, sauces y el Olmo de Montaña.

El bosque propio del piso subalpino es el pinar de Pino Negro con Rododendro (*Rhododendron ferrugineum*) y Arándano (*Vaccinium myrtillus*), que crece en altitudes comprendidas entre los 1.800 y los 2.200 metros, sin importarle demasiado la nieve, el viento y las bajas temperaturas. Por encima de él, en el piso alpino, ya sólo crecen pastizales dominados por las *Festuca spp.* y el *Nardus stricta*, y algunas especies

Flor de Nieve en la Faja de Pelay

adaptadas a crecer entre rocas y gleras. Es en estas alturas donde, desde mediados de junio a primeros de agosto, aparece una gran variedad de flores alpinas de extraordinaria belleza y colorido como la afamada Flor de Nieve o Edelweiss (*Leontopodium alpinum*), diversas especies de gencianas, saxífragas, prímulas, iris, siemprevivas, la Regaliza (*Trifolium alpinum*) o el Clavel Rastrero (*Silene acaulis*) que forma unos llamativos cojinetes de flores de color rosa vivo.

Un paraje tan excepcional acoge, como podría suponerse, una **fauna** excepcional. Encabezando la lista de animales más representativos, encontramos al Sarrio, cuyo censo supera el millar de ejemplares. Peor suerte corrió su compañera de hábitat, la subespecie pirenaica de Cabra Montés o Bucardo. A pesar de la extinción por culpa del hombre de especies tan emblemáticas como el Bucardo, el Oso Pardo y el Lobo, Ordesa y Monte Perdido sigue albergando una valiosa comunidad faunística. En los ríos, están presentes la Nutria Paleártica y el Desmán Ibérico; en los bosques, la Marta, el Gato Montés Europeo, la Ardilla Roja y el Jabalí; y, en la zona alpina, la Marmota Alpina y el Armiño. La avifauna sí que conserva todas sus especies, empezando por varias parejas reproductoras del insólito Quebrantahuesos. El Parque dispone de comederos para facilitar la supervivencia de los ejemplares jóvenes. Entre las numerosas rapaces destacan el Buitre Leonado, el Águila Real, el Halcón Peregrino, el Abejero Europeo y el Búho Real.

Una de las aves más importantes del Parque es el Urogallo Común, enorme gallinácea que, a lo mejor, tenemos la fortuna de levantar en un paseo por el bosque. Le acompañan en su predilección por las florestas mejor conservadas el Pito Negro, la Chocha Perdiz, el Agateador Norteño y el Mochuelo Boreal; y, en las zonas más abiertas, el Mirlo Capiblanco, la Perdiz Pardilla y la Víbora Áspid. Las zonas elevadas son el ambiente preferido por el Treparriscos, el Vencejo Real, el Lagópodo Alpino, la Collalba Gris, el Bisbita Alpino, el Acentor Alpino, el Gorrión Alpino y

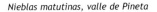

Nieblas matutinas, valle de Pineta

Sarrio

ambas especies de chovas. En los cursos de agua, además de fijarnos en el Mirlo Acuático y la abundante Trucha Común, también buscaremos un ser mucho más pequeño, pero de enorme interés naturalístico: el pequeño Tritón Pirenaico. Entre la enorme diversidad de invertebrados cabe destacar una gran variedad de mariposas, entre las que hay que citar a la espectacular Mariposa de Graells (*Graellsia isabelae*).

CONSERVACIÓN

El problema de conservación más acuciante que pesaba sobre Ordesa era evitar la desaparición de la subespecie pirenaica de Cabra Montés. Aunque a primeros del siglo XX, en el momento de su declaración como Parque Nacional, en Ordesa aún quedaba un número suficiente de ejemplares como para permitir su recuperación, casi cien años de teórica protección no lograron sacarlo del pozo de la extinción. En 1990, tan solo sobrevivían ya 10 individuos y, en 1994, tres hembras, la última de las cuales murió en enero de 2002.

Ahora se especula con invertir grandes sumas de dinero en su posible clonación. Algo que suena irónico ya que si la administración fue incapaz de asegurar la supervivencia de la especie cuando quedaban decenas de ejemplares en el interior de este espacio natural protegido ¿qué se haría ahora con unos pocos ejemplares clónicos? Dada su extinción definitiva, ahora la atención se dirige a controlar en lo posible que las cerca de 650.000 personas que visitan el Parque cada año –básicamente concentradas en verano y en el sector de Ordesa–, transtornen el mínimo posible el funcionamiento del ecosistema.

Pito Negro en un haya

DATOS DE INTERÉS DEL PARQUE Y RECOMENDACIONES

Extensión: 15.608 hectáreas más 19.679 ha de Zona Periférica de Protección.

Año de declaración: 1918, reclasificado en 1982. Tambien declarado Reserva de la Biosfera (1977) y Sitio del Patrimonio Mundial de la UNESCO (1997).

Dirección:
• Oficinas
  Paseo de las Autonomías
  Pasaje Baleares, 3, Huesca
  974 24 33 61 / 974 24 27 25 (fax)
  ordesa@mma.es
• Centro de Visitantes El Parador
  974 48 64 21
• Oficina de Información de Torla
  974 48 64 72

Sitio web:
www.mma.es/parques/ordesa
www.ordesa.net

Acceso al Parque: al estar enclavado en un macizo montañoso de complicado relieve, el acceso a cada uno de los cuatro valles del Parque Nacional es relativamente complejo y se hace por pequeñas carreteras de montaña. Al valle de Ordesa se accede a través del pueblo de Torla, al de Añisclo desde Escalona y Fanlo, al de Escuaín desde Escuaín o Tella, y al de Pineta desde Bielsa. Las carreteras N-260 –que conduce de Sabiñanigo a Biescas y Torla–, y A-138 –de Barbastro a Ainsa y Francia–, permiten el acceso a las poblaciones citadas. La estación de ferrocarril más cercana es la de Sabiñánigo (a 34 km de Ordesa), donde hay que enlazar con el autobús de la empresa Hudebus*, que cubre la línea regular Sabiñánigo-Torla-Broto-Sarvisé-Fiscal-Boltaña-Ainsa.
Durante la Semana Santa y de finales de junio a mediados de octubre –las fechas exactas varían de año en año– no está permitido acceder a la Pradera de Ordesa en vehículo privado. En estas épocas, el recorrido desde Torla debe hacerse con un servicio de autocares-lanzadera, que funciona de las 6 a las 22 h ininterrumpidamente, a intervalos de 15-20 minutos. En

Torla hay un aparcamiento de pago para dejar el vehículo privado. Las únicas alternativas al autocar son subir andando por el Camino de Turieto, o bien visitar el Parque fuera de estas épocas, cuando sí está permitido acceder a la Pradera de Ordesa en vehículo privado.
El Ayuntamiento de Fanlo ofrece un servicio de autocar todoterreno que realiza un recorrido turístico por la cresta meridional del valle de Ordesa*. La excursión parte del pueblo de Nerín, remonta la pista de Las Cutas –cerrada al tráfico privado– y pasa por diversos miradores. El horario de salidas es a las 10 y a las 15 h, siendo su duración de unas 4 horas. Existe un servicio especial para montañeros que parte a las 7 de la mañana, te deja arriba con libertad para realizar excursiones por la zona, y te recoge a las 20 h.
En Semana Santa y durante el verano, el tráfico rodado por la carretera HU-631 que recorre el fondo del cañón de Añisclo –entre la Fuente de la Salud de Puyarruego y San Úrbez– sólo puede hacerse en sentido ascendente. En estas épocas el regreso debe hacerse por la estrecha y tortuosa carretera de Buerba-Puyarruego.

Servicios y equipamientos: centro de Visitantes en el antiguo Parador Nacional de Ordesa (entre el puente de los Navarros y el aparcamiento de La Pradera), con exposición y proyección de audiovisuales, adaptado para discapacitados (no así el servicio de autobuses). Acceso al centro en vehículo propio con estancia en su aparcamiento limitada a una hora, excepto de julio a octubre, cuando tan sólo puede accederse en los autocares oficiales. En la Pradera de Ordesa hay un Punto de Información, lavabos y un bar-restaurante con tienda de recuerdos donde es posible comprar Flores de Nieve cortadas y prensadas (!!!). Poco antes de llegar al aparcamiento de La Pradera de Ordesa, existe un Centro Sensorial para minusválidos (Casa Oliván). Para visitarlo, hay que llamar previamente al 974 48 64 72. Hay otro Centro de Visitantes en Tella y oficinas de información en Torla (¡cerrada los fines de semana, cuando acude más público!), Escalona, Bielsa y Escuaín. En el interior del Parque existen numerosos refugios de montaña, pero muchos de ellos no son más que cabañas de pastor sin acondicionamiento alguno. Los más importantes son el de Góriz (Ordesa), Ronatiza-Pineta (Pineta) y el Mesón de San Nicolás de Bujaruelo (Valle del Ara).

Recomendaciones generales: como en cualquier paraje de alta montaña, la visita a este Parque Nacional comporta ciertos riesgos que pueden acrecentarse con la presencia de nieve, hielo, niebla o bajas temperaturas. Las tormentas eléctricas son frecuentes en verano y, cuando se producen, es prudente evitar andar por crestas o lugares prominentes. También hay que vigilar en los lugares helados y resbaladizos, procurando ir siempre bien calzado y protegido contra las cambiantes inclemencias del tiempo. Los lugares donde el cuidado debe extremarse son: la Escupidera del Monte Perdido, los pasos más expuestos equipados con clavijas, y el descenso por la Senda de los Cazadores, por

donde discurre el primero de nuestros itinerarios. En los altiplanos que se extienden por las partes altas no hay agua, por lo que conviene llevar siempre una cantimplora. Debido a la altitud, la insolación es muy intensa –tanto en verano como en invierno– siendo necesario el uso de gafas de sol, y de crema protectora solar. En caso de emergencia puede avisarse al teléfono 112.

Para pernoctar en el interior del Parque, existen varios refugios y puede vivaquearse (es decir, montar la tienda a la puesta de sol y levantarla por la madrugada) por encima de los 1.800 metros de altitud en los valles de Añisclo y Escuaín, de los 2.100 m en Ordesa, y de los 2.500 en Pineta. Si tenemos perro, no hay ningún problema en que nuestro compañero nos acompañe en las excursiones siempre que lo llevemos atado con correa. Paradójicamente, sin embargo, está prohibido transportarlo en el autobús-lanzadera de Torla a Ordesa, lo cual impone tener que acceder a la Pradera de Ordesa a pie por el largo camino de Turieto (un par de horas de subida y otras tantas de bajada).

---

* ver Información Turística en la ficha del final del capítulo

Monte Perdido y pueblo de Bestué

Grasilla Pirenaica

ITINERARIO A RECORRIDO POR EL VALLE DE ORDESA

Ordesa constituye el corazón de este Parque Nacional, ya que es el único de los cuatro valles actualmente protegidos que lo está desde su declaración en 1918. La caminata descrita es larga –de hecho es la más larga descrita en este libro–, pero permite hacerse una completa idea de cómo es este magnífico valle y de los hábitats naturales que alberga.

La ruta empieza en **La Pradera de Ordesa**, allí donde –de julio a media-dos de octubre– nos deja el autocar-lanzadera de Torla, o donde se aparca el coche privado el resto del año. Situada a 1.310 metros de altitud, la pradera queda hundida entre altos paredones calizos que en algunos puntos llegan a superar los 300 metros de desnivel. En las laderas, bajo los cantiles, crecen bosques de Haya, de Abeto y de Pino Negro, por donde resuenan las llamadas del Pito Negro. Tomamos la pista hacia Soaso, que discurre por el interior de un hayedo-abetal con Boj, donde buscaremos el Arce Acirón, el Fresal Silvestre (*Fragarius vesca*) y la Orquídea *Cephalanthera rubra*. Abundan los pájaros forestales, como el Pinzón Vulgar, el Reyezuelo Sencillo o el Mosquitero Común.

En 45 minutos habremos recorri-do prácticamente 3 km. La pista traza una curva a la izquierda, donde mana una fuente. A nuestra derecha, se levanta una barandilla desde donde se divisa la **cascada de Arripas** o del Abanico. Un poco más arriba nos encontraremos con un sendero que se desvía de la pista principal y se acerca a otras casca-das. Siguiéndolo, enseguida llegamos al mirador de la cascada de la Cueva y, en 5 minutos más, al de la bellísi-ma **cascada del Estrecho**, que observaremos acompañados por la Lavandera Cascadeña y el Mirlo Acuático. Ahora podemos regresar

Cascada del Estrecho, valle de Ordesa

sobre nuestros pasos hasta la pista principal, o proseguir por una senda sin señalizar que parte de aquí mismo y que, tras una empinada ascensión en zigzag por el bosque, termina reencontrándose con la pista bastante más arriba.

Seguimos disfrutando de la belleza de estos bosques en los que cada vez predomina más el Haya y, en las rocas húmedas, a la vera del camino, nos fijaremos en la presencia de la Grasilla (*Pinguicula longifolia*), planta insectívora que identificaremos por sus flores violetas y sus hojas verdes con insectos diminutos pegados a ellas. A la 1 h 15 min (3,2 km), nos encontramos con un cobijo que podría sernos útil en caso de lluvia. En esta zona puede oírse el reclamo del Pito Negro, y crecen la Primavera (*Primula veris*) y la elegante Azucena Silvestre (*Lilium martagon*), que en verano nos regala sus colgantes flores rosas o púrpuras a las que ningún aficionado a la fotografía puede resistirse.

Al fin, el bosque se abre dando paso a praderías donde abundan arbustos como el Arraclán (*Frangula alnus*) y una gran variedad de flores como la Genciana Amarilla (*Gentiana lutea*), o la venenosa Hierba Lobuna o Matalobos (*Aconitum lamarckii*). A las 2 horas, alcanzamos las **Gradas de Soaso**, donde el río cae por una serie

Haya entre abetos, valle de Ordesa

de escalones naturales. Aquí hay otro abrigo de madera y en la ladera a nuestra izquierda podemos oír los silbidos de alarma de la Marmota Alpina. Superamos las gradas por un sendero a la izquierda y salimos a unos prados donde vemos un cobijo más. Estamos a 1.700 metros de altitud y, en el circo, abunda el matorral amarillo de Erizón. La comunidad de aves ha cambiado radicalmente; aparecen ahora la Collalba Gris, el Colirrojo Tizón y el Bisbita Alpino en prados y rocas. Es un buen lugar para observar grandes rapaces como el Quebrantahuesos, el Buitre Leonado y el Águila Real. Al fin, a las 2 h 45 min de camino (8,5 km), alcanzamos la preciosa cascada de la Cola de Caballo.

Si el tiempo parece estable, aún estamos a mediodía y no hay nieve, podemos regresar al punto de partida a través de la espectacular Faja de Pelay, una cornisa que se extiende por la vertiente umbría del cañón. Si es ya entrada la tarde, regresaremos por donde vinimos, ya que el regreso por la Faja dura unas 4 horas y se corre el riesgo de llegar a la empinada y resbaladiza Senda de los Cazadores cuando oscurezca, algo nada recomendable.

La vereda va ascendiendo entre prados ofreciendo una magnífica vista del conjunto del valle y, si miramos hacia atrás, la visión del Monte Perdido con la Cola de Caballo desde el sendero colgado en la Faja es realmente espectacular. Los acantilados bajo los cuales discurre el camino están habitados por aves propias de las zonas rocosas como las Chovas Piquirroja y Piquigualda, el Avión Roquero, el Treparriscos y el Vencejo Real. El Sarrio es común en todo el recorrido por la Faja y aquí fue donde sobrevivían los últimos ejemplares de Bucardo. En los primeros minutos sorprende la abundancia de la Flor de Nieve, que florece a finales de junio y durante julio. Su aspecto piloso es una adaptación para protegerse de la desecación. Aunque aquí sea abundante, cabe recordar que estamos en un Parque Nacional y no hay que arrancar ningún ejemplar. Una fotografía será el mejor recuerdo de nuestro encuentro con esta planta legendaria.

Media hora después de dejar la Cola de Caballo pasamos por una turbera con Junco Lanudo (*Eriophorum angustifolium*) y orquídeas *Dactylorhiza fuchsii*. Luego empiezan a aparecer Pinos Negros y pájaros como el Acentor Común, el Piquituerto Común, el Verderón Serrano y su mediterráneo pariente, el Verdecillo. Cuando han transcurrido ya casi 4 horas desde que empezamos a andar, aparece un matorral de Rododendro entremezclado con Pino Negro y Abedul. El sendero va ascendiendo pausada pero continuadamente. A las 4 h y 40 min, hemos recorrido ya 15 km y entramos en un hayedo. De vez en cuando la vegetación se abre, mostrándonos amplias panorámicas sobre la vertiente opuesta del valle: el Monte Arruebo, el Circo de Cotatuero, la Brecha de Rolando... Más adelante, en un pinar de Pino Negro, con

Rododendro y Serbal de Cazadores, encontramos otro abrigo y en 40 minutos más, llegamos por fin al **Mirador de Calcilarruego**, colgado sobre el vacío a 1.950 metros de altitud. Hasta aquí hemos recorrido 17,4 km en unas 5 h 25 min y ascendido 640 metros de desnivel ¡Una buena caminata!

Después de un descanso gozando de la vista de la Punta Gallinero, el Circo de Cotatuero y el Tozal del Mallo, procederemos al delicado descenso por la Senda de los Cazadores. El camino es pendiente, resbaladizo y algo colgado, por lo que la progresión debe hacerse con sumo cuidado, en especial si el firme está

Cascada Cola de Caballo

El Circo de Soaso

húmedo o helado (en cuyo caso más valdría no haber realizado esta parte del itinerario y haber regresado por el fondo del valle). Durante la bajada, a través del umbrío bosque, veremos numerosas plantas propias de zonas muy umbrías, como el helecho Culantrillo Menor (*Asplenium* *trichomanes*) y la Hierba de la Tos u Oreja de Oso (*Ramonda myconi*). El descenso nos llevará aproximadamente una hora y cuarto hasta llegar con los pies magullados al puente que cruza el río Arazas. Girando a la izquierda, en diez minutos más, llegaremos por fin al aparcamiento.

FICHA ITINERARIO A

Época de visita: el itinerario por el fondo del valle hasta la Cola de Caballo puede hacerse prácticamente todo el año, incluso con nieve si utilizamos raquetas o esquíes de travesía. Sin embargo, el trayecto por la Faja de Pelay tan sólo debe hacerse en verano u otoño cuando la nieve está ausente. En invierno y primavera es peligroso –en especial la Senda de los Cazadores– y hay riesgo de aludes.

Horario y duración del recorrido: es una larga excursión de 21,5 kilómetros, con un desnivel de unos 650 metros, para la que hay que andar durante unas 7 horas. Con paradas y descansos puede alargarse hasta unas 10. Si no estamos habituados a andar por alta montaña, mejor será regresar por el fondo del valle, lo que acorta y simplifica la ruta.

Dificultades y recomendaciones: el regreso desde la Cola de Caballo a través de la Faja de Pelay son 4 largas horas, por lo que nunca debe emprenderse más tarde de la hora de la comida, para no tener que bajar por la Senda de los Cazadores al oscurecer. De hecho, en la mayoría de guías de rutas a pie por la zona describen el itinerario al revés, ascendiendo primero por la Senda hasta el Mirador de Calcilarruego, con lo cual todo el resto del camino es ya de bajada. Es una buena opción, aunque entonces la subida es realmente extenuante y puede llevar entre 2 y 3 horas.

Interés: se trata de una excursión magnífica que recorre distintos ambientes propios de la alta montaña pirenaica: hayedo, abetal, pinar de Pino Negro, matorral de Rododendro, pastizales, roquedos, observando algunos de sus seres más característicos: Sarrio, Marmota Alpina, Quebrantahuesos, Águila Real, chovas, Pito Negro, Flor de Nieve, etc.

ITINERARIO B
LAS CASCADAS
DEL CIRCO DE PINETA

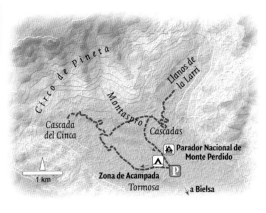

Para recorrer este itinerario por el circo de Pineta debemos llegar al aparcamiento de vehículos que hay al final del valle, en la **Zona de Acampada** situada a orillas del río Cinca, en un lugar donde es fácil observar al Mirlo Acuático y a la Lavandera Blanca. Empezamos a andar por la pista forestal que pasa por la derecha de una cabaña de Información del Parque Nacional. Su primer tramo discurre por el interior de un hayedo con fresnos donde, según la época del año, observaremos plantas como la Hepática (*Hepatica triloba*) y habitan animales forestales como el Pinzón Vulgar, el Petirrojo, el Carbonero Común, el Trepador Azul, el Azor Común, el Cárabo Común, la Salamandra Común o el Jabalí. Un poco más adelante la pista sale al descubierto, proporcionando buenas vistas de los Picos de Pineta y el agudo y fotogénico perfil de la Punta Felqueral.

A la media hora, llegamos a un **puente** que atraviesa el curso del joven Cinca. Si miramos hacia el Sudeste, se tiene una buena panorámica del valle de Pineta, con la característica forma en U de los valles excavados por glaciares. Pasado el puente, a la izquierda, veremos unos rótulos que indican el punto de partida del sendero que conduce a la Cascada del Cinca y el Balcón de Pineta. El camino asciende primero a orillas de unos saltos de agua y luego por un bosquete en el que se alternan el Avellano y el Haya, con helechales y claros con gran variedad de plantas de montaña que harán la delicia del aficionado a la botánica o a la fotografía. Entre las especies presentes y que varían según la época del

Oreja de Oso o Hierba de la Tos

Río Cinca en la Zona de Acampada

año, destacan la Azucena Silvestre, los racimos de flores blancas del Gamón (*Asphodelus albus*), el Lirio Pirenaico (*Iris xiphioides*), los vistosos Acónito Azul (*Aconitum napellus*) y Acónito Amarillo (*Aconitum anthora*), la Milenrama (*Achillea sp.*), el Fiteuma (*Phyteuma hemisphaericum*), el Boj, la Brunela Grande (*Prunella grandiflora*), el Rosal (*Rosa sp.*), además de variadas especies de mariposas y otros insectos de montaña.

Éste es un buen tramo para utilizar los binoculares observando la variedad de pájaros: en la vegetación, el discreto Carbonero Palustre, el Camachuelo Común, el Mosquitero Común, el Petirrojo, la Curruca Capirotada, el Reyezuelo Sencillo, el Mito o el Verderón Serrano; y en el cielo, las Chovas Piquirroja y Piquigualda, el Buitre Leonado y el siempre fascinante Quebrantahuesos.

A medida que ascendemos, vamos acercándonos más y más a las paredes del circo y la cascada. A la 1 h 20 min, llegamos a un abrevadero enclavado en un sitio más abierto, rodeado de helechos y acónitos. En esta zona aparecen el Arraclán y el Sauce, y, en las rocas, se solea la Lagartija Roquera. Justo después nos encontramos con un desvío de caminos. El de la derecha asciende en dirección al Balcón de Pineta. Nosotros seguiremos por el de la izquierda, que indica hacia Faja Tomosa. Es un sendero pedregoso y poco marcado, pero la proximidad de la **Cascada del Cinca** hace que no constituya ningún problema llegar cerca de su base, que alcanzaremos cumplida la 1 h y 30 minutos de marcha. El enclave al pie de los acantilados es espectacular y se merece la ascensión hasta los 1.650 metros que hemos llevado a cabo. A nuestro alrededor crecen los Enebros (*Juniperus communis*) y florecen el Lirio Pirenaico, en primavera, y el espinoso Cardo Blanco (*Eryngium bourgatii*), la Eufrasia (*Euphrasia sp.*) y el Quitameriendas (*Merendera montana*), en verano. A la derecha de la cascada pueden verse las Marmotas Alpinas y, en las paredes circundantes, podríamos tener la fortuna de descubrir al Treparriscos o a algún Sarrio.

Volviendo sobre nuestros pasos, a las 2 h 10 min, estaremos de regreso

Cascada del Cinca y Circo de Pineta

en la **pista forestal** que antes abandonamos. Seguimos su recorrido ascendente hacia el Este, a través de un hayedo con grandes ejemplares centenarios, y nos fijaremos cómo, en las rocas cercanas al camino, crecen numerosos ejemplares de la Hierba de la Tos, que habitualmente florecen hacia junio. En los taludes húmedos también están la insectívora Grasilla y la Hepática Blanca (*Parnassia palustris),* de delicadas flores blancas.

A los 6,4 km, llegaremos a un puente con un salto de agua que cae por entre rocas de un inusual color rojizo. La pista prosigue su ruta ascendente y, tras superar varias curvas, a las 2 h y 50 min, alcanzaremos los **Llanos de La Larri**. Situados a 1.600 metros de altitud, gozan de una magnífica panorámica sobre las montañas circundantes. En los prados sobresalen algunos matorrales de Boj, Rosal, y en el suelo aparecen ejemplares de Eufrasia, Cardo Blanco, Quitameriendas, *Achillea* y Pensamiento (*Viola tricolor*), entre otras. De la fauna, además de los caballos domésticos, cabe destacar a la Marmota Alpina, que habita en el límite del prado y de la cual oiremos sus chillidos, el Acentor Común, el Mirlo Capiblanco, la Corneja, las chovas y el Águila Real, el Buitre Leonado y el Quebrantahuesos.

Descendemos de nuevo por la pista y, a su izquierda, justo pasado el puente de la cascada roja, parte un sendero que desciende siguiendo el **barranco de La Larri**. Es pendiente y resbaladizo cuando está húmedo, aunque, en algunos tramos, hay rudimentarios escalones. Discurre por el interior de un hayedo con arces y Acebo (*Ilex aquifolium*), asomándose de vez en cuando a las bellísimas cascadas el blanco de cuyas aguas contrasta con las rocas rojas. Descender los 170 metros de desnivel de este barranco nos llevará casi media hora, hasta alcanzar su punto más bajo, allí donde se une al río Cinca. Ahora cruzamos el río por un puente y nos dirigimos hacia el aparcamiento, al cual podemos llegar o bien siguiendo por la orilla del río, o bien tomando una pista que parte a la derecha, junto a una gruesa Haya, que penetra en el bosque y desemboca en la zona de acampada.

FICHA ITINERARIO B

Época de visita: todo el año, aunque si hay mucha nieve mejor desechar la ascensión hasta la cascada del Cinca e ir directamente hacia los Llanos de La Larri.

Horario y duración del recorrido: un total de 10,5 kilómetros, para los que hay que andar un total de 3 h y 50 minutos, más el tiempo que dediquemos a las paradas. El desnivel que hay que ascender a lo largo de la excursión –y luego descender– es de unos 500 metros: 350 del aparcamiento a la Cascada del Cinca, y luego 150 del río Cinca a los Llanos de la Larri.

Dificultades y recomendaciones: el itinerario por la pista no ofrece dificultades. La subida hacia la cascada requiere más esfuerzo y calzado adecuado, al igual que el descenso por el barranco de La Larri, muy resbaladizo en caso de haber llovido o helado.

Interés: a lo largo de esta ruta disfrutaremos de un variado conjunto de saltos de agua, además de la contemplación de magníficos paisajes de origen glaciar, donde observaremos variedad de plantas y animales propios de los ecosistemas de alta montaña.

Salto de agua en el Barranco de La Larri

preciosa iglesia románica; y, Oto, varias casas y torres señoriales de los siglos XV y XVI.

- Bielsa: en la entrada del valle de Pineta, está declarado paraje pintoresco. El ayuntamiento tiene una fachada renacentista del siglo XVI. También dispone de un Museo Etnológico. Su fiesta de Carnaval es una de las más antiguas del país.
- Fanlo: este pueblo cuenta con diversas casas tradicionales de interés arquitectónico. Casa Ruba, que posee un torreón cilíndrico del siglo XVI, la casa del Señor, que se levanta junto a una imponente torre cuadrada, la casa Satué y la casa Borruel.
- Tella: situado en un pintoresco enclave, posee un dolmen megalítico y diversas construcciones de interés, así como las ermitas de San Juan y San Pablo, las Fajanillas y nuestra Señora de la Peña.

CARTOGRAFÍA

- *Mapa y Guía del Parque Nacional de Ordesa y Monte Perdido* (2000), 1:25.000. Organismo Autónomo de Parques Nacionales, Madrid.
- *Ordesa y Monte Perdido, Parque Nacional* (2002), 1:40.000. Editorial Alpina, Granollers.

LECTURAS RECOMENDADAS

- **Carmena, F.** (2001). *Ordesa: Pirineo aragonés.* Editorial Pirineo, Huesca.
- **Viñuales, E.** (1997). *Parque Nacional de Ordesa y Monte Perdido. 25 itinerarios a pie.* Prames S.A., Zaragoza.
- **Parques Nacionales** (2001). *Guía de visita del Parque Nacional de Ordesa y Monte Perdido.* Organismo Autónomo de Parques Nacionales, Madrid.

OTROS LUGARES DE INTERÉS NATURAL

- Valle de Añisclo: un agreste cañón excavado por las aguas del río Vellós, que luce sus mejores galas en octubre, cuando la variedad de árboles caducifolios se visten de colores amarillos y naranjas.
- Cañon de Escuaín: el más mediterráneo de los valles de este Parque Nacional. Un valle poco frecuentado con un profundo cañón y una vegetación a base de encinares y robledales.
- Valle de Bujaruelo: situado en la Zona Periférica –y accesible en vehículo–, los alrededores de San Nicolás de Bujaruelo ofrecen diversas excursiones, como la ascensión al collado de Bujaruelo.
- Glaciares del Monte Perdido: siguiendo en parte nuestro Itinerario B, la dura ascensión al Balcón de Pineta, permite la visión de estos glaciares relictos y del Lago Helado de Marboré.

LUGARES DE INTERÉS HISTÓRICO-ARTÍSTICO

- Valle de Broto: diversos pueblos ofrecen al visitante la oportunidad de un agradable paseo. Torla cuenta con un templo que conserva una portada románica y un Museo Etnológico; Linás de Broto una

INFORMACIÓN TURÍSTICA

- Huesca   974 21 12 96
- Torla   974 48 63 78
- Fanlo   974 48 61 84
- Bielsa   974 50 11 27

TRANSPORTES

- Autocares Hudebus 974 21 32 77
- Autocar todoterreno
  de Fanlo-Nerín   974 48 90 24
- Servicio de taxi   974 48 62 43
  Torla-Las Cutas   974 48 64 22
                     974 48 61 53

ALOJAMIENTOS

- Central de reservas
  Turismo Rural de Huesca
  974 29 41 41
- Tural   974 55 40 20
- Hotel Abetos (Torla) 974 48 64 48
  hotelabetos@ordesa.com
- Hotel Bellavista (Torla)
  974 48 61 53
  hotelbellavista@ordesa.com
- Hotel Villa de Torla (Torla)
  974 48 61 56
  hotelvilladetorla@ordesa.com
- Albergue El último Bucardo
  (Linás de Broto)   974 48 63 23
  elultimobucardo@ordesa.com

- Apartahotel Pradas (Broto)
  974 48 60 04
  hotelpradas@ordesa.com
- Hotel Bielsa (Bielsa)
  974 50 10 08
- Fonda Revestido (Escalona)
  974 50 50 42

Campings
- Ordesa (Torla)   974 48 61 46
- Río Ara (Torla)   974 48 62 48
- San Antón (Torla)   974 48 60 63
- Valle de Bujaruelo (Torla)
  974 48 61 61
- San Nicolás de Bujaruelo (Torla)
  974 48 64 28
- Añisclo (Escalona)   974 50 50 96

(Algunos cámpings no permiten salir antes de las 8 h de la mañana, algo que hay que tener en cuenta si deseamos madrugar)

Refugios de montaña
- Mesón de San Nicolás de Bujaruelo
  (Valle del Ara)
  (Ayto. de Torla)
- Góriz (Ordesa)
  (Fed. Aragonesa de Montañismo)
  974 34 12 01
- Ronatiza-Pineta (Pineta)
  (Fed. Aragonesa de Montañismo)
  974 50 12 03

Llanos de La Larri, valle de Pineta

PARQUE NACIONAL DE
AIGÜESTORTES i
ESTANY DE SANT MAURICI

PARQUE NACIONAL DE

AIGÜESTORTES i ESTANY DE SANT MAURICI

El Parque Nacional de Aigüestortes i Estany de Sant Maurici engloba una de las zonas de la cordillera pirenaica con mayor número de lagos de alta montaña. Estas masas de agua de origen glaciar se denominan "estanys" en idioma catalán (pronunciado "estañs") y "lacs" en aranés, idioma propio del Valle de Arán, parte del cual queda incluido en la zona de pre-Parque. Por otra parte, Aigüestortes ("Aguas torcidas"), se refiere a un lugar llano donde el río se dispersa en diversos brazos de agua de retorcido curso. De ahí el nombre de este Parque.

Con centenares de lagos escondidos entre una multitud de abruptos picos –algunos de los cuales superan los 3.000 metros de altitud– y antiguos bosques de montaña, éste es un paraje ideal para los aficionados al senderismo, a la fotografía de la naturaleza, a la geología o a la botánica. Las condiciones especialmente duras que rigen en sus hábitats alpinos le hacen menos favorable para la observación de la fauna salvaje, algo esquiva, aunque de gran interés por presentar numerosas plantas y animales originarios del Ártico. Estas especies han llegado hasta nuestros días gracias a las glaciaciones del período Cuaternario, que las empujaron desde el norte de Europa hasta estas montañas, donde quedaron aisladas -como si fuera en una isla- al retirarse de nuevo los hielos hacia latitudes más septentrionales. En resumen, un Parque cuyos

Nevada y abedules, Sant Maurici

Els Encantats y el pico de Peguera, desde los lagos de Amitges

espectaculares paisajes, flora y fauna han sido intensamente modelados por las glaciaciones.

SITUACIÓN

Situado en el noroeste de Cataluña, este Parque Nacional engloba valles pertenecientes a las comarcas del Pallars Sobirà y de la Alta Ribagorça. El extenso pre-Parque –aquí denominado Zona Periférica de Protección– engloba asimismo valles del Pallars Jussà y del Vall d'Aran. El acceso a las diversas zonas de este espacio natural es complejo, debido a la gran cantidad de valles que confluyen radialmente hacia el centro del Parque. Para acceder a la entrada de cada uno de ellos, hay que recorrer buen número de kilómetros por carreteras de montaña y traspasar algunos puertos. Estas comunicaciones están en buenas condiciones pero abundan las curvas y, en invierno y primavera, algunas rutas -como la del Port de la Bonaigua- pueden permanecer temporalmente cerradas debido a la nieve y al hielo.

Diente de Perro

AMBIENTES NATURALES

Aigüestortes constituye una fascinante representación de la acción que los glaciares de la época cuaternaria ejercieron sobre macizos graníticos y de pizarras. Aunque enclavado en la misma cordillera pirenaica, los paisajes son bien distintos a los del Parque Nacional de Ordesa y Monte Perdido: aquí recuerdan más a los de los Alpes o de las Montañas Rocosas. Los picos son agudos, las líneas de cresta –tan utilizadas por los montañeros para desplazarse de un pico a otro– son con frecuencia intransitables si no es con la ayuda de material de escalada, algunos puertos –como el de Contraix, que debe atravesarse al realizar la popular "Travesía de los refugios", también bautizada como "Carros de Foc"– son de vértigo para el caminante poco acostumbrado a estas alturas... Con sus 3.033 metros de altitud, el pico de Comaloforno es la cumbre culminante del Parque, aunque otras menos elevadas ofrecen un aspecto tanto o más espectacular, como las Agulles d' Amitges, les Agulles de Travessani, el pico de Peguera o los conocidos Encantats.

El desplazamiento de los glaciares durante las últimas glaciaciones modeló valles en forma de U y excavó multitud de cubetas que, con la finalización de este periodo geológico, se rellenaron de agua, dando lugar a la aparición de multitud de lagos alpinos de gran belleza. Éste es, sin duda, uno de los principales atractivos de estas montañas. Se trata de la zona lacustre más importante de los Pirineos y aquí pueden observarse desde lagos amables como el de Llebreta o el Llong, rodeados de prados y bosques, hasta algunos sobrecogedoramente perdidos entre mares de estériles canchales, como los de la Coma de Peguera o el de Contraix.

Intercalados entre tanta roca, los prados alpinos ofrecen un hábitat algo más acogedor para la flora alpina, cuyo aspecto y especies nos recuerdan a la tundra ártica del norte del continente. Otro de los hábitats destacados del Parque son los bosques de alta montaña, que ocupan las zonas medias de los valles. Están mayoritariamente integrados por Pino Negro, Abeto y Pino Silvestre, entremezclados con especies de hoja caduca como el

Estany Gran de Colieto

Álamos temblones en otoño, Vall de Boí

Abedul, el Álamo Temblón, el Fresno de Hoja Grande o la Haya.

En estos hábitats crecen fascinantes especies de **plantas** alpinas. La abundante flora de Aigüestortes cuenta con especies muy vistosas que bien merecen que el visitante les dedique su atención. Debido a la ruda climatología, la floración se concentra en unos pocos meses. En mayo, con la fusión de la nieve, en los bosques aparecen la Hepática (*Hepatica nobilis*) y la Violeta (*Viola silvestris*). En los prados alpinos hay que esperar hasta junio para ver aparecer el Ranúnculo de los Pirineos (*Ranunculus pyrenaeus*), la Diente de Perro, la Genciana de Primavera (*Gentiana verna*) y la *Primula integrifolia*. A finales de junio, se inicia el espectáculo de la floración de los arbustos de Rododendro (*Rhododendron ferrugineum*) y de llamativas especies como la Azucena de los Pirineos (*Lilium pyrenaicum*). Las fisuras de las rocas acogen buen número de plantas rupícolas de bellas flores, como las almohadillas del Clavel Rastrero (*Silene acaule*) y diversas especies de saxífragas. Ya en agosto, la Brecina (*Calluna vulgaris*) y la Campánula, y en otoño el Azafrán Bravo (*Crocus nudiflorus*) decoran los prados con el colorido de sus flores. En este parque son de gran importancia los hábitats húmedos o acuáticos, donde es posible encontrar a 19 de las 27 especies de esfagnos presentes en el Estado Español.

Aunque la **fauna** de Aigüestortes no sea muy visible para el visitante no avezado, eso no significa que no esté presente. Se trata de una fauna eminentemente alpina, salpicada de especies mediterráneas que penetran por los valles durante las épocas más cálidas del año. Aigüestortes es un buen lugar para observar animales propios del piso alpino como el Sarrio, la Marmota Alpina, el Acentor Alpino, el Bisbita Alpino, las Chovas Piquigualda y Piquirroja, el Águila Real, el Quebrantahuesos, la Lagartija Roquera e incluso la rarísima Lagartija Pirenaica o el *Pyrenearia carrascalopsis*, un caracol endémico

Genciana de Primavera

de las zonas rocosas alpinas de los Pirineos centrales. También los propios de los lagos y torrentes de montaña, como el Tritón Pirenaico, la Trucha Común, el Mirlo Acuático o la Rana Bermeja. Y, asimismo, los de bosques y prados, como la Ardilla Roja (aquí de pelaje casi negro), el Verderón Serrano, el Piquituerto Común, el Carbonero Garrapinos, el Herrerillo Capuchino, el Mirlo Capiblanco, el Pico Picapinos, el Pito Negro, el Reyezuelo Sencillo, el Lúgano, el Agateador Norteño o las mariposas Apolo (*Parnassius apollo*) y *Erebia spp.* Entre las especies presentes destacan el Lagópodo Alpino, el Urogallo Común, el Mochuelo Boreal, el Treparriscos, el Corzo, el Armiño o el Oso Pardo, que ocasionalmente vagabundea por el interior de sus límites.

CONSERVACIÓN

Aunque fue declarado Parque Nacional en 1955, Aigüestortes continuó sufriendo la explotación de sus recursos naturales durante buen número de años: pesca deportiva, caza furtiva, tala de sus bosques, explotación hidroeléctrica de sus lagos y explotación ganadera. Por fortuna, hace años que la mayoría de estas actividades ya cesaron, aunque las dos últimas aún prosiguen hoy en día.

El mayor problema en estos momentos es la frecuentación humana, ya sea por el creciente numero de vehículos de transporte público que transitan ciertas zonas, como por el elevado número de visitantes, habitualmente concentrados en los meses de verano.

Mirlo Capiblanco cantando

DATOS DE INTERÉS DEL PARQUE Y RECOMENDACIONES

Extensión: 14.119 hectáreas en su núcleo central, más 26.733 de Zona Periférica de Protección.

Año de declaración: 1955

Dirección:
• Casa del Parque Nacional
  Plaça del Treio, 3, Boí
  973 69 61 89
• Casa del Parque Nacional
  Prat del Guarda, 4, Espot
  973 62 40 36

Sitio web:
www.mma.es/parques/lared/aigues
www.parcsdecatalunya.net

Acceso al Parque: para acceder a Espot lo haremos por la C-147 que viene de Balaguer pasando por Sort hasta el pantano de la Torrassa, desde donde parte la LV-5004 que asciende hasta esta localidad. Para llegar a Boí tomaremos la N-230 que viene de Lleida y Benabarre hasta el Pont de Suert y, desde allí, la L-500 hacia Caldes de Boí. La estación de tren más cercana es la de la Pobla de Segur, desde donde puede cogerse el autocar de la compañía Alsina Graells.
El acceso al interior del Parque Nacional tan sólo es posible a pie o mediante el servicio de taxis que llegan hasta el Planell d'Aiguestortes en el valle de Boí, o al Estany de Sant Maurici y el refugio de Amitges desde Espot.

Servicios y equipamientos: centros de información con tiendas, proyección de audiovisuales, servicio de rutas guiadas, excursiones con raquetas de nieve, itinerarios señalizados, itinerarios adaptados para discapacitados de 1.000 metros de longitud en el planell d'Aigüestortes, de 450 metros del aparcamiento de Prat de Pierró hasta el río Escrita cerca de Espot, y de 80 metros a orillas del estany de Sant Maurici. Servicio de taxis al interior del Parque en Espot y en Boí*. Numerosos refugios de montaña con variedad de servicios, todos ellos equipados con una emisora de radio conectada con el servicio de rescate. Suelen abrir en febrero, todos los puentes del año, por Semana Santa y de mediados de junio a finales de septiembre.

Recomendaciones generales: Aigüestortes puede ser visitado a lo largo de todo el año, pero desde noviembre hasta abril la nieve y el frío pueden dificultar el acceso a la mayor parte del Parque. La climatología es la característica de la alta montaña pirenaica, con inviernos severos, temperaturas muy bajas y posibilidad de aludes de nieve. Hay que evitar cualquier tipo de calzado de calle y substituirlo por unas botas de montaña o –sólo en verano– zapatillas deportivas con suela con buen agarre. Es conveniente llevar siempre un mapa para identificar dónde nos encontramos en cada momento y disfrutar descubriendo el nombre de picos y lagos. Las gafas de sol son un accesorio indispensable, tanto en invierno como en verano, ya que la radiación en la alta montaña daña los ojos con sorprendente rapidez. En verano también es necesario protegerse la piel con crema solar con un factor de protección elevado.
La acampada y el vivac están prohibidos por completo en el interior de los límites del Parque Nacional, no así en la Zona Periférica de Protección, donde sí es posible hacerlo solicitando previamente una autorización en las oficinas del Parque.
Los propietarios de perros pueden entrarlos en el Parque Nacional, pero deben llevarlos siempre atados en su interior, extremo no obligatorio en la Zona Periférica de Protección.

Mariposa Apolo

---

* ver Información Turística en la ficha del final del capítulo

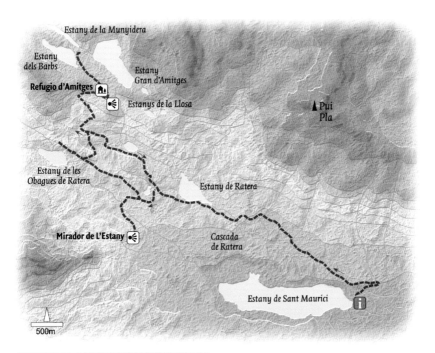

Estany de la Munyidera

Estany dels Barbs

Estany Gran d'Amitges

Refugio d'Amitges

Estanys de la Llosa

Pui Pla

Estany de les Obagues de Ratera

Estany de Ratera

Mirador de L'Estany

Cascada de Ratera

Estany de Sant Maurici

500m

ITINERARIO A ESTANY DE SANT MAURICI-ESTANYS D'AMITGES

Este itinerario permite recorrer una de las zonas alpinas más bellas del Parque, por caminos fácilmente transitables y sin posibilidad de pérdida. Para acceder al punto de inicio situado a orillas del **Estany de Sant Maurici** (en realidad, hoy en día, embalse para su aprovechamiento hidroeléctrico), podemos coger uno de los taxis de transporte público que parten al lado de la Casa del Parque Nacional, en la entrada al pueblo de Espot. Si no, podemos subir en automóvil hasta la zona de aparcamiento público del Prat del Pierró, situado justo a la entrada del Parque, y desde allí andar por un sendero bautizado como la "Ruta de l'Isard" (la Ruta del Rebeco) que, en media hora nos llevará hasta el lago.

Una vez allí, a la derecha del cobertizo de madera que hace las funciones de cobijo, punto de información y parada de taxis, tomaremos una pedregosa pista forestal que

Azucena de los Pirineos

asciende entre Abedules y Pinos Negros en dirección al Estany de Ratera. En diez minutos nos encontraremos con un desvío a la izquierda

Estany de Sant Maurici helado durante el invierno

que conduce hasta un antiguo cuartel de la Guardia Civil, hoy en estado ruinoso. Queda muy cerca de la ruta principal y vale la pena llegarse hasta él, ya que goza de una espléndida vista sobre el lago, el macizo de los Encantats y los picos cercanos. En sus alrededores abundan los pajarillos como el Carbonero Garrapinos, el Verderón Serrano, el Escribano Montesino, el Zorzal Charlo, el Acentor Común o el Piquituerto Común, que suele desplazarse en ruidosos bandos. También es éste un buen lugar para ver la bella mariposa Apolo.

Después de un breve descanso, retomamos el camino principal y seguimos ascendiendo entre el pinar con sotobosque de Arándano y el oloroso Piorno Serrano (*Cytisus purgans*) –que en junio se cubre de flores amarillas–, claveles de montaña (*Dianthus spp.*) y arbustos de Frambueso (*Rubus idaeus*). Este sendero está frecuentemente encharcado de agua, y en sus orillas aparecen las espigas rosadas de la orquídea *Dactylorhiza maculata*.

Después de un rato de andar, alcanzamos un sendero que parte a la izquierda y desciende hasta la **cascada de Ratera**. Ahora no lo tomaremos, pero es una buena alternativa para no repetir todo el itinerario en nuestra ruta de regreso. A nuestra derecha se extiende una zona abierta, sobre la cual es posible descubrir la silueta en vuelo de un Quebrantahuesos o de los Buitres Leonados, frecuentes en verano o inicios del otoño. Al final, la subida afloja un poco, cruzamos por un puente el brioso torrente que baja del lago de Ratera y, en diez minutos, llegamos a él. Hemos superado con éxito la primera etapa de nuestro recorrido.

Situado a 2.140 metros sobre el nivel del mar, el **Estany de Ratera** es uno de los más agradables del Parque. Rodeado de bosques y prados, conserva su aspecto original, ya que se libró de la fiebre hidroeléctrica que asoló estas montañas a mediados del siglo XX. El camino sigue entre el lago y un canchal donde crecen Sauces Cabrunos (*Salix caprea*) –un arbolillo muy propio del piso subalpino– y numerosos arbustos de Rododendro que, cuando florecen a finales de junio, embellecen la ruta de manera notable con sus coloreadas flores. En pleno verano, los Rododendros ya han perdido la flor pero, entre las rocas, podemos ver alguna Genciana de Burser (*Gentiana burseri*), multitud de Campánulas y las amarillas margaritas del *Senecio doronicum*. Además, la superficie del lago se encuentra salpicada por mil flores de pétalos blancos y centro amarillo del Ranúnculo Acuático (*Ranunculus aquatilis*). Los abruptos picos que lo rodean son frecuentados por los buitres y algún Águila Real.

Un breve repechón nos llevará hasta la **Estanyola de Ratera**, un lago casi colmatado por sedimentos, que constituye un hábitat ideal para la Rana Bermeja. Según estudios realizados, los ejemplares de Pino Negro a nuestra derecha se cuentan entre los más ancianos del Parque.

En sus alrededores es posible ver al Pico Picapinos, al Urogallo Común y el Mirlo Capiblanco, un pariente cercano del Mirlo Común propio de los bosques de alta montaña, del que se distingue por su pecho blanco y su canto mucho menos elaborado.

Aquí nos encontramos con un importante desvío de pistas forestales. La de la derecha asciende directamente hacia los estanys y refugio de Amitges, que es nuestro destino, pero nosotros tomaremos la de la izquierda, que en pocos minutos nos llevará hasta el **Mirador de l'Estany**, enclavado entre Serbales, Gamones (*Asphodelus albus*), Rododendros y Frambuesas, y desde el que se disfruta de una espectacular vista de Sant Maurici y el macizo de Els Encantats. Luego regresaremos sobre nuestros pasos y, en cinco minutos, veremos un estrecho sendero que surge a la izquierda y asciende siguiendo un torrente. A principios del verano, la floración de Rododendros y Azucenas de los Pirineos en este tramo del itinerario es espectacular.

Estany de les Obagues de Ratera

Estany dels Barbs y Serra de Saboredo

En un cuarto de hora, pasaremos un desvío señalizado hacia el refugio de Amitges, pero vale la pena andar cinco minutos más para llegarnos hasta el delicioso **Estany de les Obagues de Ratera**. Después de disfrutar de sus alrededores, retrocedemos de nuevo para tomar el sendero al refugio que habíamos desechado y, en poco rato, reencontraremos la amplia pista que ascendía directamente desde Ratera.

La remontaremos y, antes de un giro hacia la izquierda, se encuentra la Fuente de las Marmotas, así bautizada porque se encuentra bajo un canchal donde es relativamente fácil observar a estos grandes roedores. Si durante la ascensión –ahora empinada– no perdemos de vista las rocas que quedan a nuestra izquierda, bajo el camino, es fácil que veamos su rechoncha silueta destacar encima de una gran roca o sus agudos chillidos, que la gente suele identificar más como emitidos por un ave que por un mamífero.

Los últimos minutos son para una cuesta agotadora, el tramo más fatigoso del trayecto, pero la llegada al **Refugio y Estany Gran d'Amitges**, enclavado a 2.400 metros de altitud, bien vale la pena. En una hora y media –más las paradas que hayamos hecho– nos hemos situado en el límite de los últimos Pinos Negros con el piso alpino: éste es el hogar del Sarrio, de la Marmota Alpina, del Armiño, del Bisbita Alpino, de la Collalba Gris, del Colirrojo Tizón y del Piquituerto Común. Encima de nosotros se levantan las imponentes agujas pétreas de las Agulles d'Amitges. En pocos minutos más, siguiendo una pista a la izquierda por encima del refugio, llegaremos a los **Estanys dels Barbs y de la Munyidera**, enclavados en un entorno magnífico y punto final de nuestra propuesta. Luego vale la pena tomarse un descanso y un refresco en la extraordinaria terraza del refugio donde, con la ayuda de un mapa, podemos

Agulles d'Amitges

dedicarnos a identificar la infinidad de cimas que nos rodean. A veces, los Sarrios recorren el muro de la presa del lago para lamer los minerales que afloran, debido a las filtraciones de agua. Más fortuna se requiere para observar el Armiño, que a veces pulula por los alrededores del refugio en busca de los restos de comida dejados por los excursionistas.

Para variar algo la ruta, el descenso puede hacerse siguiendo todo el rato la pista principal, sin llegarnos de nuevo al Estany de les Obagues de Ratera. Y una vez pasado el estany de Ratera, vale la pena tomar el sendero hacia la cascada del mismo nombre y alcanzar la parada de taxis resiguiendo la orilla del Estany de Sant Maurici.

Marmota

FICHA ITINERARIO A

Época de visita: desde primeros de junio hasta las primeras nevadas otoñales. La época más vistosa es a finales de junio y durante el mes de julio. En invierno, el paisaje nevado suele ser espectacular y los que tengan cierta experiencia en la montaña pueden hacer la ruta con raquetas de nieve o esquís de travesía. Cuidado con el repechón final, propenso a sufrir pequeños aludes.

Horario y duración del recorrido: de Sant Maurici a Amitges hay una hora y media de subida (6,5 km y 500 m de desnivel). El descenso es más rápido, pero la excursión puede prolongarse durante varias horas según las paradas que realicemos.

Dificultades y recomendaciones: los caminos son de fácil tránsito, aunque pedregosos o encharcados, por lo que conviene llevar botas ligeras de montaña o zapatillas deportivas con suela de buen agarre. Es mejor empezar el recorrido por la mañana temprano para así ver más animales y ahorrarse el estruendo y el polvo de los taxis todoterreno que ascienden hasta el refugio. El itinerario no tiene pérdida posible, pero es conveniente llevar un mapa. Si hay nieve, las cosas cambian, ya que puede hacer mucho frío y los senderos pequeños pueden estar intransitables.

Interés: fascinante recorrido para los aficionados a la flora de montaña. Posibilidad de observar pájaros propios de los bosques subalpinos y del piso alpino, así como Marmotas Alpinas y Sarrios. Impresionantes paisajes graníticos.

Si lo que deseamos es conocer la vertiente occidental del Parque, nos dirigiremos al valle de Boí, desde donde podemos acceder a la zona conocida con el nombre de Aigüestortes. Aparte de sus valores naturales y bellos paisajes rurales, el conjunto de iglesias románicas de este valle están declaradas "Patrimonio de la Humanidad" por la UNESCO, por lo que bien valen una visita.

De la plaza del pueblo de Boí, justo enfrente de la iglesia románica de Sant Joan, datada del siglo XI, salen los taxis que ascienden por el valle de Sant Nicolau, bordean el bello Estany de la Llebreta y nos dejan en una parada situada al inicio del **Planell de Aigüestortes**. Es posible acceder a esta zona a pie acercándonos con nuestro vehículo hasta la entrada del Parque, en la Palanca de la Molina, y subir andando por el camino del Pago, en tiempos recientes bautizado como la "Ruta de la Llúdriga" (Nutria Paleártica). Pero ello añade casi dos

Cascada Toll del Mas

horas a la subida, más otro tanto al regreso. La opción de subir en transporte público permite acceder más rápidamente al aparcamiento de Aigüestortes y a la zona alpina.

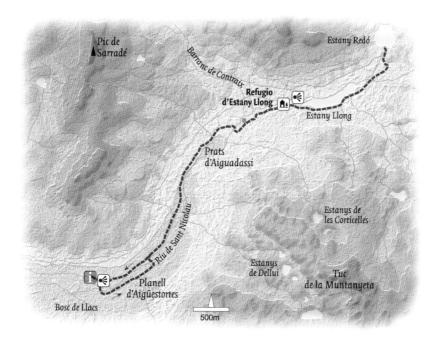

Estany de la Llebreta

Una vez allí, si seguimos la pista un centenar de metros nos encontraremos con un rótulo indicador que nos informa de que la pista conduce hacia los valles de Morrano, Dellui, Contraix y el Estany Llong. En este punto, la abandonaremos girando en ángulo recto hacia la derecha y luego nos dirigiremos en línea recta hacia el cercano bosque que hay al otro lado del prado. Escondido entre los árboles –pero fácilmente localizable– parte un sendero que baja hacia el río de Sant Nicolau y lo cruza por un puente entre Abedules. El camino se convierte en una pasarela de madera que serpentea entre el bosque de Pino Negro y Abeto, bordeando numerosos brazos del río. Éste es el **Planell de Aigüestortes**, que da nombre al Parque. En el sotobosque destacan los arbustos de Rododendro que, a inicios del verano, se encuentran en plena floración. En las orillas, abunda la Hierba Centella (*Caltha*

palustris), una planta amante de la humedad de llamativas flores de amarillo intenso. Éste es un buen lugar para observar pájaros forestales.

En quince minutos de relajado paseo, salimos a un puente que cruza el río y retomamos la pista principal

Rododendro en flor

que remonta el valle, hacia la derecha. Durante el camino, a nuestra izquierda, se extiende un canchal de rocas colonizado por Abetos, Pinos Negros, Abedules, Álamos Temblones y algún Serbal de Cazadores. En época otoñal –que, aunque muy variable en el Parque, suele coincidir con el mes de octubre- estas tres últimas especies se visten de intensas tonalidades de amarillo, naranja y rojo. Este bosquete alberga Pico Picapinos y Pito Negro, imponente ave más fácil de oír que de ver. Bajo los árboles, crecen arbustos de Enebro, algún Sauco Rojo, Arándanos y matas de Brecina que florecen en agosto. Estas rocas de granito son un hábitat ideal para la Lagartija Roquera y aparecen decoradas por atractivas manchas de líquenes amarillos.

Seguimos bordeando el río, por donde es fácil ver pasar volando el Mirlo Acuático, ave tan propia de los cursos de agua impolutos. Desechamos el desvío que asciende hacia el barranco de Dellui, y la pista por la que transitamos se estrecha y hace más pedregosa. A la izquierda, se extienden enormes canchales rematados por acantilados frecuentados por el Buitre Leonado y el Quebrantahuesos. En verano, los prados a nuestro alrededor aparecen decorados por multitud de flores, como las Gencianas y la Regaliza (*Trifolium alpinum*). Con la llegada del otoño, su lugar es ocupado por el Cólquico (*Colchicum autumnale*).

A la media hora, el camino sigue la curva del río, mostrándonos un espectacular paisaje dominado por el Gran Tuc de Colomers. Luego vuelve a penetrar momentáneamente en el bosque, hasta salir a una extensa llanura encharcada, recorrida por varios brazos de agua. Son los prados de **Aiguadassi**, los restos de un antiguo lago colmatado por los sedimentos arrastrados por el río. Cruzamos el prado inundado por una pasarelas de madera; luego la pista hace un zigzag y asciende por la otra orilla del río, entre grandes ejemplares de Abeto, muchos

Mochuelo Boreal en un bosque de Pino Negro

Río Sant Nicolau y Gran Tuc de Culumers

Serbales y algunos Saúcos Rojos. Para evitar la creciente erosión debida a la numerosa frecuentación humana, en este tramo es importante seguir la pista en todo momento, y evitar los numerosos atajos creados por el paso de visitantes inconscientes.

Después de aproximadamente una hora de camino, llegamos al **refugio del Estany Llong**, gestionado por el mismo Parque Nacional, donde se ofrece alojamiento, comidas, refrescos y lavabos. En cinco minutos más, se alcanza el **Estany Llong**. Si estamos fatigados, podemos dejar aquí el itinerario y regresar por donde vinimos. Pero si recorremos su orilla hasta el final, nos encontraremos con un desvío señalizado que asciende o bien hacia el Portarró –permitiendo la comunicación con el valle de Espot–, o bien hacia el Estany Redó. El itinerario hacia este lago encajado entre altas montañas está marcado mediante postes de madera anclados en el suelo cuyo extremo superior está pintado de amarillo. En un cuarto de hora, alcanzaremos el **Estany Redó**, un espectacular lago de origen glaciar, destino final de nuestra excursión. El regreso debe hacerse rehaciendo nuestros pasos hasta el aparcamiento de Aigüestortes.

FICHA ITINERARIO B

Época de visita: el recorrido hasta el Estany Llong es posible hacerlo durante todo el año, aunque en invierno el tramo más elevado suele estar cubierto por la nieve y debe realizarse con ropa, calzado y las precauciones adecuadas.

Horario y duración del recorrido: de Aigüestortes al Estany Redó hay una hora y cuarenta y cinco minutos, por lo que la subida y la bajada –más los descansos– puede llevarnos media jornada. La longitud total del recorrido (ida y vuelta) es de 15 km y el desnivel a superar, de 300 m.

Dificultades y recomendaciones: aunque gran parte del recorrido transcurre por una amplia pista de montaña, el suelo pedregoso hace recomendable el uso de calzado de montaña. Además, en verano, el suelo de color blanquecino refleja mucha luz –y, en invierno, la nieve-, por lo que hay que tener la precaución de usar gafas de sol.

Interés: disfrutar de amplios paisajes de alta montaña, modelados por antiguos glaciares donde el agua –en forma de lagos, ríos o saltos de agua– es la máxima protagonista. Posibilidad de observar flora y fauna subalpina.

OTROS LUGARES DE INTERÉS NATURAL

- Estany de Cavallers y refugio Ventosa i Calvell: una de las zonas más bellas del Parque, con un refugio enclavado entre lagos alpinos.
- Bosques de la Mata de Valencia y del Gerdar de Sorpe: bosques de Abeto y Pino Negro que ascienden por el valle de la Bonaigua.
- Circo de Colomers: infinidad de lagos alpinos en un paraje fácilmente accesible por el valle de Aiguamog, en el Valle de Arán.
- Estanys de Peguera: zona de agrestes lagos alpinos, bosques y canchales alrededor del refugio Josep Maria Blanc.

LUGARES DE INTERÉS HISTÓRICO-ARTÍSTICO

- Vall de Boí: valle con iglesias de estilo románico declaradas Patrimonio de la Humanidad. Balneario de Caldes de Boí.
- Vall Fosca: paisajes rurales y pueblos con pequeñas iglesias con elementos románicos. Teleférico al embalse de Estany Gento.
- Valls d'Àneu: este conjunto de valles, enclavados en el curso alto del río Noguera Pallaresa, acoge pueblos y paisajes de gran belleza. En Esterri d'Àneu vale la pena visitar el Ecomuseu y, en Son, la iglesia con su retablo gótico y el Centro de Educación Ambiental Les Planes de Son.
- Vall d'Aran: el único valle del estado en la vertiente norte de Los Pirineos. Pueblos e iglesias, con muestras de arte gótico y casas señoriales.

CARTOGRAFÍA

- *Parc Nacional d'Aigüestortes i Estany de Sant Maurici* (1998), 1:25.000. Colección "Espais naturals protegits". Generalitat de Catalunya, Barcelona.

LECTURAS RECOMENDADAS

- **Alamany, O. y Casanova, E.** (2001). *Aigüestortes, una mirada al Parc Nacional d'Aigüestortes i estany de Sant Maurici.* Símbol Editors, Barcelona.
- **Añó, A.** (1997). *Excursiones por el Parque Nacional de Aigüestortes i Estany de Sant Maurici.* Sua Edizioak, Bilbao.
- **Audobert, L.** (1998). *50 passejades i excursions. Vall d'Aran, Aigüestortes i Sant Maurici.* Editorial Pòrtic, Barcelona.
- **Carrillo, E. y. Afonso, I.** (1999). *Parque Nacional de Aigüestortes i Estany de Sant Maurici.* Organismo Autónomo de Parques Nacionales, Madrid.

INFORMACIÓN TURÍSTICA

- Barruera   973 69 40 00
- La Torre de Cabdella 973 25 22 31
- Esterri d'Àneu   973 62 60 05
- Vielha   973 64 01 10
- Teleférico de Estany Gento 973 25 22 31
- Autocares de línea regular Alsina Graells   93 265 68 66
- Servicios de taxis (Espot) 973 62 41 05
- Servicios de taxis (Boí) 629 20 54 48 / 973 69 63 14

REFUGIOS DE MONTAÑA

Alta Ribagorza
- Estany Llong (P.N.) 629 37 46 52
- J. Ventosa i Calvell (C.E.C.) 973 29 70 90

Pallars Jussà
- Colomina (F.E.E.C.) 973 25 20 00

Pallars Sobirà
- J. M. Blanc (C.E.C.) 973 25 01 08
- E. Mallafré (F.E.E.C.) 973 25 01 18
- Amitges (C.E.C.)   973 25 01 09
- Pla de la Font (P.N.) 619 93 07 71

Val d'Aran
- Saboredo (F.E.E.C.) 973 25 30 15
- Colomèrs (F.E.E.C.) 973 25 30 08
- Restanca (F.E.E.C.) 608 03 65 59

PARQUE NACIONAL
DE CABAÑEROS

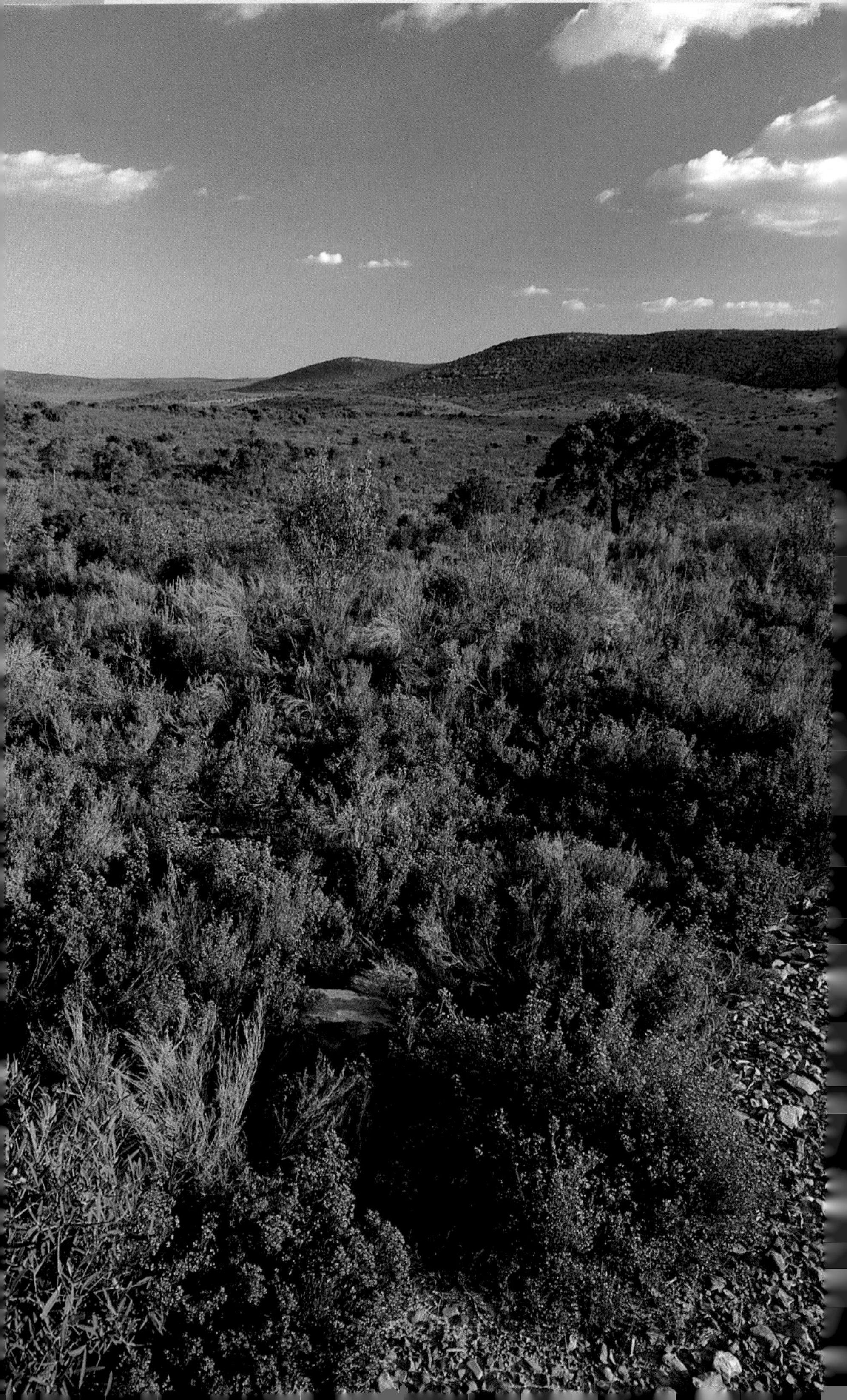

DE CABAÑEROS

El Parque Nacional de Cabañeros engloba una extensa llanura recubierta de pastizales donde crecen Encinas, Quejigos y Alcornoques dispersos, así como el conjunto de sierras que la circundan. Recubiertas de un impenetrable bosque y matorral mediterráneo, en estas sierras se refugian algunos de los animales salvajes más amenazados de la fauna europea, como son el Águila Imperial Ibérica y el Buitre Negro.

Debido a su abundante población de ciervos y al aspecto de sus planicies adehesadas –aquí denominadas "rañas"–, a Cabañeros se le ha aplicado con frecuencia el epíteto de "El Serengeti español". Aunque la comparación es un tanto desafortunada –en realidad 4/5 partes del parque están cubiertas por bosque o matorral cerrado–, es cierto que recorrer esta llanura con árboles desperdigados, grupos de ciervos y numerosos buitres que la sobrevuelan, le hace sentir a uno ese algo del encanto propio de la sabana africana.

SITUACIÓN

En los Montes de Toledo, prácticamente en el centro de la Península Ibérica, entre las provincias de Toledo

Matorral mediterráneo con brezos en flor

Encinas en la Raña de Santiago

y Ciudad Real. El Parque Nacional ocupa la parte superior de las cuencas de los ríos Estena y Bullaque, abarcando la mitad meridional del macizo del Chorito, la parte alta de la Raña de Santiago, las sierras de Miraflores y La Celada y también el macizo de Rocigalgo. Con 1.448 metros de altitud, esta cumbre ostenta las mayores alturas del parque y de todos los Montes de Toledo. Las poblaciones más importantes a su alrededor son Los Navalucillos, Pueblo Nuevo del Bullaque, Santa Quiteria, Alcoba, Horcajo de los Montes, Hontanar, Navas de Estena y Retuerta del Bullaque.

AMBIENTES NATURALES

En Cabañeros caben destacar dos tipos de paisajes bien distintos. Por un lado están las agrestes sierras, de relieve poco acusado, constituidas por cuarcitas y pizarras silíceas, y cuyas altitudes van de los 650 a los 1.488 metros. Suelen estar pobladas de monte mediterráneo excepto en algunos lugares donde aparecen depósitos de cuarcitas sueltas –las pedrizas–, en los que la vegetación es escasa. Por otro lado está la Raña, una extensa llanura situada a unos 600-750 metros, vestida de herbazales y árboles dispersos, cuyo origen se explica por el rellenado del valle por materiales procedentes de las sierras que lo circundan.

El **clima** de estas tierras es de carácter mediterráneo: las lluvias se concentran en primavera y otoño, padeciendo una marcada sequía estival. Cada invierno la nieve visita fugazmente el Parque, en especial en el macizo de Rocigalgo.

En estos lares, la denominación de "monte" no designa una formación montañosa, sino la formación vegetal enmarañada –el monte mediterráneo–, en el que a lo largo de la historia el hombre ha tenido una notable influencia. La Raña por ejemplo, estuvo cubierta de bosque y matorral hasta los años 60 del siglo XX, cuando se eliminaron árboles y arbustos para dedicarla al cultivo de cereal. A efectos de su **vegetación**, la mayor parte de Cabañeros se halla comprendida en lo que los botánicos califican de "Piso Mesomediterráneo", que incluye la franja de terrenos situados entre los 600 y los 1.000 metros de altitud. Al pie de las sierras y en las rañas crecen encinares que muchas veces han sido adehesados por el hombre. En los lugares donde el bosque fue más dañado, aparecen comunidades secundarias, como el madroñal, el jaral, el jaral-brezal o el herbazal.

En laderas umbrías y en los lugares con suelos húmedos en general, aparecen los Quejigos. En

Cantueso (Lavanda stoechas)

estos bosques abundan los arbustos de flor, como el Madroño (*Arbutus unedo*), el Labiérnago (*Phyllirea angustifolia*), la Cornicabra (*Pistacia terebinthus*), la Madreselva (*Lonicera implexa*), el Mirto (*Myrtus communis*), el Lentisco (*Pistacia lentiscus*) y los Jaguarzos (*Halimium spp.*).

En los parajes más cálidos pero de clima húmedo, surge el alcornocal, donde el Alcornoque se codea con diversas especies eminentemente mediterráneas: el Quejigo, el Madroño, el Arce de Montpellier (*Acer monspeliensis*), el Durillo (*Viburnum tinus*) o el Labiérnago. En lugares donde el bosque ha sido degradado aparece un madroñal con Durillo, o un brezal con Jara Cervuna (*Cistus populifolius*).

Aprovechando la humedad que se conserva en el fondo de los valles y en las vertientes umbrías, encontraremos bellos robledales de Roble Melojo, acompañado de Encina Carrasca, Quejigo, Mostajo (*Sorbus torminalis*) y Espino Albar (*Crataegus monogyna*). En este tipo de bosques está presente la Peonía (*Peonia broteroi*), que ofrece al visitante una de las más atractivas flores del lugar. En este piso de vegetación se incluyen también bosques de ribera de tres clases distintas: Las fresnedas con Fresno de Hoja Estrecha y Sauce (*Salix atrocinerea*), donde abundan las zarzas y las plantas trepadoras; las alisedas con Aliso y Parra Silvestre (*Vitis vinifera*); y por último los abedulares con Abedul (de la subespecie *fontqueri*), Acebo y Arraclán.

Ciervo Rojo

Dehesa en la Raña de Santiago

En algunos parajes de Cabañeros podemos encontrar humedales de reducida extensión donde es posible observar plantas estrictamente acuáticas como nenúfares o ranúnculos. Una de las comunidades vegetales más curiosas de estos montes son los "trampales", enclaves turbosos donde medra una peculiarísima comunidad vegetal integrada por Brezo de Pantano (*Erica tetralix*) y donde pueden observarse orquídeas del género *Dactylorhiza* y

Elanio Común

un par de curiosas plantas insectívoras: la Atrapamoscas (*Drosera rotundifolia*) y la Tiraña (*Pinguicula lusitanica*)

Por encima de todos estas comunidades vegetales se encuentra el Piso Supramediterráneo, con escasa representación en este parque nacional. Su formación vegetal más característica es el robledal de Roble Melojo con Mostajo. En los lugares donde este tipo de bosque desaparece, es substituido por escobonales o bien por brezales. En el curso alto del río Estena aparece un bosque ribereño de Fresno de Hoja Estrecha con Abedul, algunos Tejos y Acebo.

La notable riqueza de la **fauna** de estos montes fue la que llevó a sus propietarios a dedicarse a la explotación de la caza mayor. Cabañeros constituye hoy en día un importantísimo refugio para algunos de los animales más amenazados de Europa. No hay más que decir que veintiuna de sus especies están clasificadas por los expertos como "amenazadas de extinción" a nivel nacional. El número de especies de mamíferos –nada menos que cuarenta y cinco– también corrobora la importancia de este espacio natural.

Los más visibles son la Liebre Ibérica y los grandes herbívoros, como el Ciervo Rojo o el Jabalí. Pero en estos bosques y matorrales se refugian también, entre otros, el Corzo, el Meloncillo, el Gato Montés Europeo, el Tejón o la Jineta. Y en los ríos aún vive la Nutria Paleártica. Lamentablemente, desde hace algunos años no se tienen datos concretos de la presencia del Lince Ibérico, por lo que su estatus actual es incierto. Los últimos Lobos vagaron por aquí en la década de los 70 del siglo XX, y el Oso Pardo desapareció ya a finales del siglo XVII.

130 parejas. Una rapaz aún más rara es el Águila Imperial Ibérica, de la que dos parejas se reproducen en el parque. En el indómito monte también habitan el Águila Real, el Aguililla Calzada, el Halcón Peregrino, la Culebrera Europea, el Búho Real y otras aves rapaces, así como la arisca Cigüeña Negra, de la que cría una sola pareja, y numerosos pajarillos, como las Currucas Tomillera, Carrasqueña y Cabecinegra.

En la Raña el visitante puede ver a aves amantes de los espacios abiertos. Abundan el Triguero y la Coguja-

Buitres Leonados y Negros en la Raña

En cambio, el Gamo y el Muflón fueron introducidos en las fincas de caza por motivos cinegéticos. Lo mismo sucede con la Cabra Montés, aunque de esta especie se dispone de datos de su antigua presencia natural en el área.

Tanto o más importante es la avifauna: aquí se han contabilizado unas doscientas especies distintas, siendo el Buitre Negro el ave emblemática del Parque. Esta enorme y amenazada rapaz carroñera cuenta en Cabañeros con una de las mayores colonias de cría del continente: unas

da Montesina, apareciendo también el Gorrión Moruno, la Collalba Rubia, la Perdiz Roja, el Sisón Común, la Avutarda Común, la Cigüeña Blanca, el Aguilucho Cenizo, el Abejaruco Común, la Carraca, la Abubilla, el Rabilargo, el Alcaudón Real Meridional y muchas otras. Durante el invierno pueden verse otras especies, como el Elanio Común, el Esmerejón, el Aguilucho Pálido, el Milano Real o la Calandria.

Entre anfibios y reptiles aquí se reúnen un buen número de especies, siendo seis de ellas endemismos

Chozo o cabaña tradicional

ibéricos: el Tritón Ibérico, el Tritón Pigmeo, el Sapo Partero Ibérico y el Sapillo Pintojo Ibérico entre los anfibios, y el Lagarto Verdinegro, el Eslizón Ibérico, entre los reptiles. Asimismo, los ríos de Cabañeros contienen variedad de peces: una quincena de especies en total, aunque una parte de ellas fueron introducidas por el hombre. Entre las autóctonas cabe destacar el Jarabugo (*Anaecypris hispanica*) y el Barbo Cabecicorto (*Barbus microcephalus*), ambas endémicas de la cuenca del río Guadiana, estando la primera de ellas clasificada en peligro de extinción a nivel mundial. Entre los invertebrados cabe citar a las mariposas El Bajá (*Charaxes jasius*), Níspola (*Coenonympha pamphilus*), Pandora (*Argynnis pandora*) y Manto Bicolor (*Lycaena phlaeas*), entre muchas otras.

CONSERVACIÓN

A pesar de proporcionar protección a un ecosistema tan propio de nuestro país como el monte mediterráneo, este es uno de los parques nacionales de más reciente declaración. Cabañeros es en sí mismo un emblema de la conservación de la naturaleza en nuestro país. En 1983 el proyecto de utilizar estos montes como polígono de tiro para el Ejército del Aire desató una enorme polémica que levantó una viva oposición social. Al fin, en 1988, Cabañeros fue declarado Parque Natural por la Junta de Castilla-La Mancha. Siete años después fue elevado al rango de Parque Nacional por el parlamento estatal.

Uno de los principales problemas de Cabañeros es la actividad cinegética que se sigue desarrollando en algunas fincas del parque, que conlleva la apertura de pistas, el vallado del monte y el uso ilegal de venenos. Otro inconveniente es la dispersión de la propiedad, de la que casi la mitad no es pública. Hoy en día los terrenos se reparten entre una veintena de fincas privadas y montes públicos, los cuales suman un 53% del total.

DATOS DE INTERÉS DEL PARQUE Y RECOMENDACIONES

Extensión: 39.001 hectáreas

Año de declaración: 1995

Dirección:
• Centro Administrativo y reservas de rutas a pie guiadas
Crta. Abenójar Torrijos, s/n
Pueblo Nuevo del Bullaque
926 78 32 97
926 78 34 84 (fax)
cabaneros@mma.es

• Centro de Visitantes Casa Palillos
Crta. Pueblonuevo-Santa Quiteria
Alcoba de los Montes

• Centro de Reservas para visita de la Raña en todoterreno
Crta. de Retuerta, s/n
Horcajo de los Montes
926 77 53 84

Sitio web:
www.mma.es/parques/cabaneros

Acceso al Parque: la ciudad importante más cercana a Cabañeros es Ciudad Real. El acceso al Parque se hace a través de la carretera CM-403, que une esta localidad con Toledo. El acceso al interior del área protegida está restringido, pero las dos carreteras que la atraviesan (CM-4017 de Retuerta del Bullaque a Horcajo de los Montes, y la carretera local de Horcajo a Hontanar), permiten palpar de cerca los paisajes del parque.
Una línea regular de autobuses (AISA) realiza el trayecto Ciudad Real-El Robledo-Santa Quiteria-Alcoba-Horcajo*. También existe otra línea de Ciudad Real a Navas de Estena, pasando por Retuerta del Bullaque.

Servicios y equipamientos: centro de Visitantes en Casa Palillos, acondicionado para minusválidos. Dispone de una exposición, folletos informativos, proyección de audiovisual, servicios y área de picnic. Tiene a la venta algu-nos libros y mapas. Un servicio público de microbús todoterreno realiza una rutas de varias horas al interior del parque. Rutas guiadas a pie por el río Estena y Gargantilla.*

Recomendaciones generales: Cabañeros no es un parque de espectaculares paisajes, pero si de abundante fauna, por lo que unos prismáticos de 8 ó 10 aumentos nos serán de gran utilidad para observar en buenas condiciones los animales a los que tengamos la fortuna de sorprender. Aparte de alguna de las rutas a pie que proponemos, para conocer el Cabañeros más famoso resulta absolutamente imprescindible realizar la visita de la Raña de Santiago en microbús todoterreno: los ciervos, buitres y otros animales están prácticamente asegurados. Si además queremos hacerles fotografias será necesario un teleobjetivo de entre 300 y 600 mm. ¡Conviene reservar con varios días de antelación! La mayoría de visitantes acuden con la idea de ver a los abundantes ciervos, pero hay que tener en cuenta que durante la primavera los machos han perdido la cuerna y permanecen escondidos, mientras las hembras se encuentran al final de su período de gestación, y también son más difíciles de ver de lo habitual. La mejor época va de mediados de septiembre al final de octubre, cuando se produce la berrea o época de celo.
Los propietarios de un perro no lo tienen fácil para visitar este espacio protegido: no está permitido llevar al animal en la visita en todoterreno ni en los itinerarios guiados a pie. Y el calor no hace recomendable dejarlo encerrado en el coche mientras se realizan estos recorridos de varias horas, aunque en Casa Palillos algunos aparcamientos disponen de sombra. La única excursión posible es la del Boquerón de Estena, donde sí podemos llevárnoslo, aunque siempre atado con correa.

ver Información Turística en la ficha del final del capítulo

ITINERARIO A
EL BOQUERÓN DEL RÍO ESTENA

Cabañeros es un parque de acceso restringido en la práctica totalidad de su territorio, siendo la ruta a pie que vamos a describir una de las pocas factibles de hacerse libremente. De todos modos, ésta es también una de las rutas guiadas ofrecidas por el Parque. En este caso, el inconveniente de realizar un recorrido por la naturaleza con un grupo de personas, viene compensado por los conocimientos e interesantes explicaciones que proporciona el guía. A cada cual le corresponde decidir sus preferencias.

El punto de partida se sitúa cerca de Navas de Estena, en la zona noroeste del Parque. Si llegamos a esta población desde Retuerta del Bullaque por la carretera CM-4017, hay que coger el primer desvío a la izquierda, justo a la entrada del pueblo. A 0,7 kilómetros de distancia se llega a un prado entre Encinas, Jaras Pringosas y Varas de Pastor. Nos encontramos a unos 650 metros de altitud y ha llegado el momento de dejar nuestro vehículo y empezar a andar.

Una pista parte a la derecha, se dirige hacia el río y durante un rato transcurre paralela a él, discurriendo por su margen derecho y penetrando en un valle que va cerrándose poco a poco. En la vertiente opuesta se extiende el bosque mediterráneo y unas pedrizas, por donde es posible observar la Paloma Torcaz y oír el canto del Verdecillo. En diez minutos llegaremos a un desvío: un ramal asciende hacia la derecha hasta una ermita que podemos ver arriba, en el

El Boquerón del río Estena

El río Estena a su paso por El Boquerón

monte, mientras que, siguiendo por la izquierda, se llega a una nava o prado desde donde parten varios caminos más. Cogeremos el de más a la izquierda y en un instante llegaremos al río. En sus orillas la vegetación es algo más densa, destacando los arbustos de Brezo Blanco. En primavera puede oírse el croar de la Rana Común y el virtuoso canto del Ruiseñor Común.

La pista cruza el curso de agua y ahora prosigue por su margen izquierdo, elevándose un poco y ofreciendo una panorámica de la soleada vertiente opuesta, donde observamos unos bellos estratos de cuarcita manchados de líquenes de color amarillo que, al atardecer, adquieren un bonito colorido, digno de una fotografía. Más adelante, esa vertiente esta cubierta por un matorral de Jara Pringosa que, a finales del mes de abril, se llena de grandes y vistosas flores de color blanco. En cambio, la vertiente por donde andamos es más umbría y la

pista discurre por la linde de un encinar donde en primavera florecen las Violetas (*Viola riviniana*), algunas orquídeas y brillantes ranúnculos de flores amarillas.

A los 25 minutos de camino, nuestro afluente une sus aguas a las del río Estena, que baja raudo después de atravesar la garganta de **El Boquerón**. El bosque se abre y pasamos por entre las Torres del Estena –unas llamativas agujas pétreas–, y por unas pedrizas. Aquí vale la pena detenerse un rato para disfrutar del paisaje, tomar unas fotos y dedicar un rato a observar los animales. A lo largo de toda la ruta nos acompañarán el Carbonero Común, el Chochín, el Mirlo Común, el Pinzón Vulgar y la Curruca Carrasqueña. Esta zona es buena para localizar tanto a las Lagartijas Ibérica y Colilarga, como a los Lagartos Ocelado y Verdinegro. Este último es una de las especies de reptiles más bellas de nuestro país. Tan sólo se halla en el Norte y Oeste

Valle del río Estena

de la Península y le gusta vivir en lugares con abundante vegetación, siempre cerca del agua.

Doscientos metros más adelante, a la derecha del camino, un promontorio rocoso nos permite asomarnos – con cuidado– sobre el Estena. Es éste un río mediterráneo que aún se conserva en estado óptimo, ya que sus aguas no están reguladas por ningún embalse, sus riberas y la vegetación no han sido modificadas por el hombre y cuenta con una población faunística de notable importancia. Sus aguas nacen en las cumbres del Macizo de Rocigalgo –a 1.400 metros– y atraviesan el Parque hasta salir de él, a una altitud de 500 metros. En estas aguas pueden verse los Galápagos Leproso y Europeo, aún viven el Barbo Cabecicorto –del que pueden verse pequeños cardúmenes de jóvenes pececillos–, la Colmilleja (*Cobitis paludica*) y el Jarabugo, un pececillo endémico que se alimenta de invertebrados acuáti-

Leche de Gallina (Ornitholagum montanum)

cos y no supera los diez centímetros de longitud. En los últimos años, su población ha sufrido un descenso alarmante que le ha llevado a pasar a engrosar la lista de especies amenazadas de extinción. Aquí hay buenas pozas para la Nutria Paleártica aunque, dados sus hábitos nocturnos, deberemos conformarnos con ver a los inquietos Mirlo Acuático y Lavandera Cascadeña. A finales del verano, alguna Cigüeña Negra recorre las pozas en las que resta agua en busca de animales que capturar y, en invierno, el río se alegra con la presencia del Martín Pescador.

Proseguimos nuestro relajado paseo (en toda la ruta no hay ascensiones ni descensos que merezca la pena destacar) y, a la media hora desde el inicio nos encontramos con una fuente que brota en el margen izquierdo de la pista, bajo la sombra bienvenida de un hermoso Fresno de Hoja Estrecha, que crece acompañado de algunos Quejigos. Doscientos

metros más adelante, en una roca en el margen izquierdo del camino, en abril, florecen un grupo de orquídeas *Orchis* y algunas Leche de Gallina. Aquí la pista termina de repente y un sendero desciende hasta una **segunda garganta** donde el río discurre entre cortados rocosos, en los que habita el Avión Roquero, pariente de aviones y golondrinas menos dado a la convivencia con el hombre. Ahora debe traspasarse el Estena por unas piedras ya dispuestas para este fin –¡Cuidado con los resbalones!– ya que el camino continua su recorrido por el margen derecho del río. Una vez atravesado, la senda asciende súbitamente hasta alcanzar de nuevo una pista que irá resiguiendo el curso del río desde una cierta altura, lo que permite disfrutar de buenas vistas del entorno. En la vertiente de enfrente, pueden observarse varios ejemplares aislados de Tejo y algún Abedul, árboles bien poco frecuentes en estas latitudes. La pista es en realidad los restos de una antigua

Torres del Estena

Cigüeña Negra

carretera en construcción que debía atravesar por esta parte de la sierra pero que, por fortuna, nunca llegó a terminarse.

Seguimos penetrando en el agreste valle. Abajo, el bosque galería aparece y desaparece a orillas del Estena mientras que, a nuestra derecha, podemos observar el espeso matorral mediterráneo, habitado por las Currucas Rabilarga, Cabecinegra y Carrasqueña, el Mito y otras aves propias de este hábitat - así como el Ciervo Rojo- y donde en primavera destacan las espigas de flores amarillas de las Retamas. Aproximadamente a los 3,2 kilómetros (casi una hora de camino) llegamos a una **cerca metálica** que nos corta el paso. Este es el punto final del trayecto, ya que la finca es privada y no está permitido seguir más allá. El regreso lo haremos por el mismo itinerario.

FICHA ITINERARIO A

Época de visita: factible en cualquier época del año, aunque es mejor evitar el verano debido al intenso calor. La primavera y el otoño son las estaciones más vistosas.

Horario y duración del recorrido: entre la ida y la vuelta hay que andar unos 6,2 km, siendo el desnivel ínfimo. La excursión puede hacerse en un par de horas, aunque si uno se toma el tiempo de ver las cosas puede prolongarse toda una mañana o una tarde.

Dificultades y recomendaciones: hay que llevar un calzado adecuado. Al cruzar el río por segunda vez hay que tener cuidado con no resbalar con las rocas.

Interés: fácil recorrido por una garganta fluvial a través del característico bosque y matorral mediterráneo de Cabañeros. Ésta es prácticamente la única posibilidad de recorrer a pie libremente el Parque Nacional.

Cuarcitas sobre el río Estena

ITINERARIO B
UNA RUTA GUIADA
POR VALHONDO

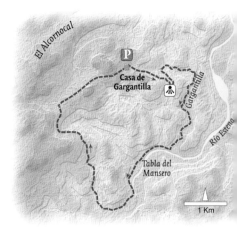

La segunda ruta que proponemos para conocer este Parque Nacional no está permitido realizarla sino es con la compañía de un guía especializado. Pero el itinerario bien merece la pena y las explicaciones que aporta una persona conocedora del entorno son siempre de gran interés. Hay que reservar plaza previamente, llamando al teléfono 926 78 32 97 con algunos días de antelación, ya que el número de plazas diarias es limitado.

El punto de inicio se encuentra en el remoto paraje de Gargantilla, en el límite oeste del Parque. Allí se accede por una pista que empieza en el punto kilométrico 37 de la carretera CM-4157. Esta carretera es larga, sinuosa y estrecha, pero permite recorrer algunas zonas del Parque interesantes. Hay que tener presente que, vengamos de donde vengamos, necesitaremos un buen rato de conducción para llegar allí a la hora que nos será indicada. La pista está sin asfaltar, pero en buenas condiciones y es practicable por cualquier turismo. A los 3,2 kilómetros cruza una valla y a los 7,9 se llega a la imponente **Casa de Gargantilla**,

enclavada a una altitud de 750 metros de altitud, desde donde se divisa una excelente panorámica del monte circundante.

Aquí empieza el itinerario guiado. Tras los primeros 1,4 kilómetros de recorrido, iniciamos una fuerte bajada a través de un espeso matorral de Jaras Pringosas, que en el mes de abril lucen esplendorosas con sus grandes flores. Enseguida llegamos a un prado, donde en primavera pueden apreciarse las espigas de flores blancas del Gamón (*Asphodelus aestivus*) y, en otoño, de la Cebolla Albarrana (*Urginea*

El río Estena en la Tabla del Mansero

Fresnos en el torrente Gargantilla

*maritim*a). En cinco minutos más, se alcanza un rellano desde el que se aprecia una hermosa vista del río Estena y del paraje conocido como la Tabla del Mansero, donde el río se contornea entre un bosque de ribera. Proseguimos la fuerte bajada por entre el jaral hasta que, a los 2,5 km, llegamos al fondo del valle por donde discurren plácidas las aguas del **Torrente de Gargantilla** que, a partir de ahora, seguiremos hasta que se unan a las del Estena.

Hemos descendido doscientos metros de desnivel y la vegetación ha variado por completo. La presencia de agua y lo resguardado del lugar favorece el crecimiento de vegetales amantes de la humedad, habiéndose formado una preciosa arboleda de Fresnos de Hoja Estrecha donde habita una fauna distinta a la del matorral por el que hemos venido, con especies como el Pinzón Vulgar, el Carbonero Común, el Chochín, el Agateador Común o la Lavandera Cascadeña y la Rana Común en el río. En invierno, en esta zona se han visto Lúganos, pájaros de la familia de los fringílidos propios de lugares mucho más nórdicos.

También puede observarse el cambio en las plantas que crecen a la sombra de árboles y rocas: aquí aparecen musgos, líquenes, algún helecho, hongos del género *Murchella*, diversas especies de pequeños geranios forestales –algunas de ellas endemismos de la zona– o las florecillas azuladas del Nomeolvides (*Myosotis ramossisima*). Seguimos el cauce del torrente, atentos a las explicaciones de nuestro guía que nos muestra todas las pequeñas maravillas vegetales de la zona, hasta alcanzar el punto en que el Torrente de Gargantilla vierte sus aguas al **río Estena**. Gracias a la limitación de acceso que impone la normativa del Parque Nacional, nos encontramos en un río mediterráneo cuyo ecosistema se mantiene perfectamente conservado. Ahora, los árboles de ribera adquieren mayor porte y el cauce es de mayor amplitud. En el agua, podemos ver

Nútria Paleártica

grupos de peces; en las playas de guijarros, nidifica el Andarríos Chico; en los árboles, podemos oír las voces del Pico Picapinos y los Escribanos Soteño y Montesino; y, en el cielo, hay que estar atentos a las siluetas de vuelo de las grandes aves, como el Águila Real, el Azor Común, el Gavilán Común o la Cigüeña Negra.

Peonía

Descendemos por la ribera derecha, siguiendo el curso del río. En primavera, eso nos permite observar algunas atractivas plantas, como las inflorescencias púrpuras de la Digital (*Digitalis purpurea* subsp. *mariana*), que asoman entre las rocas, y las imponentes flores de la Peonía (*Paeonia broteroi*), endemismo del Centro-sur y Sudeste de la Península Ibérica, que bien merecen que nos detengamos a tomarles unas fotografías. Asimismo, hay una gran variedad de hongos que viven sobre la abundante madera muerta que el río ha arrancado en sus avenidas estacionales. En algunos tramos, el río se remansa entre grandes árboles. En el agua, podemos ver grupos de barbos y algún Galápago Leproso o Europeo, siendo este último notablemente más escaso. Aquí no se hace difícil imaginarse la grácil figura de una Nutria Paleártica nadando rauda en busca de sus presas. La posibilidad de verla es muy remota, pero este bello enclave es su hábitat ideal. Menos difícil será oír el fino silbido del Martín Pescador al que a lo mejor sorprenderemos, naranja y azul, posado en una ramilla colgando sobre el cauce del río, atento a los movimientos de los pececillos.

FICHA ITINERARIO B

Época de visita: la mejor época es la primavera temprana, por las suaves temperaturas y la floración de interesantes plantas. En otoño, fresnos y sauces mudan el color de sus hojas, aportando un poco de variedad al inmutable verde del matorral mediterráneo.

Horario y duración del recorrido: ruta circular de unos 9,3 kilómetros con unos 250 metros de desnivel, que puede recorrerse entre 3,5 horas y 4,5 horas.

Dificultades y recomendaciones: el terreno que hay que recorrer es pedregoso y abrupto en ciertos momentos, por lo que es indispensable calzar unas botas ligeras de montaña o unas zapatillas deportivas con suela de buen agarre.

Entretenidos con tal diversidad natural, no nos damos cuenta de que hemos andado ya cuatro kilómetros. Llegó el momento de abandonar el río y regresar al agreste y árido matorral. El sendero se aparta del Estena y va a buscar una pista que asciende entre jaras y brezos de las especies *Erica arborea* (arbusto alto de flores blancas) y *Erica umbellata* (mata pequeña atiborrada de flores violetas en el mes de abril). Después de un par de fatigosos kilómetros y recuperando los 200 metros de desnivel que antes perdimos, la pista llega a un rincón algo más umbrío, donde crecen el Alcornoque, el Durillo y algún Mostajo, especies propias de bosques más húmedos. En cinco minutos más culmina el ascenso y llegamos a un cruce de pistas. Cansados por la subida, nos dirigimos ya de regreso hacia la casa de Gargantilla. Tras media hora de camino, el matorral va dejando paso a algunos prados y alcornoques donde habita la Perdiz Roja y sobre los que puede verse volar al Aguililla Calzada y el Milano Negro. En un kilómetro más, alcanzamos la bienvenida sombra de la casa, donde damos por finalizado nuestro itinerario.

Fresneda en el río Estena, Valhondo

Cigüeña Blanca

OTROS LUGARES DE INTERÉS NATURAL

• Raña de Santiago: el acceso a esta importante área está restringido, por lo que hay que apuntarse a la ruta en microbús de servicio público. Ciervos, buitres y otros animales prácticamente asegurados. Indispensable.
• Observatorio de cigüeñas: en la carretera de Pueblo Nuevo del Bullaque a Santa Quiteria, un poco más allá de Casa Palillos, existe un observatorio sobre la Raña y su curiosa colonia de Cigüeñas Blancas sobre quejigos y encinas.
• Carretera CM-4017: lleva de Retuerta del Bullaque hasta Horcajo de los Montes a través del Parque Nacional, atravesando amplias áreas de matorral.
• Embalse Torre de Abraham: al norte de Pueblonuevo del Bullaque. En la cola del embalse pueden observarse diversas aves acuáticas, en especial en época de migración. Buena zona para avistar los Buitres Negro y Leonado y, en invierno, el Águila Pescadora.

LUGARES DE INTERÉS HISTÓRICO-ARTÍSTICO

• Torre de Abraham: antigua fortificación árabe del siglo XII, cuya construcción combina piedra y ladrillo en hileras, situado en un lugar dominante sobre el embalse del mismo nombre.
• Alrededor del Parque Nacional existen diversos pueblos con casas antiguas e iglesias parroquiales que datan de los siglos XIV al XVII (Alcoba, Horcajo de los Montes, Navas de Estena y Retuerta del Bullaque).
• En Alcoba y en Horcajo existen sendos Museos Etnográficos: Ctra. de Horcajo, 6, Alcoba de los Montes, 926 77 02 16 y calle Real, s/n, Horcajo, 926 77 51 82.

CARTOGRAFÍA

• Mapas 709-II y IV, 710-I, II, III y IV, 1:25.000. Instituto Geográfico Nacional, Madrid.
• *Mapa-Guía del Parque Nacional de Cabañeros* (1996), 1:100.000. Fondo Natural, S. L. (Poco detallado, no indica las rutas a pie).

LECTURAS RECOMENDADAS

• **Márquez, F., Jiménez, J. y Muñoz, J.** (1997). *Cabañeros, un bosque mediterráneo*. Organismo Autónomo de Parques Nacionales y Lunwerg Editores.
• **Jiménez García-Herrera, J.** (1998). *Guía de visita del Parque*

Nacional de Cabañeros. Organismo Autónomo de Parques Nacionales, Madrid.
• **VV.AA.** (1997). *Parque Nacional de Cabañeros.* Editorial Ecohábitat.

INFORMACIÓN TURÍSTICA

• Alcoba
Ctra. de Horcajo, 6
926 77 02 16
• Horcajo de los Montes
Ctra. de Retuerta, s/n
926 77 53 84
• Museo Etnológico
Real, s/n
926 77 51 82
• Hortur
926 77 50 03
www.hortur.com
• Pueblo Nuevo del Bullaque
Ctra. Torrijos, s/n
926 78 32 97
• Retuerta del Bullaque
Avda. Río Bullaque, 15
• Asociación Cultural
Montes de Toledo
925 25 75 22

ALOJAMIENTOS

Campings
• Camping "Navahermosa"
Navas de Estena
925 42 85 47
• Camping "El mirador de Cabañeros"
(Abierto todo el año)
Cañada Real Segoviana, s/n
926 77 54 39 / 659 98 64 60
Horcajo de los Montes
camping-cabaneros@hortur.com

Hoteles y pensiones
• Hotel-Restaurante Salpri
Ctra. Horcajo, Alcoba
926 77 01 75
• Hotel Cabañeros
Real, 3, Horcajo
926 77 54 77 / 926 77 54 13
hotelcabaneros@interbook.net
• El Mirador
Ctra. Retuerta, s/n, Horcajo
926 77 50 11

• El Álamo
La Cueva, 5, Horcajo
926 77 51 98
• Hostal Los Montes
Retuerta del Bullaque
925 42 17 80
• Pensión La Madrugada
Pueblo Nuevo del Bullaque
926 78 33 98
• Pensión Ayuso
926 78 33 97
• Pensión La Perla
Navas de Estena
925 40 92 38 / 925 40 91 20

Casas rurales
• Boquerón de Estena
Camino del Río, km. 1,5
609 41 67 45 / 689 12 51 08
Navas de Estena
www.civilia.com/servicios/
boquerondeestena
• La Casa de la Abuela
Plazoleta, 4, Horcajo
926 77 51 52 / 686 65 95 77
• El Montaraz
Real, 1, Horcajo
926 77 53 43
• La casa del tío Dionisio
Real, 32, Horcajo
926 77 50 45 / 639 06 60 34

TRANSPORTES PÚBLICOS

Autobuses Aisa
91 530 46 05 (Madrid)
926 21 13 42 (Ciudad Real)
aisa@aisagrupo.com
www.aisa-grupo.com

VISITAS GUIADAS

• A pie
926 78 32 97
• En todoterreno
926 77 53 84
• Gestural Rutas a pie,
en bicicleta y en 4x4
926 77 02 61
Eras de Arriba, 18, Alcoba
659 91 06 17
659 91 06 18
www.paralelo40.org/gestural

PARQUE NACIONAL
TABLAS DE DAIMIEL

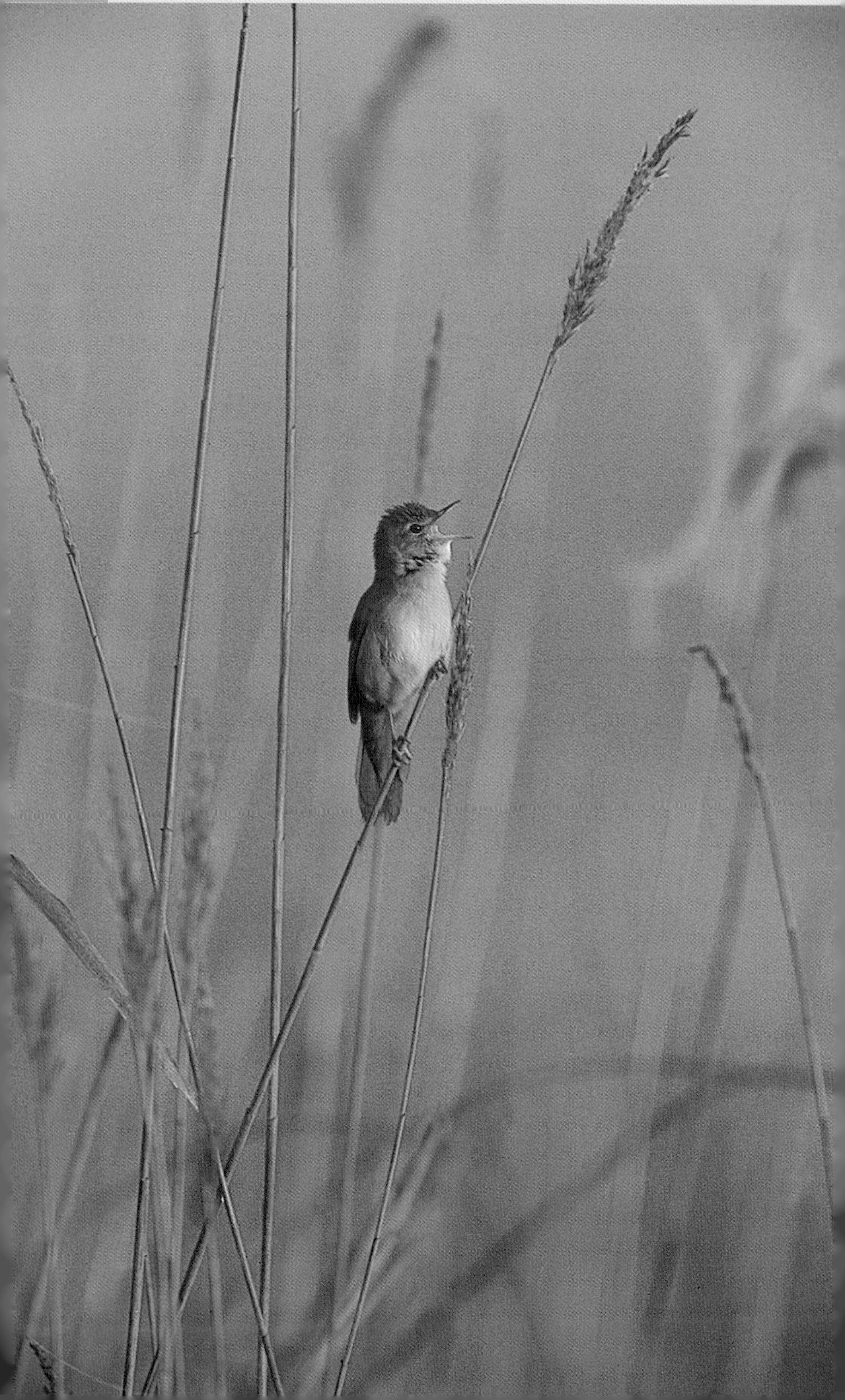

PARQUE NACIONAL
TABLAS DE DAIMIEL

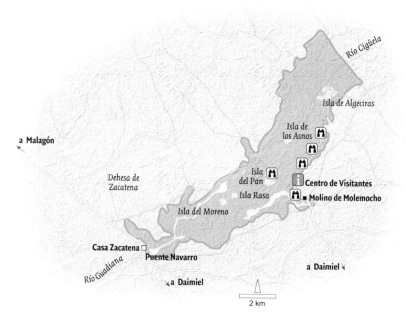

C uando el viajero recorre la serena llanura manchega poco se imagina que, entre pueblos y cultivos típicamente castellanos, se esconde una de las zonas húmedas más importantes del país. Sin embargo, si en las cercanías del pueblo de Daimiel se adentra por la carretera que entre maizales conduce a este pequeño y discreto Parque Nacional, se verá sorprendido por el espectáculo de los bandos de ánades, el murmullo de los carrizales mecidos por la brisa, el croar de las ranas y el escándalo de las voces de los carriceros.

Las Tablas de Daimiel forman parte de una serie de humedales conocidos con el nombre genérico de "La Mancha Húmeda", que representan un importante hábitat de

invernada, muda y nidificación de aves y que acogen también gran variedad de otros animales acuáticos. Sin embargo, muchas de las otras lagunas y marjales han ido desapareciendo sepultados por la intensa actividad agrícola de la región, por lo que el papel protector del Parque Nacional es ahora más esencial que nunca.

SITUACIÓN

Las Tablas se encuentran localizadas en la región de La Mancha, y el conjunto formado por el Parque Nacional y su Zona Periférica de Protección abarcan terrenos de los municipios de Daimiel, Villarrubia de los Ojos y Torralba de Calatrava, en la provincia de Ciudad Real. La ciudad de importancia más cercana es Ciudad Real, a unos 30 kilómetros

Buscarla Unicolor cantando al amanecer

Isla del Pan y Montes de Toledo

de distancia. Situadas a unos 600 metros de altitud, forman parte de un conjunto más extenso de humedales que se encuentran dispersos por la cuenca del río Guadiana.

AMBIENTES NATURALES

El Parque Nacional de Las Tablas de Daimiel proporciona protección legal al último vestigio de un ecosistema denominado tablas fluviales, que en La Mancha era común hasta los años 60 del siglo XX. Este tipo de paisaje natural aparece cuando, debido a la escasa pendiente del terreno en la llanura manchega, los ríos se desbordan de su cauce e inundan amplias extensiones del terreno adyacente.

Las Tablas de Daimiel son el punto de encuentro de dos ríos de caracteres muy distintos. El Gigüela, que procede de la lejana Serranía de Cuenca, lleva aguas salobres, ricas en sulfatos que ha ido acumulando durante su viaje por terrenos donde abundan los yesos. Su caudal es de carácter estacional y es normal que en verano llegue a secarse. El río Guadiana, en cambio, tenía un caudal de agua dulce abundante y de curso permanente –o por lo menos así era hasta hace unos años–. Al confluir ambos ríos, sus aguas se mezclan y desbordan por la llanura circundante, formando las conocidas Tablas de Daimiel, donde se entre- mezclan canales, recodos, tablas e islas con abundante vegetación, que constituyen un paraíso para las aves y otros animales amantes de las zonas húmedas.

Pero además, Las Tablas se asientan sobre un substrato calcáreo que actúa de esponja captando el agua de ríos y lluvias para, cuando está saturada, soltarla a través de los denominados "Ojos" u "Ojillos", como los famosos Ojos del Guadiana, que quedan a una docena de kilómetros aguas arriba del Parque Nacional. De este modo, la aportación de ambos ríos también se veía complementada por el afloramiento de aguas del acuífero subterráneo en el interior del mismo Parque. Pero las sequías y la abusiva extracción de agua del subsuelo para implantar cultivos de regadío cambiaron por completo el ciclo natural de las aguas: los Ojos dejaron de manar y el Guadiana dejó de llevar el abundante caudal de antaño. Pasados unos años de terrible sequía –que constituyó un verdadero desastre natural para el parque–, la administración tomó medidas excepcionales, empezando a traer agua de otros ríos para mantenerlo inundado. Hoy en día el Parque se alimenta parcialmente con agua del trasvase Tajo-Segura, aunque este aporte artificial no parece la mejor solución al problema de fondo, que sigue siendo la sobreexplotación del acuífero subterráneo original.

El **clima** de la región es de tipo mediterráneo continental, con inviernos fríos y veranos secos y calurosos. La precipitación media es de unos 450 mm anuales de lluvia que suele caer mayoritariamente en otoño y en primavera.

En el Parque Nacional podemos separar varios tipos de **comunidades vegetales**. En las áreas cercanas al río Guadiana, donde el agua es predominantemente dulce, lo que más abunda es el Carrizo (*Phragmites australis*). En las aguas poco profundas y las riberas del río le acompañan la Enea (*Typha dominguensis*), el bello Lirio Amarillo *(Iris pseudacorus)*, el Junco (*Juncus sp.*), el Bayunco (*Scirpus palustris*) y la Castañuela (*Scirpus maritimus*). En cambio, en la zona norte del parque, allí donde dominan las aguas salobres del río Gigüela, aparece otro tipo de vegetación palustre donde destaca la Masiega (*Cladium mariscus*), dando lugar al mayor masiegal (también llamado masegar) de Europa occidental. En las tablas y aguas profundas hay que destacar las praderas subacuáticas de ovas (*Chara sp., Potamogeton sp.*), que son la principal fuente de alimento para diversas especies de patos y otras aves

Encinas en un prado en flor

DATOS DE INTERÉS DEL PARQUE Y RECOMENDACIONES

Extensión: 1.928 hectáreas, más una Zona Periférica de Protección de casi 3.500 hectáreas.

Fecha de declaración: 1973, reclasificado en 1980.

Dirección:
- Centro de Visitantes
  Apdo. de Correos, 3
  Daimiel, Ciudad Real
  926 69 31 18
- Centro Administrativo
  Paseo del Carmen, s/n
  Daimiel, Ciudad Real
  926 85 10 97 / 926 85 11 76 (fax)
  daimiel@mma.es

Sitio web:
www.mma.es/parques/lared/tablas
www.lastablasdedaimiel.com

Acceso al Parque: la N-IV de Madrid a Granada nos acerca a la localidad de Manzanares, desde donde hay que tomar la N-430 hasta Daimiel. Si bajamos desde Madrid también podemos desviarnos por la N-420 en Puerto Lápice, que se dirige directamente hacia Daimiel. El acceso más rápido a Las Tablas se hace desde este municipio, de donde parte un camino asfaltado que en 11 km hasta el Centro de Visitantes e inicio de los itinerarios.
Este Parque Nacional recibe unos 100.000 visitantes anuales, que se concentran de un modo especial en Semana Santa y fines de semana. La visita se realiza a través de tres itinerarios peatonales que parten del aparcamiento del Centro de Visitantes*.

Servicios y equipamientos: Centro de Visitantes abierto de 9 a 21 h en verano y de 10 a 18'30 h en invierno, con exposición, sala de proyecciones y tienda. Área recreativa con bancos mesas y sombras. En el mismo lugar hay una caseta de información de la Oficina de Turismo del Ayuntamiento de Daimiel. Los itinerarios están señalizados y parcialmente adaptados para el acceso de personas minusválidas. Servicio de itinerarios guiados en el teléfono 926 69 31 18.

Recomendaciones generales: Daimiel es frío en invierno y caluroso en verano, por lo que la indumentaria deberá adaptarse a la estación del año en que se realice la visita. Como en toda zona húmeda, en verano el visitante es la víctima propiciatoria de los mosquitos, por lo que no lamentará llevar una loción o crema repelente. Dado que el máximo atractivo de Las Tablas es la observación de aves acuáticas, el uso de unos prismáticos o telescopio y una guía de campo de las aves permitirá disfrutar mucho más de la estancia.
Además de las habituales prohibiciones de arrancar plantas, capturar animales, abandonar desperdicios o dañar el entorno, en el parque de las Tablas de Daimiel también está prohibido apartarse de los senderos indicados, acampar, circular en bicicleta e introducir animales domésticos.

Geranio en la isla del Descanso

Laguna en primavera

acuáticas. En primavera, la superficie del agua se adorna con las flores del Ranúnculo Acuático (*Ranunculus sp.*).

En las zonas de tierra emergidas de este soberbio mosaico natural pueden encontrarse también diversos tipos de vegetación. En las islas crecen encantadores bosquetes de Taray (*Tamarix canariensis*), árbol que suele ir acompañado de matorrales de Calamino Dulce (*Salsola vermiculata*) y Almajo (*Suaeda vera*), también adaptados a los terrenos salobres. A orillas de los ríos, se desarrollan bosques de ribera y sotos fluviales donde podemos ver también Olmos y Álamos. Y en las riberas encharcadas y en los prados aparecen el Limonio (*Limonium longibrachiterum*) y la Amapola

Centro de visitantes

(*Papaver rhoeas*). En el extremo sudoeste de la Zona Periférica de Protección, en Zacatena, también existe una bella dehesa de Encinas.

Cuando no falta el agua, la riqueza de la **fauna** de las Tablas de Daimiel se hace evidente para el visitante, ya que el Parque Nacional es un enclave de descanso y de invernada de gran importancia para las aves migratorias. En ciertos inviernos se han contabilizado más de 10.000 aves acuáticas, siendo las más abundantes el Ánade Azulón, el Cuchara Común y la Cerceta Común. En invierno también aparecen en buen número, entre otros, el Porrón Europeo, el Ánada Friso, el Silbón Europeo, el Pato Colorado, el Cormorán Grande, la Garza Real y la Avefría Europea.

Cuando marchan los fríos invernales también lo hacen muchas aves, pero esto no es óbice para que en primavera los marjales bullan de vida. Destacan por su importancia las colonias de reproducción de árdeidas, integradas por la Garza Imperial –con más de un centenar de parejas–, las Garcillas Cangrejera y Bueyera, la Garceta Común, el Avetorillo Común y el Martinete Común. De forma esporádica también aparece el Avetoro Común, a quien este parque ofrece un hábitat idóneo. En los últimos años ha regresado el Calamón Común, que había desaparecido, pero que ahora empieza a recolonizar Las Tablas. También se reproducen aquí los Ánades Azulón y Friso, el Porrón Europeo, el Pato Colorado, el Somormujo Lavanco, los Zampullines Común y Cuellinegro, la Focha Común, el Fumarel Cariblanco, la Gaviota Reidora, la Cigüeñuela Común y el Aguilucho Lagunero Occidental, lo que reafirma la importancia de esta zona húmeda.

Otros animales acuáticos que cabe mencionar son: la Nutria Paleártica –mamífero acuático que podríamos tener la fortuna de avistar algún anochecer–, la Rata de Agua, la Rana Común, los Galápagos Leproso y Europeo y la Culebra Viperina. Entre los peces, destacaremos al Calandino (*Tropidophonixellus alburnoides*), un escaso endemismo ibérico.

La enmarañada vegetación palustre sirve de refugio a pájaros específicos de este hábitat, como los Carriceros Común y Tordal, la Buscarla Unicolor, el Escribano Palustre, el Ruiseñor Bastardo o el Bigotudo. En campos alrededor de los marjales habitan algunas de las especies animales más características de las estepas castellanas: la Calandria, la Avutarda Común, el Sisón Común, el Alcaraván Común, la Ganga Ibérica, el Mochuelo Europeo, el Conejo y la Liebre Ibérica. Y en los bosquetes y bosques de ribera citaremos al Pájaro Moscón, el Autillo Europeo, las Ranitas (*Hyla sp.*) y el Sapillo Pintojo Ibérico.

CONSERVACIÓN

Las Tablas de Daimiel es el único parque Nacional que ha estado a punto de desaparecer. En los años 60, los proyectos de "saneamiento" de los terrenos pantanosos de la Mancha llevaron a la destrucción de diversos parajes de su entorno. En las décadas siguientes, se extrajeron del subsuelo ingentes cantidades de agua para convertir los cultivos de secano de cereales, olivar y vid, por los de regadío de maíz y remolacha. En los años 70 y 80, las hectáreas de regadío se multiplicaron por cinco. Mientras tanto, Las Tablas eran declaradas Parque Nacional en 1973, en 1980 Reserva de la Biosfera y en 1982 fueron incluidas en el Convenio de Ramsar para la protección de zonas húmedas de importancia internacional.

A pesar de ello, la sobreexplotación del acuífero subterráneo secó todas las fuentes y manantiales de la zona, así como los Ojos el Guadiana y gran parte del Parque Nacional. Ante la gravedad de la situación, se diseñó un Plan de Regeneración Hídrica para paliar en parte el desastre mediante el aporte de agua del acueducto Tajo-Segura. Sin embargo, esto no soluciona el problema de fondo, que es el excesivo bombeo de agua para la agricultura. Hoy en día Las Tablas es un espacio natural protegido aislado de su entorno, que tiene mucho de "isla".

Macho de Ánade Azulón

ITINERARIO A
RECORRIDO POR LAS ISLAS

En este Parque Nacional, las posibilidades de realizar rutas a pie se limitan a tres breves itinerarios señalizados. Todos ellos parten del mismo lugar: el aparcamiento del **Centro de Visitantes**. El más interesante –y frecuentado– es el que conduce a la Isla del Pan, a través de diversas isletas y pasarelas de madera instaladas sobre las marismas, lo que permite divisar algunas de las plantas y animales más característicos de este espacio natural.

Justo enfrente del aparcamiento unos rótulos señalizan el inicio de los tres itinerarios: azul para el de la Torre de Prado Ancho –que será nuestra segunda propuesta para este parque–, rojo para el de la Laguna Permanente, y amarillo para el que vamos a seguir ahora: el de la Isla del Pan. A lo largo de todo el trayecto, iremos encontrando algunos círculos de este color que nos ayudarán a seguir el camino. De momento nos dirigiremos hacia la derecha, para luego tomar un sendero a la izquierda a través de un prado donde en primavera nos acompañarán el color de la flora ruderal, las voces del Triguero, el "tsip...tsip...tsip..." del

Galápagos Europeos soleándose sobre el carrizo

Buitrón y la bonita estampa de la Tarabilla Común. El camino pasa cerca de la **Laguna de Aclimatación**, rodeada de Tarayes, donde se mantienen en cautividad diversas especies de ánades, porrones y gansos. Pero la dejamos a nuestra derecha para otro momento y ahora

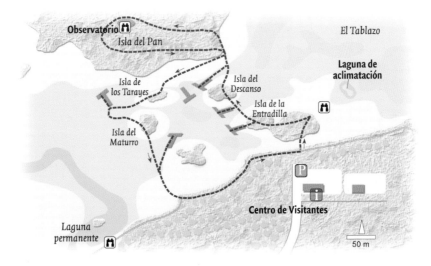

Tarayes en la isla del Pan

entramos a la **Isla de la Entradilla**, donde aparecen las altas espigas de flores blancas del Gamón (*Asphodelus sp.*) y encontramos un grupo de Tarayes donde, aparte de las pájaros que hemos citado antes, también se esconde el Ruiseñor Común. Los Tarayes toleran cierto grado de salinidad en el suelo y eso hace que sean los únicos árboles que prosperan en estas islas. Durante los meses de mayo y junio, sus ramas ofrecen al visitante sus millares de diminutas flores blanquecinas.

A través de unas pasarelas de madera, superaremos los terrenos inundados entre isla e isla y, a los diez minutos de recorrido, nos situaremos en la **Isla del Descanso**. Las pasarelas disponen de algunos cortos ramales secundarios, llamados balcones, que vale la pena ir visitando con el objetivo de sorprender a algún Galápago Leproso tomando el sol sobre la vegetación o a la Culebra Viperina nadando en el agua, en busca de un pececillo o de una rana despistada. En las zonas inundadas, también es posible ver algunas aves acuáticas, como el Ánade Azulón, la Gallineta Común, la Garza Real, la Garcilla Cangrejera o la Agachadiza Común, dependiendo un poco de la época del año en que realicemos el recorrido.

Prácticamente cuando completamos el primer kilómetro de camino, a través de otra pasarela, llegamos a la **Isla del Pan**. Su nombre se debe a que las familias de pescadores que

Laguna con Masiega

Atardecer en la Isla de los Tarayes

antaño habitaban Las Tablas cocían aquí la harina amasada para elaborar este alimento básico. La isla cuenta con un atractivo bosquete de Tarayes, algunos de ellos con troncos retorcidos por los años, donde revolotean numerosos pájaros: Jilgueros, Gorriones Molineros, Carboneros Comunes, Trigueros y donde, al anochecer, puede oírse al Autillo Europeo, pequeña rapaz nocturna de melodioso silbido. Temprano por la mañana o bien a última hora del día –si no hay demasiados visitantes–, también podremos observar las carreras de los Conejos al ser sorprendidos en su actividad diaria.

En el punto más elevado de la loma, se erige un observatorio que marca el punto más lejano de la ruta y desde donde se dominan todos los alrededores. En un paraje tan llano, cualquier mínima elevación ofrece una amplia panorámica. Éste es un buen enclave para sentarse y pasar el rato observando el ir y venir de las aves acuáticas por los cielos de este Parque Nacional. Desde esta atalaya no es difícil localizar la silueta del Aguilucho Lagunero Occidental, siempre en vuelo rasante en busca de sus presas. La loma está recubierta de un matorral bajo donde pueden apreciarse la flores de pequeños Geranios silvestres, de la Leche de Gallina (*Ornith_0lagum sp.*), y de la *Capsella sp.*, un arbusto que en el mes de abril inunda el paisaje de florecillas amarillas.

Siguiendo un itinerario circular que rodea en parte la isla, la senda regresa a las pasarelas por donde vinimos. Justo al abandonar la isla, tomaremos la primera pasarela a la derecha, un ramal que discurre por encima de una zona inundada donde si escrutamos el carrizo veremos a los Galápagos Leprosos inmóviles, solazándose, acompañados del bullicio de los Carriceros Tordal y Común. Esta pasarela conduce a la **Isla de los Tarayes** y luego cerca de un escondite de madera sobre una laguna que a veces está seca. Más adelante, llegamos a la **Isla del Maturro** para, de nuevo, entrar en otra pasarela que recorre una amplia zona inundada con Carrizo y Masiega, muy interesante para la observación de aves. En este tramo, y dependiendo de la estación del año, hay probabilidades de ver Cigüeñuela Común, Avoceta Común, Garcilla Cangrejera, Gaviota Reidora, Garceta Común, Garza Real, Avefría Europea, así como diversas especies de patos y limícolas. Si nos esperamos un rato, en la vegetación palustre podremos descubrir al Escribano Palustre, los carriceros y a la discreta Buscarla Unicolor. Esta ave es difícil de ver, pero si escrutamos el carrizal ayudándonos por su monótono canto –que más parece emitido por un insecto que por un pájaro–, es fácil que podamos localizarla.

Acabadas las pasarelas, empalmamos con el itinerario de la Laguna Permanente. A la derecha, indicado por un círculo rojo, está el camino hacia esta laguna y, a la izquierda, prosigue nuestro itinerario hasta alcanzar ya el **Centro de Visitantes,** al cumplirse los dos kilómetros de relajado paseo.

Pasarela entre islas

FICHA ITINERARIO A

Época de visita: la mejor época es, sin duda, la primavera. Durante la Semana Santa y los fines de semana podemos encontrar a bastante gente, pero podemos evitarla realizando el trayecto a primera o a última hora del día, que también es cuando tendremos mayores posibilidades de ver más animales. Si lo realizamos durante la tarde, vale la pena hacer coincidir la puesta del sol con el último tramo inundado. La puesta de sol allí es realmente fotogénica.

Horario y duración del recorrido: unos 2 kilómetros, prácticamente sin desniveles. El tiempo de recorrido puede variar mucho según lo que se prolonguen las paradas y el tiempo que les dediquemos a las plantas y animales que aquí habitan.

Dificultades y recomendaciones: se trata de un itinerario muy sencillo y agradable. Tan sólo el sol y los mosquitos pueden molestarnos un poco en verano. No hay agua potable en todo el recorrido.

Interés: observación de variedad de paisajes propios de esta zona húmeda, así como de la fauna y la flora que los habitan. Interesantes bosquetes de Tarayes.

ITINERARIO B
RUTA DE PRADO ANCHO

Este segundo itinerario bordea durante kilómetro y medio el límite Sudeste de este espacio natural protegido, permitiendo la observación de multitud de aves acuáticas, siempre que en Las Tablas haya agua. Al igual que en la ruta anterior, el sendero también parte del aparcamiento del **Centro de Visitantes**. Pero, en este caso, se dirige continuamente hacia la derecha, siguiendo las marcas azules, alejándose del grupo de islas que visitamos antes. A nuestra izquierda queda la **Laguna de aclimatación**, que podemos visitar ahora si realizamos el itinerario por la tarde, pero que dejaremos para el regreso si lo hacemos por la mañana, para así aprovechar las horas con mejor luz en el itinerario. En esta laguna cercada y cubierta por una red, se encuentran cautivos buen número de aves acuáticas: básicamente diversas especies de patos y ánsares que se encuentran en fase de recuperación, o bien son individuos lesionados que ya no pueden retornar a la vida salvaje. Una de las funciones de esta instalación es que los visitantes observen a placer algunas de las especies que, durante su visita a Las Tablas,

Señalización de itinerarios

raramente tendrán la oportunidad de apreciar a tan escasa distancia. Un amplio observatorio permite observar y fotografiar a las aves (incluso aunque no dispongamos de un potente teleobjetivo), sin molestarlas, por lo que los aficionados a la fotografía de la naturaleza encontrarán aquí una buena excusa para pasar un buen rato.

Continuamos por la senda por donde íbamos, siguiendo una hilera de Tarayes hasta que estos terminan y se alcanza **el embarcadero**. Aquí gira bruscamente a la derecha, se

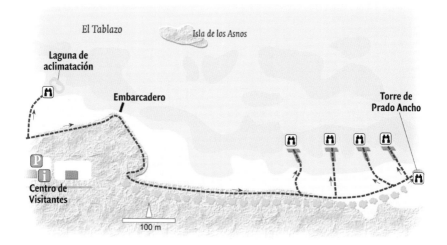

aleja un poco de las Tablas en dirección a los campos de cultivo que cercan el parque y vuelve a girar a la izquierda para ir en busca de los cuatro **observatorios de aves** que hay construidos a intervalos, a orillas de El Tablazo. Cada uno de estos observatorios requiere que nos alejemos cierta distancia del camino principal, pero iremos entrando en todos ellos para averiguar si hay aves interesantes a la vista. Si no hay agua en el Parque entonces será difícil que veamos algo, pero el paseo hasta la torre que se levanta en el extremo del itinerario siempre vale la pena.

Sin embargo, si la zona está inundada, es fácil que veamos abundancia de aves acuáticas: Focha Común, Gallineta Común, ánades como el Azulón, el Cuchara Común, la Cerceta Carretona o el Pato Colorado. Esta elegante anátida fue durante años el logotipo del Parque Nacional y es una de sus aves más emblemáticas. En verano, los machos de Pato Colorado abandonan este espacio natural, dejando a las hembras solas cuidando a sus polluelos que aún no vuelan. Otras especies que pueden observarse son ardeidas como garzas y garcillas, el Rascón Europeo, limícolas de diversas especies y, en el carrizal, carriceros y buscarlas.

Dada su pletórica fauna, hasta la declaración del Parque Nacional la caza era una actividad habitual en Las Tablas. Su proximidad a la ciudad de Madrid hizo que se convirtiera en un lugar de caza frecuentado por la corte y de la burguesía. Por otra parte, los habitantes de la zona también sacaban provecho del lugar: cazaban patos, pescaban Cangrejos de Río, recolectaban Enea para elaborar cestas y

Cañizales al amanecer

Campos de cultivo y barraca, en la Zona Periférica de Protección

esteras, Carrizo para construir los tejados de sus casas y segaban la Masiega para utilizarla como combustible. Todo ello tenía un impacto en el ecosistema, que ahora ha sido minimizado.

El sendero discurre entre el cinturón de carrizo a nuestra izquierda, y un prado y más allá los campos de cultivo, a la derecha. Eso permite combinar la observación de aves acuáticas, con la de especies propias de las zonas esteparias, como el Triguero, la Cogujada Común, el Buitrón, el Alcaraván Común y el Sisón Común. En primavera también aparece la Canastera Común. En la zona existe una colonia de Abejarucos Comunes,

que en verano acompañan al visitante con sus peculiares voces. Otra especie característica de esta zona es la Liebre Ibérica, a la que puede sorprenderse más fácilmente al anochecer.

A un kilómetro y medio del aparcamiento se levanta la **Torre de Prado Ancho**, de tres plantas de altura, desde donde se disfruta una gran panorámica de los Tablazos centrales, los alrededores de la isla de los Asnos, la entrada del río Gigüela en el parque, las Tablas del General, de las Águilas y la Uña, y el sempiterno telón de fondo de los Montes de Toledo. La elevación de la torreta de observación hace de este lugar un buen punto desde donde

Vista general del parque desde la Torre de Prado Ancho

Pato Colorado desperezándose

fotografiar un aspecto general de Las Tablas. Con la ayuda de unos prismáticos o de un telescopio, podremos ver las concentraciones de fochas y de patos y localizar al Aguilucho Lagunero Occidental patrullando el marjal. A mediados de octubre suelen llegar algunas Grullas Comunes que, al atardecer, se concentran para dormir en las marismas, mientras que los ánsares aparecen en las épocas de migración y el Aguilucho Pálido en invierno. Si no hemos tenido suerte con las aves, un rato en el observatorio de la Laguna de aclimatación nos permitirá observar a numerosas especies a corta distancia.

FICHA ITINERARIO B

Época de visita: más que una estación del año en concreto, lo realmente importante es que las Tablas estén inundadas, lo cual es más difícil en verano. En primavera y otoño, con el paso de las aves migratorias, pueden observarse una mayor variedad de especies. De abril a junio es la época de las polladas de los ánades, mientras que durante el mes de septiembre los Ánades Azulones se reúnen en grupos. En invierno también suele haber numerosas aves invernantes.

Horario y duración del recorrido: breve ruta de tan sólo 3 kilómetros (entre ida y vuelta), que puede realizarse en una hora o algo más, según el rato que pasemos en cada uno de los observatorios.

Dificultades y recomendaciones: ninguna dificultad. La ruta debe hacerse por la mañana, cuanto más temprano mejor, ya que por la tarde el sol nos quedaría a contraluz, dificultando la observación de aves. Unos prismáticos o un telescopio serán imprescindibles para identificar las diversas especies. Si deseamos hacer fotografías necesitaremos un teleobjetivo de 400 mm a 600 mm.

Interés: recorrido por el borde de las Tablas que permite, si hay agua, observar numerosas especies de aves acuáticas.

OTROS LUGARES DE INTERÉS NATURAL

• Laguna Permanente: situada a 800 m al sur del Centro de Visitantes, dispone de dos observatorios desde donde observar a las aves. Mejor por la mañana, ya que por la tarde queda a contraluz.
• Molino de Puente Navarro y dehesa de Zacatena: zona de aguas remansadas y bella dehesa a la que se accede desde la carretera al norte de Casa Zacatena.
• Molino de Molemocho: en el río Guadiana, en la entrada misma del Parque Nacional, se levanta este molino, junto a un tramo de río donde abundan las aves acuáticas y otros animales.

LUGARES DE INTERÉS HISTÓRICO-ARTÍSTICO

• Daimiel: en el pueblo hay que destacar el Centro de Interpretación del Agua y los Humedales Manchegos, y la iglesia de Santa María la Mayor. Es de origen templario, del siglo XIV, y presenta una estructura gótica modificada por añadidos posteriores.
• Villarrubia de los Ojos: un paseo por Villarrubia nos permitirá ver la Casa Sánchez Gijón, típica casa solariega del siglo XVIII, el Museo de la Agricultura, y la iglesia de Nuestra Señora de la Asunción del siglo XVI.
• Almagro: destaca su hermosa Plaza Mayor, con los soportales con columnas toscanas que soportan dos galerías, el Corral de Comedias del siglo XVII donde se celebra el Festival Internacional de Teatro Clásico, el Claustro del convento de la Asunción de Calatrava, y el convento de Santa Catalina, que en la actualidad alberga el Parador Nacional de Turismo.
• Ciudad Real: capital de la Mancha, con diversas edificaciones de interés, como la Puerta de Toledo, que

data de 1328, emblema de la Ciudad, o las iglesias de Santiago (siglo XIII-XIV) y la Basílica Catedral (siglo XVI).

CARTOGRAFÍA

• Daimiel, Mapa 760, 1:50.000. Instituto Geográfico Nacional, Madrid.

LECTURAS RECOMENDADAS

• **García-Herrera, J. J., Del Moral, A., Morillo, C. , y Sánchez, M. J., E.** (1992). *Las aves del Parque Nacional de las Tablas de Daimiel y otros humedales manchegos*, Lynx Edicions, Barcelona.

INFORMACIÓN TURÍSTICA

• Oficina de Turismo de Daimiel 926 26 06 39

TRANSPORTE PÚBLICO

• Autobuses Aisa
926 85 06 00 (Daimiel)
926 21 13 42 (Ciudad Real)
91 527 12 94 (Madrid)
93 490 40 00 (Barcelona)
www.aisa-grupo.com
aisa@aisa-grupo.com

ALOJAMIENTOS

Daimiel
• Albergue Juvenil
Tablas de Daimiel   926 85 46 18
albergue@aytodaimiel.es
• Hotel Las Tablas
926 85 21 07 / 926 85 21 08
• Hostal Las Brujas
926 85 22 11 / 926 85 46 26
hrlasbrujas@eresmas.net
• Hotel Tierrallana   926 85 27 63

Villarrubia de los Ojos
• Hotel El Molino   926 89 60 80
• Casa Rural La Blanquilla
926 69 50 63 / 926 89 71 12
• Cabañas El Mirador de la Mancha
650 46 22 47

PARQUE NACIONAL
DE DOÑANA

PARQUE NACIONAL
DE DOÑANA

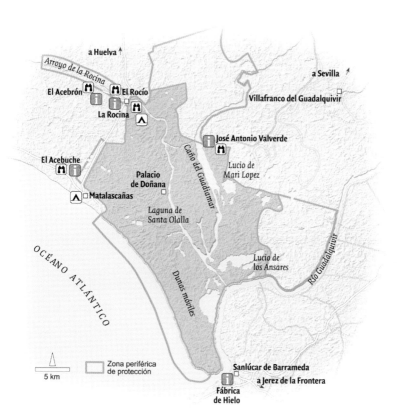

n España, hablar de Doñana es hablar del "Parque Nacional" por antonomasia, del más renombrado de todos ellos. El delta del río Guadalquivir conserva una fauna con innumerables especies animales, algunas de ellas muy vistosas, otras más discretas y algunas –como el Lince Ibérico o el Águila Imperial Ibérica– escasas y al borde de la extinción. Pero, a pesar de su valor, la gestión de Doñana, de sus aguas, de sus terrenos y de las acciones proteccionistas que había que tomar ha sido siempre motivo de controversias y juegos políticos. Hasta tal punto que, a veces, se ha puesto en grave peligro (recordemos, por ejemplo, los gravísimos vertidos tóxicos de la mina de Aznalcóllar). Tampoco resulta fácil visitarlo, ya que hay que hacerlo a través de unos canales muy estrictos que dificultan la relación íntima entre persona y naturaleza. Y, al final, uno acaba olvidándose de su esencia.

El Doñana "visible" cala lentamente en el visitante. Los paisajes no son espectaculares y su riqueza está en las luces, los sonidos, los olores y las

Duna móvil sepultando un corral de pinos

Laguna del Acebuche

tonalidades. Es la luz del atardecer, filtrándose entre los pinos o acariciando las ondas que el viento ha dibujado en las dunas; es el sonido de las Cigüeñuelas Comunes, de un Ciervo Rojo huyendo entre la maleza o de las olas en la playa; es el olor a Romero, Cantueso y a mar; son los colores de los jaguarzos, del agua de la marisma contrastando con el verde de la vegetación y del estallido rosa de unos Flamencos Comunes que alzan el vuelo lo que hará que Doñana sea inolvidable.

SITUACIÓN

En Andalucía, al Sudoeste de la Península Ibérica, en la desembocadura del río Guadalquivir y a orillas del Océano Atlántico. Abarca territorios de las provincias de Huelva y Sevilla. Los municipios que más terrenos aportan al Parque Nacional son Almonte, Aznalcázar e Hinojos.

En el interior del Parque se encuentra la Reserva Biológica de Doñana, de acceso reservado a científicos, propiedad del Centro Superior de Investigaciones Científicas (CSIC). Arropando al Parque Nacional, se encuentra el Parque Natural del Entorno de Doñana, también de gran interés y más fácil de visitar.

AMBIENTES NATURALES

Las marismas de Doñana se formaron a medida que el río Guadalquivir fue rellenando de sedimentos lo que en tiempos remotos fuera un extenso estuario, cuya salida al océano Atlántico finalmente quedó cerrada por una barra litoral de arena. Más de la mitad de la extensión del Parque Nacional corresponde a las marismas del Guadalquivir, de importancia internacional por ser lugar de paso, cría e invernada de ingentes cantidades de aves acuáticas.

Esta zona húmeda se inunda merced al aporte de arroyos y de las lluvias, según un ciclo de marcada estacionalidad. En primavera, la marisma explota de vida con el croar de las ranas, la estela de los galápagos, el griterío de la Cigüeñuela Común, el vuelo del Flamenco Común, y las andanzas de las familias de ánades Azulón y Rabudo, Cuchara Común, Cerceta Común, Pato Colorado, Porrón Europeo, y de especies tan amenazadas como la Cerceta Pardilla, la Malvasía Cabeciblanca y la Focha Moruna. Las alfombras de ranúnculos blancos flotando sobre el agua contrastan con el verde tierno de la Castañuela (*Scirpus maritimus*), el Bayunco (*Scirpus littoralis*) y el Carrizo (*Phragmites australis*). Calamón Común, Avoceta Común, Canastera Común, Gaviota Picofina, Fumarel Cariblanco, Aguilucho Lagunero Occidental... la lista de aves nidificantes haría este texto interminable pero no podemos dejar de destacar las colonias de aves ardeidas, donde se reúnen innumerables parejas de Martinete Común, Garcillas Cangrejera y Bueyera, Garceta Común, Garza Imperial y el exótico Morito Común. Desde los ventanales del Centro de Visitantes "José Antonio Valverde", el viajero tiene la rara oportunidad de observar relativamente cerca una de estas colonias. En los famosos alcornoques de la Reserva Biológica –reiteradamente inmortalizados por los medios de comunicación pero, eso sí, inaccesibles para el visitante–, está instalada la segunda mayor colonia de España de la elegante Espátula Común.

El inclemente sol del verano andaluz acaba por secarlo todo y, en verano, no queda más que una polvorienta llanura de arcilla cuarteada. Habrá que esperar a las lluvias de otoño para que la marisma se inunde de nuevo. En invierno, rebosa de agua dispuesta a acoger a medio millón de patos invernantes, siendo la mejor zona de invernada para el Flamenco Común y el Ánsar Común.

Bosque de Pinos Piñoneros

Cigüeñuela Común

La gente del lugar ha desarrollado un complejo vocabulario para definir los sutiles cambios fisionómicos de la marisma: los "lucios" son los lugares más profundos, donde el agua se mantiene casi todo el año; los "caños" son los antiguos cauces de arroyos que desembocaban en el mar; los "ojos de la marisma" son fuentes naturales por las que aflora agua dulce, y "vetas y paciles" son elevaciones del terreno que sobresalen del agua, siendo las primeras más elevadas que los segundos. En estas zonas secas crece el Almajo Salado (*Arthrocnemum macrostachyum*) y el Almajo Dulce (*Suaeda vera*), y son lugares idóneos para que la Avoceta Común, la Cigüeñuela Común, la Canastera Común y el Alcaraván Común instalen sus nidos.

La inmensa playa de Doñana cierra el antiguo estuario. Sin edificios que modifiquen su ecosistema, en ella crecen la Azucena de Mar (*Pancratium maritimum*), el Cardo Marino (*Eryngium maritimum*), la Lechetrezna de Mar (*Euphorbia paralias*), el Alhelí de Mar (*Malcomia littorea*) y el Barrón (*Ammophila arenaria*). Asimismo, es frecuentada por el Ostrero Euroasiático; el

Marismas del Rocío

Charrán Patinegro; el Charrancito Común; el Correlimos Tridáctilo; el Chorlitejo Patinegro o las gaviotas Patiamarilla, Picofina y Sombría. En las torres de defensa que en ella se levantan se reproducen varias parejas de Halcón Peregrino.

Entre la playa y la marisma se extiende uno de los ecosistemas más importantes de Doñana: las dunas móviles o "dunas vivas", que conforman el paisaje más bello y original del Parque. Las dunas nacen en la playa,

hacia el interior, aparecen los pinares de Pino Piñonero con juncos, Adelfa (*Nerium oleander*), Camarina (*Corema album*) y Palmito (*Chamaerops humilis*). Éste es el hábitat del Lince Ibérico –felino endémico de Iberia, con tan sólo medio millar de individuos en el mundo– y su presa favorita, el Conejo. También, el del Jabalí, la Culebrera Europea, el Alcotán Europeo, la Tortuga Mora, así como de la Víbora Hocicuda y diversas especies de culebras y lagartijas.

Suelo de la marisma cuarteado durante el verano

fruto del viento que empuja la arena hacia el interior, y avanzan hacia la marisma, sepultando todo lo que encuentran a su paso, incluso los pinares. Entre una duna y la siguiente quedan unas áreas llanas donde arbustos y pinos quedan encerrados y por ello se les denomina corrales. Las dunas más cercanas al mar son colonizadas por la Sabina Albar, el Enebro, la Clavelina (*Armeria pungens*) –que en abril se llena de flores rosadas– y la Siempreviva (*Helichrysum picardii*). A medida que avanzamos

Otra zona de gran importancia son los cotos: zonas de monte con pies de Sabina Albar, Alcornoque, Madroño, Acebuche, Labiérnago (*Phillyrea angustifolia)* y Pino Piñonero que, a veces, forma pinares maduros.

En Doñana existen básicamente dos tipos de formaciones arbustivas: el denominado "monte blanco" es un matorral de aspecto claro que crece en zonas secas integrado básicamente por Jaguarzo Blanco (*Halimium halimifolium*), acompañado de Jaguarzo Morisco (*Cistus salvifolius*),

Jaguarzo Negro (*C. libanotis*), Cantueso (*Lavandula stoechas*), Romero (*Rosmarinus officinalis*) y Mejorana (*Thymus mastichina*). El "monte negro" es un matorral de tipo atlántico que coloniza suelos muy húmedos, allí donde el nivel freático de las aguas está casi a ras del suelo. Su aspecto es oscuro e impenetrable, y está compuesto por brezos (*Erica scoparia, umbellata* y *ciliaris*) y Brecina (*Calluna vulgaris*), entremezclados con Mirto (*Mirtus communis*), Labiérnago, Zarza (*Rubus ulmifolius*), Tojo (*Ulex minor*) y Aulaga (*Ulex australis*).

En los cotos habitan gran número de mamíferos –como el ya citado Lince Ibérico, el Ciervo Rojo, el Jabalí, el Meloncillo o la Liebre Ibérica–. Entre las múltiples variedades de aves, encabeza una nutrida lista la reina del Parque Nacional: el Águila Imperial Ibérica, rapaz endémica de la Península Ibérica de hasta 2,2 metros de envergadura, de la que Doñana alberga ocho parejas. Le acompañan en sus territorios el Aguililla Calzada,

la Culebrera Europea, el abundante Milano Negro, el Mochuelo Europeo, el Alcaudón Real, el Rabilargo o las Currucas Rabilarga y Cabecinegra. Y el suelo es el territorio de la Culebra Bastarda, la Lagartija Colirroja y la Tortuga Mora.

Para finalizar, explicar que la franja de contacto entre los cotos y la marisma –que enlaza y separa ambos ecosistemas– recibe el nombre de "la vera". Allí abundan el Conejo, el Gamo, el Abejaruco Común, la Lavandera Boyera, la Codorniz Común y el Sapo de Espuelas. Una de las zonas de la vera más famosas son las Pajareras de Doñana, unos grandes alcornoques donde radica una impresionante colonia de Espátula Común y otras ardeidas.

CONSERVACIÓN

En Doñana ha existido siempre una intensa relación entre el hombre y la naturaleza. Éstas han sido unas

---

Matorral mediterráneo en El Acebuche

Fernando Ortega

Lince Ibérico

tierras habitualmente explotadas mediante la pesca, la caza, la recolección de materias primas, el carboneo, el coquineo, la apicultura o la recogida de piñas o la ganadería. En el siglo XVI, se construyó aquí un palacio para Doña Ana Gómez de Mendoza y Silva, y es desde entonces cuando empezó a llamársele el "Bosque de Doña Ana o el Coto de Doña Ana", siendo un cazadero muy apreciado por la nobleza y la realeza.

Desde mediados del siglo XIX , naturalistas de diversos países europeos viajaron hasta Doñana y empezaron a glosar sus maravillas naturales. El momento decisivo tuvo lugar en la década de los 50 del siglo XX, cuando diversas expediciones divulgaron al mundo mediante fotografías y documentales su enorme riqueza biológica. Eso condujo a que el Fondo Mundial para la Conservación de la Naturaleza (WWF) recaudara fondos y presionara al gobierno español para su protección, proceso que culminó con la declaración del Parque Nacional.

Sin embargo, los problemas para Doñana nunca han desaparecido por completo. Como ejemplos, no hay más que citar la incomprensible –por inexorable– reducción de la población de Lince Ibérico, tras más de 34 años de teórica estricta protección, o el sorprendente vertido de 5 millones de metros cúbicos de aguas ácidas y lodos cargados de metales pesados de las minas de Boliden, en 1998. Otra amenaza es la progresiva colmatación de las marismas por los aportes que el río aporta debido a la erosión. El proyecto "Doñana 2005" pretende recuperar la calidad y cantidad de las aportaciones hídricas que el Parque ha perdido en las últimas décadas.

DATOS DE INTERÉS DEL PARQUE Y RECOMENDACIONES

Extensión: 50.720 hectáreas, más 13.540 hectáreas de Zona de Protección.

Año de declaración: 1969, reclasificado en 1978. Declarado Patrimonio de la Humanidad y Reserva de la Biosfera.

Dirección:
• Centro administrativo "El Acebuche"
Crta. el Rocío - Matalascañas, km 12
Matalascañas (Huelva)
959 44 86 40 / 956 44 87 11
959 44 85 76 (fax)
info@parquenacionaldonana.com
• Centro de visitantes "El Acebuche"
Crta. el Rocío - Matalascañas, km 12
Matalascañas (Huelva)
959 44 87 11
• Centro de visitantes
"Palacio del Acebrón" El Rocío (Huelva)
• Centro de visitantes "La Rocina"
Crta. el Rocío - Matalascañas, km 2
El Rocío (Huelva)
959 44 23 40
• Centro de visitantes
"José Antonio Valverde" (Sevilla)
• Centro de visitantes
"Fábrica de hielo"
Bajo de Guía, s/n
Sanlúcar de Barrameda (Cádiz)
956 38 16 35
• Observatorio de aves "Marismas del Rocío", de la asociación SEO/Birdlife
Paseo Marismeño s/n
El Rocío (Huelva)
959 50 60 93 (tel / fax)
andalucia@seo.org

Sitio web:
www.mma.es/parques/lared/donana
www.parquenacionaldonana.com

Acceso al Parque: desde la ciudad de Sevilla, hay que tomar la autopista A-49 hasta la salida de Bollullos del Condado-La Palma del Condado. Una vez en Bollullos se sigue la carretera A-483 hasta Almonte, El Rocío y Matalascañas. Desde Huelva, se llega a Matalascañas por la A-494. El Centro de visitantes principal es el del Acebuche. El acceso al centro José Antonio Valverde a través de las marismas es muy confuso; lo mejor es informarse y obtener un mapa gratuito en El Acebuche.

La empresa de autobuses Damas* cubre los trayectos de Sevilla o Huelva a Almonte y Matalascañas. Las compañías Linesur* y Los Amarillos* llevan hasta Sanlúcar. La población más cercana con ferrocarril es La Palma del Condado, a la que se llega tanto desde Huelva como desde Sevilla.Hay dos itinerarios guiados y de pago: uno en microbús todoterreno por el interior del Parque, y otro en barco por el río Guadalquivir. También hay senderos peatonales de acceso libre en La Rocina ("Charco de la Boca"), El Acebrón ("Charco del Acebrón"), El Acebuche ("Laguna de Acebuche" y "Lagunas del Huerto y las Pajas") y Matalascañas ("Sendero dunar").

Servicios y equipamientos: cinco centros de visitantes con servicio de información y exposiciones. Audiovisuales en "El Acebuche", "La Rocina", "José Antonio Valverde" y "Fábrica de hielo". Cafetería y tienda en El Acebuche y J. A. Valverde. Recorridos en vehículos todoterreno y barco por el Parque, senderos peatonales y puntos de observación. Los Centros de Visitantes y los itinerarios peatonales son accesibles para minusválidos.

Recomendaciones generales: las limitaciones son las habituales en cualquier espacio natural protegido. Es obligatorio circular por los senderos establecidos y depositar todos los desperdicios en los contenedores. Es recomendable el uso de prismáticos y realizar los itinerarios por la mañana temprano o bien por la tarde para aumentar la probabilidad de ver animales. Imprescindible también una guía de identificación de aves.
Los propietarios de perros deberán pensárselo dos veces antes de llevarlo a Doñana, ya que no podrá entrar en el Parque, ni siquiera atado. Si deseamos realizar las rutas, deberemos dejarlo en la habitación de algún hotel (En el Rocío, la Pensión Cristina los acepta), ya que el intenso sol y la falta de sombras impide dejarlo en el automóvil.

ITINERARIO A
RUTA EN MICROBÚS POR EL
INTERIOR DEL PARQUE

Una de las frustraciones de cualquier naturalista que visita Doñana es no poder pasear libremente por el interior del Parque Nacional, en contacto íntimo con la naturaleza. Por desgracia, cientos de miles de personas piensan lo mismo (más de 390.000 personas lo visitaron a lo largo del año 2001), por lo que ha habido que imponer unas severas limitaciones. Aparte de los itinerarios peatonales antes citados, la única manera de acceder al interior del espacio natural protegido es mediante esta ruta de pago en microbús todoterreno, o bien por el itinerario fluvial que parte de Sanlúcar de Barrameda.

Con nuestra plaza ya reservada, nos personaremos en el aparcamiento del **Centro de Visitantes El Acebuche**, de donde parten los vehículos con su conductor-guía. Una vez en la carretera, el microbús nos conduce hasta la urbanización de Matalascañas, la bordea por el Norte y luego penetra en la playa donde, a nuestra izquierda, en las dunas, nos fijaremos en algunas barracas de los mariscadores y pescadores que aún

tienen autorización para laborar en el Parque Nacional. Según el estado de la marea o el número de microbuses que realicen el itinerario a la misma hora (a veces se reúnen buen número

Cerro de los Ánsares

Jaguarzo Blanco

de ellos), es posible que el recorrido se realice en sentido inverso al que ahora vamos a describir.

Ante nosotros se extienden treinta kilómetros de **playa** virgen, sin urbanizar, encajada entre el Océano Atlántico y la barra de dunas que conserva su vegetación autóctona, algo difícil de ver ya en el litoral español. A orillas del mar veremos grupos de aves integrados por la Gaviota Patiamarilla, la Gaviota de Audouin, el Charrán Patinegro, el Charrancito Común, la Pagaza Piquirroja, el Correlimos Tridáctilo o chorlitejos. Por las dunas, no es difícil ver algún Milano Negro y al Cuervo. Una vez cumplidos los primeros quince kilómetros de nuestra ruta, avistamos la Torre Carbonero, que sobresale por encima de la arena. Se trata una torre almenada de vigilancia, levantada en el siglo XVI para proteger a los

navíos españoles de los piratas berberiscos. En la playa, hay varias de estas torres que, curiosamente, a falta de cantiles, son utilizadas por el Halcón Peregrino para instalar sus nidos.

Un poco más adelante, el vehículo vira en ángulo recto y penetra en el cinturón de dunas móviles. Por fortuna, tiene tracción 4 x 4, ya que el blando substrato es pura arena. Creadas y empujadas por el viento del sudoeste, estas dunas vivas van avanzando desde la playa hacia la marisma interior, sepultando bajo la arena todo lo que encuentran a su paso. Desde el vehículo comprobaremos cómo detrás de cada hilera de dunas quedan unas zonas libres denominadas "corrales", en las que crecen enebros, pinos y matorrales. Sin embargo, tan sólo disponen de un número de años determinado para desarrollarse, ya que luego –inexorablemente– serán enterrados por el lento avance de la siguiente duna.

El microbús realiza una parada en lo alto de una gran duna denominada el **Cerro de los Ánsares**, de 42 metros de altitud, uno de los lugares míticos de Doñana. Las paradas del servicio guiado dependen de distintos condicionantes pero, en general, se intenta mostrar los principales ecosistemas por los que transcurre la visita. En las madrugadas de invierno, grandes bandos de ánsares vienen aquí a llenar sus buches de arena para que les ayude en la digestión de su manjar preferido: los tubérculos de la Castañuela. Aprovecharemos la parada para bajar del vehículo y pisar la arena, observar las huellas que en ella dejan los escarabajos, la Lagartija Colirroja y la Tortuga Mora, así como para tomar unas fotografías. En estas dunas se rodaron en 1962 diversas escenas de la famosa película "Lawrence de Arabia", del director David Lean y protagonizada por Peter O'Toole.

En menos de 5 kilómetros alcanzamos la vera: es el punto de contacto entre la marisma y el substrato arenoso –altamente querencioso para Ciervos Rojos, Gamos y Jabalíes–, que iremos bordeando hasta llegar al **Centro de Vetalengua,** donde se realiza una segunda parada. Desde la terraza del edificio, se divisa una espléndida vista del Lucio del Membrillo y es posible observar las diferentes tipologías de la marisma, así como Flamencos Comunes y otras aves acuáticas.

A menos de un par de kilómetros (Km 26,8 del recorrido), se pasa por un pinar de Pino Piñonero en el que se encuentra una de las zonas de acampada de los participantes en la Romería del Rocío, así como los restos del poblado romano Cerro del Trigo. Seguimos por la vera, bordeando el Lucio del Membrillo por el bello Pinar de Marismillas, donde los pinos piñoneros van acompañados por sabinas y lentiscos. Éste es el territorio de una de las parejas de Águila Imperial Ibérica del Parque siendo,

Disputa entre Flamencos Comunes

Clavelinas en las dunas móviles

asimismo, un buen lugar para ver Culebrera Europea y Milano Negro.

Luego llegamos al **Palacio de las Marismillas**, un recuerdo de la época de las monterías y de la aristocracia donde ahora, a veces, se alojan autoridades como el Presidente del Gobierno. En su entorno se localiza otro de los puntos de acampada de la Romería del Rocío. El camino prosigue por prados donde es posible sorprender a Ciervos Rojos y Jabalíes hasta que, a un par de kilómetros del Palacio –y a 38 del recorrido total–, llegamos al **poblado de la Plancha**, donde se hace una nueva parada. Enclavado a orillas del río Guadalquivir, éste es un antiguo asentamiento de cabañas tradicionales que ha sido reconstruido para que el visitante se haga una idea de las condiciones de vida de los habitantes de Doñana.

Reemprendemos la ruta bordeando el último tramo del gran río andaluz, donde su agua dulce se entremezcla con la salada que aportan las mareas, y en el que a veces puede verse al Águila Pescadora, garzas, limícolas o incluso algunos delfines, hasta alcanzar la desembocadura y la playa. En la orilla opuesta, se divisa la localidad de Sanlúcar de Barrameda, ya en la provincia de Cádiz y en el mar, al Sudoeste, un barco que transportaba arroz y que naufragó al encallar en los bancos de arena. También veremos algunos bunkers construidos durante la II Guerra Mundial. Al fin hemos regresado a la **playa**. Ahora ya sólo nos quedan treinta kilómetros de recorrido rectilíneo hasta alcanzar de nuevo Matalascañas y regresar al Acebuche.

FICHA ITINERARIO A

Época de visita: la ruta puede hacerse durante todo el año, aunque en pleno verano es menos atractiva. Hacia abril –y luego en octubre-noviembre– la marisma está llena de aves. Desde el 1 de junio hasta el 15 de septiembre, los vehículos parten del Acebuche a las 8,30 y a las 17 h, excepto los domingos, que es su día de descanso. El resto del año, la visita se realiza a las 8,30 y a las 15 h, siendo el día de descanso el lunes.

Horario y duración del recorrido: la visita en microbús dura unas cuatro horas, durante la cual se recorren unos 75 kilómetros.

Dificultades y recomendaciones: dado que se realiza en un vehículo todoterreno, el itinerario no conlleva dificultad alguna. El número de visitantes está limitado a un máximo de 285 al día, por lo que lo más complicado suele ser conseguir plazas en ciertas épocas del año (Semana Santa, fines de semana de primavera y verano...), de modo que es conveniente reservarlas con unos días de antelación en el Centro del Acebuche, en el teléfono 959 43 04 32 o bien en el fax 959 43 04 51. Para grupos, existe la posibilidad de realizar un recorrido más completo, de unas siete horas, siempre que se reserve un vehículo completo. No hay que olvidarse de llevarse unos prismáticos –pueden también alquilarse en el centro de visitantes- para observar a los animales.

Interés: aunque ver un Parque de este modo no es lo ideal para el amante de la naturaleza, ésta es la única posibilidad de penetrar en los límites del Parque Nacional para observar algunos de sus ecosistemas más característicos, como las dunas vivas y los corrales. Buenas posibilidades de avistar Ciervo Rojo, Jabalí y otros animales salvajes, aunque hay que tener presente que no estamos en un parque zoológico, por lo cual las observaciones no están aseguradas.

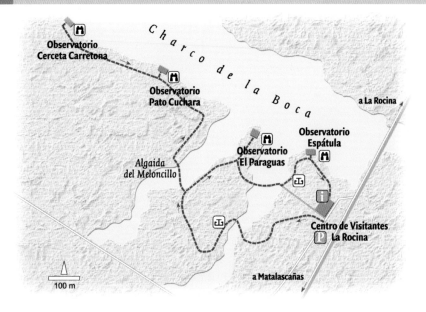

ITINERARIO B
CHARCO DE LA BOCA
(LA ROCINA)

La ruta por el interior del Parque en el microbús todoterreno nos muestra lugares fascinantes, pero uno se queda con las ganas de andar a paso relajado por estos paisajes y de sentarse tranquilamente a observar a los animales salvajes. En el Centro de Visitantes La Rocina, situado en la carretera El Rocío-Matalascañas a tocar de la primera localidad, existe la posibilidad de pasar una tarde o una mañana de relajado paseo, observando algunas de las aves características de Doñana. El centro ofrece una pequeña exposición sobre el Parque Nacional, una sala donde se proyecta un audiovisual y una choza-exposición sobre la Romería del Rocío.

El sendero peatonal "Charco de la Boca" nos llevará por la margen izquierda del arroyo de La Rocina, pasando por cuatro observatorios desde los que puede observarse variedad de aves acuáticas. Parte del aparcamiento del **Centro de Visitantes**,

dominado por un enorme eucalipto, testimonio de otras épocas. De aquí parten dos ramales, que están acondicionados mediante pasarelas de madera que permiten desplazarse cómodamente sobre el substrato arenoso. Nosotros tomaremos el de la izquierda, que nos conducirá por un pinar de Pino Piñonero entremezclado con Acebuche. También veremos masas de Helechos (*Pteridium aquilinum*), verdes en invierno y primavera, pero demasiado sensibles al calor del verano, cuando se secan por completo. En primavera, la multitud de flores de color amarillo intenso del Jaguarzo Blanco, proporcionan alegría al paisaje. En este tramo, pueden verse algu-

Lirio Amarillo

Pinar y prado en flor en la Rocina

nos pájaros como el Verdecillo, el Jilguero, el Carbonero Común, el Agateador Común, el Pinzón Vulgar o las Currucas Cabecinegra y Carrasqueña.

En unos minutos, la pasarela pasa bajo un Alcornoque, por una zona más húmeda, donde también crecen zarzas y sauces. La mayor frondosidad de la vegetación se nota en la presencia del Ruiseñor Común y el Ruiseñor Bastardo, de discretos plumajes pero apasionados cantos, para hacerse notar en la vegetación cerrada donde suelen vivir. Un centenar de metros más adelante regresamos al seco pinar y a sus anteriores inquilinos.

Cuando llevamos diez minutos de camino, llegamos a un **Área de Descanso**, donde nos acompañarán los lejanos cantos del Cuco Común y de la Oropéndola. Más adelante, llegamos a un cruce de caminos: el de la derecha será el que sigamos a nuestro regreso, pero ahora debemos continuar por el de la izquierda. Cruzamos de nuevo una zona húmeda –denominada "**La Algaida del Meloncillo**"– por una pasarela y

Arroyo de La Rocina

aparecen de nuevo helechos, juncos, eneas y sauces donde se esconde la Curruca Capirotada. Si miramos hacia arriba veremos que, por encima de nosotros, pasa un tendido eléctrico cuyos cables están adornados con anillas rojas. Esto se hace para hacerlos más visibles para las aves y evitar que colisionen con ellos.

De nuevo salimos a una zona más seca y abierta, cubierta de un matorral bajo del tipo denominado "Monte blanco", integrado por diversos tipos de arbustos, en los que predominan el Jaguarzo Blanco, el Jaguarzo Negro, el Cantueso, el Labiérnago y la Aulaga. A la derecha, en lo alto de una torre del tendido eléctrico, veremos un nido de Cigüeña Blanca, lo que nos hace comprender la importancia de la señalización antes mencionada. Si seguimos andando por el matorral, sobrevolados por algún Milano Negro, llegamos al cruce que lleva al "Observatorio Pato Cuchara", situado a nuestra derecha, o al "Observatorio Cerceta Carretona", enfrente. Segui-

remos esta senda para empezar las observaciones desde el final del itinerario.

A la media hora de camino, habremos recorrido dos kilómetros y alcanzado el punto más lejano del itinerario: el **"Observatorio Cerceta Carretona"**, escondido entre acebuches. Ahora podemos tomarnos un descanso y observar a las diversas especies que pueblan la laguna que se extiende ante nosotros, que en primavera se adorna con las flores del Lirio Amarillo (*Iris pseudacorus*). Al fondo, a la derecha, se ve el puente con la carretera del Rocío. En la laguna, habitan aves acuáticas de distintas especies, según la época del año en que se realice la visita: Zampullín Común, Gallineta Común, Pato Colorado, Garza Real, Espátula Común, Garceta Común, Fumarel Cariblanco, Carriceros Común y Tordal o Abejaruco Común. En una torre de tendido eléctrico vemos otro nido de Cigüeña Blanca. Además, es un dormidero habitual de aves ardeidas.

Cuando nos parezca conveniente, regresaremos sobre nuestros pasos hasta el cruce de caminos que antes hemos desechado y, desde allí, en cinco minutos, nos llegaremos al **"Observatorio Pato Cuchara"**. Cerca de la entrada, podremos ver algún Palmito, la única palmera autóctona de la Península Ibérica y, a su derecha, un Fresno. Aquí podemos sentarnos otro rato, para ver qué es lo que nos depara el observatorio. Éste es un buen emplazamiento para observar algún Calamón Común.

Rehaciendo el sendero que antes ya recorrimos, cruzamos la Algaida del Meloncillo –pero ahora seguimos el camino que se dirige hacia la izquierda, en dirección al arroyo de La Rocina, a través de un pinar con helechos que por la tarde tiene una bonita luz que nos incita a sacar la cámara–. En cinco minutos llegamos al cruce que, si seguimos por su ramal izquierdo, nos llevará al Observatorio **"El Paraguas"**. Situado en una pequeña loma entre jaguarzos, lentiscos y acebuches, la laguna queda un poco lejana, pero con prismáticos o telescopio podremos distinguir alguna Garcilla Cangrejera,

ánades –como el Azulón, el Friso o el Porrón Europeo, el vuelo del Milano Negro–, o ver cómo el Mosquitero Común Ibérico pulula por la vegetación, enfrente del observatorio.

Si, de vuelta al cruce, seguimos ahora por la izquierda, a unos 300 metros del observatorio llegaremos a una pasarela de madera que cruza la "Algaida del Carrizal", por encima del agua, en medio de un bello bosque de ribera encharcado, donde crecen sauces y abundantes Lirios Amarillos, además de eneas, carrizos, Zarzaparrilla (*Smilax aspera*) y Correhuela Rosa. De nuevo en tierra firme, siguiendo por la izquierda, se pasa por una área de descanso instalada a la sombra del pinar y, luego, se llega al último de los escondites ornitológicos: el **"Observatorio Espátula"**, donde podemos tener la oportunidad de seguir contemplando variedad de aves acuáticas, además de alguna Aguililla Calzada. En diez minutos más, a través de un pinar maduro tapizado de hierba, completaremos los 4,6 kilómetros del recorrido y llegaremos al Centro de Visitantes de La Rocina y a su aparcamiento.

FICHA ITINERARIO B

Época de visita: según la época del año y el régimen de lluvias, el arroyo estará más o menos inundado, de lo que dependerá la mayor o menor abundancia de flores y de aves. La Semana Santa suele coincidir con una de las mejores épocas.

Horario y duración del recorrido: se andan un total de unos 4,6 kilómetros –prácticamente sin desniveles– que pueden llevarnos de 1,30 a 3 horas, según el rato que permanezcamos en cada observatorio.

Dificultades y recomendaciones: si se realiza el recorrido por la tarde, es mejor empezar por la zona de monte blanco e ir visitando los observatorios de regreso, tal y como se describe el itinerario, ya que cuanto más tarde, más activa está la fauna. Por la mañana, en cambio, es mejor realizar el itinerario al revés de como lo hemos descrito, empezando por los escondites cercanos al arroyo de la Rocina y dejando el matorral para más tarde. El sendero está más o menos acondicionado para minusválidos.

Interés: recorrido por el arroyo de la Rocina que ofrece la posibilidad de atravesar un matorral de monte blanco, bosques de ribera y hacer esperas en cuatro observatorios a orillas de zonas encharcadas, con la probabilidad de observar algunas interesantes aves, como el Calamón Común o la Garcilla Cangrejera.

Matorral de monte blanco, La Rocina

OTROS LUGARES DE INTERÉS NATURAL

- Laguna del Acebuche: sendero que parte del Centro de Visitantes y que transcurre entre el monte blanco, el pinar y una laguna con observatorios, que fue desecada en los años 50 y recuperada en la década de los 80.
- Sendero Peatonal "Charco del Acebrón": además de visitar el imponente Palacio del Acebrón, el recorrido transcurre por diversos ecosistemas como bosques de ribera, monte blanco y alcornocal.
- Itinerario fluvial Sanlúcar-Guadalquivir-Doñana: dura unas 4 horas, durante las cuales se recorren unos 26 kilómetros por el río Guadalquivir. Es necesario reservar plaza (956 36 38 13). Del 1 de julio al 19 de septiembre, las salidas son a las 9 y 16,30 h. Del

20 de septiembre al 30 de abril, a las 10,00 h, y del 1 de mayo al 30 de junio, a las 9 y las 16 h. El lunes es día de descanso.
- Observatorio "Madre del Rocío", de la asociación conservacionista SEO/Birdlife en el Paseo Marismeño de El Rocío: uno de los mejores lugares para ver aves en el parque, así como un destino obligado para los aficionados a la fotografía.

LUGARES DE INTERÉS HISTÓRICO-ARTÍSTICO

- Aldea del Rocío: cada lunes de Pentecostés la Virgen recorre las calles de esta aldea entre miles de peregrinos, muchos de los cuales han participado en la célebre romería que atraviesa el Parque Nacional. El resto del año se puede visitar el santuario que se levanta orillas de la marisma.
- Centro de Visitantes Fábrica de Hielo: situada en una antigua fábrica de hielo de Sanlúcar de Barrameda, ofrece una exposición sobre la relación entre Doñana y el río Guadalquivir.
- Almonte: las calles y plazas con geranios y jazmines; el barrio viejo con la iglesia de la Asunción, del siglo XV; o el Ayuntamiento, de 1612, invitan al paseo relajado.
- Bajo de Guía: puerto pesquero y barrio de pescadores. Destaca su peculiar arquitectura de soportales, donde se ubican restaurantes de cocina marinera.

CARTOGRAFÍA

- *Parque Nacional de Doñana*, 1:50.000. Instituto Geográfico Nacional, Madrid.

LECTURAS RECOMENDADAS

- **Castaño, A., Mateos, J. y Rivera, M. L.** (1998). *Guía de visita del Parque Nacional de Doñana.*

Organismo Autónomo de Parques Nacionales, Madrid.
- **Sabater, A., Delibes, M. y Palomares, F.** (1999). *El Lince Ibérico.* Egmasa, Sevilla.
- **V.V.A.A.** (1996). *Visita Parque de Doñana y su entorno.* Editorial Everest, León.

OFICINAS DE TURISMO

Turismo Andaluz
www.andalucia.org
- El Rocío
  959 44 38 08
- Matalascañas
  959 43 00 86
- Almonte
  959 45 02 60
- Sanlúcar de Barrameda
  956 36 61 10
- Asociación de Empresas de Turismo Activo de Doñana
  959 44 38 08
  www.donana.es
Rutas guiadas por el parque
- Sociedad Cooperativa Andaluza "Marismas del Rocío"
  959 43 04 32
  959 43 04 51
Itinerario fluvial desde Sanlúcar
- Cristóbal Anillo S. L.
  956 36 38 13

TRANSPORTE PÚBLICO

- Autobuses Damas   959 25 69 00
- Autobuses Linesur   956 34 10 63
  www.linesur.com
- Autobuses Los Amarillos
  956 36 04 66

ALOJAMIENTO

- Red Andaluza de Alojamientos Rurales
  954 21 12 66

El Rocío
- Hotel Puente del Rey
  959 44 25 75
- Hotel El Toruño
  959 44 26 26
- Cortijo Los Mimbrales
  959 44 22 37
- Pensión Isidro
  959 44 24 42
- Pensión Cristina
  959 44 24 13
- Camping La Aldea
  959 44 26 77
  www.campinglaaldea.com

Matalascañas
- Camping Rocío Playa
  959 53 62 81
  959 43 03 38

Ciervo Rojo entre Armerias, en las dunas móviles

PARQUE NACIONAL
DE SIERRA NEVADA

PARQUE NACIONAL
DE SIERRA NEVADA

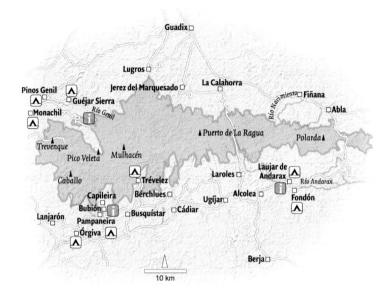

Sierra Nevada es un macizo montañoso cercano al mar Mediterráneo, a un paso de África, pero que ostenta las mayores alturas de la Península Ibérica. Nada menos que catorce de sus cumbres superan la barrera de los 3.000 metros de altitud, y una cuarentena de lagunas y lagunillos de origen glaciar salpican su geografía, siendo una magnífica representación del ecosistema de la alta montaña mediterránea. En este Parque Nacional encontraremos plantas emparentadas con las que viven en los Pirineos o en los Alpes, pero también otras que lo están con las del otro lado del Estrecho. Sus notables endemismos vegetales y su población de Cabra Montés son los principales atractivos que ofrece para el viajero naturalista.

No obstante, Sierra Nevada no es un ecosistema virgen. Desde tiempos inmemoriales, estas montañas han estado habitadas y trabajadas por el hombre que, a lo largo de generaciones, ha modelado intensamente sus paisajes. Si los pueblos escalonados y con casas de techo plano de La Alpujarra no estuvieran pintados de color blanco, parecerían extraídos de una vertiente del Alto Atlas marroquí. La conjunción de la belleza creada por el hombre con la que es fruto de la naturaleza queda patente al contemplar la Sierra desde la ciudad de Granada, como telón de fondo de la majestuosa Alhambra.

SITUACIÓN

Con una longitud de 80 kilómetros y una anchura que ronda la treintena, Sierra Nevada forma parte de las Cordilleras Béticas. Se encuentra situada en Andalucía, al Sudeste de la ciudad de Granada, abarcando

Dragoncillos de Sierra Nevada

Laderas del Pico Veleta, a primeros de mayo

terrenos de 29 municipios de la provincia de Granada y de 15 de la de Almería. Güejar-Sierra, Trevélez, Jerez del Marquesado, Bérchules, Capileira y Dílar son los que más territorio aportan al Parque.

AMBIENTES NATURALES

El Parque Nacional alberga con orgullo el pico más elevado de la Península Ibérica: el Mulhacén, de 3.482 metros, seguido por el Aneto (3.404 m), en los Pirineos, y tan sólo superado –a nivel estatal– por el volcán Teide (3.718 m),

en las islas Canarias. A pesar de su elevada crestería, vista desde cierta distancia, Sierra Nevada ofrece al visitante un aspecto de lomas de relieve suave, aunque si uno se adentra en su interior aparecen algunos barrancos y cimas abruptas.

Para el profano, la estructura geológica de Sierra Nevada podría resumirse en la existencia de tres grandes unidades: un núcleo central –la espina dorsal de la sierra– donde emergen las cumbres mas elevadas, formado por rocas metamórficas como pizarras y otros tipos de esquistos; una orla integrada por

Algunos endemismos vegetales de la sierra. De izquierda a derecha y de arriba a abajo, Saxifraga de Sierra Nevada, Piorno de Crucecitas, Estrella de las Nieves, Hormathophylla purpurea, *Gamarza, Piel de león*

Pinos Silvestres helados, Puerto de la Ragua

pizarras, mármoles, serpentinitas, gneises y filitas arcillosas; y un cinturón externo de calizas y dolomías, del que forman parte el Pico Trevenque, las cresterías del Dornajo y algunos barrancos estrechos como los Cahorros de Monachil. Merced a la abundante innivación, la sierra goza de diversos ríos, arroyos, fuentes y barrancos. Los musulmanes supieron aprovechar esta riqueza hídrica, realizando construcciones para su aprovechamiento que aún son utilizadas hoy en día. Entre los manantiales, cabe destacar los de aguas medicinales de Lanjarón, que dieron lugar a su conocido balneario y a la planta embotelladora.

Como acostumbra a suceder en los macizos montañosos, el de Sierra Nevada es un **clima** de extremos. Su cercanía al continente africano y sus casi 3.500 metros de altitud son responsables de considerables varia-

ciones de temperaturas y precipitaciones. De la media de 800 mm de precipitación anuales –por encima de los 2.000 metros–, tres cuartas partes son en forma de nieve. Los inviernos son fríos y los veranos secos y cálidos.

Sierra Nevada fue integrada en la Red de Parques Nacionales Españoles en representación de los sistemas naturales mediterráneos de media y alta montaña. Debido a su localización geográfica y al brusco desnivel altitudinal, este macizo se convirtió en un refugio para gran cantidad de especies de **flora**. Se han contabilizado unas 2.100 especies vegetales, de las que 116 de ellas se consideran amenazadas. Por si fuera poco, aquí crecen más de 80 endemismos exclusivos de esta sierra, estando ocho de ellos clasificados como en Peligro de Extinción. Escrutar los pedregales de las cumbres en busca de estas raras especies se convierte en uno de los máximos atractivos de la visita.

En esta sierra, hasta los 1.700-1.900 metros de altitud los bosques suelen ser de Encina Carrasca. Menos comunes son los de Arce de Montpellier y Arce Granadino, así como los robledales de Quejigo o Roble Melojo. A orillas de los ríos aparecen aliseceas, saucedas, fresnedas, olmedas o choperas.

El estrato de los 1.900 a los 2.800 metros lo ocupan pinares y sabinares pero, a medida que aumenta la altitud, predominan diversas clases de matorral. El más extendido es el enebral-piornal con *Festuca indigesta*, Piel de León (*Arenaria imbricata)* y endemismos como la Aulaga Morisca (*Genista versicolor*), el Mancaperros (*Arenaria pungens*) y la *Potentilla nevadensis*. También aparecen formaciones de arbustos en forma de cojinetes, tan típicos de muchas cumbres áridas, con Piorno de Crucecitas (*Vella spinosa*), Piorno Azul (*Erinacia anthyllis*), *Bupleurum spinosum* y *Astragalus granatensis*. En las áreas calcáreas crece un espinal con Sabina Albar y Enebro mezclado con tomillar almohadillado.

Superados los 2.800 metros, entramos en la alta montaña mediterránea. Árboles y matorrales son incapaces de vivir bajo el peso del manto de nieve o soportando temperaturas tan bajas y vientos helados. Éste es el dominio de los pastizales, uno de los ecosistemas más singulares de Sierra Nevada, donde hasta el 70% de las plantas son endemismos locales. Especies como la Piel de León, Manzanilla Real (*Artemisia granatensis*), *Festuca clementei, Hormatophylla purpurea* o *Erodium cheilanthifolium* son acompañados por especies alpinas de más amplia distribución geográfica, como la Genciana Alpina (*Gentiana alpina*).

En los borreguiles –pastizales húmedos que se forman en la base de algunos circos glaciares–, crecen otras dos plantas de importancia: la Estrella de las Nieves (*Plantago nivalis*), endemismo frecuentemente utilizado como símbolo del Parque, y la insectívora Grasilla de Sierra Neva-

Cabra Montés en la ladera del Pico Veleta

da (*Pinguicula nevadensis*). En los canchales o "cascajares" –las laderas cubiertas de piedras sueltas– aparecen más especies endémicas como la Violeta de Sierra Nevada (*Viola crassiuscula*), los Dragoncillos de Sierra Nevada (*Chaenorrhinum glareosum*) y la Saxífraga de Sierra Nevada (*Saxifraga nevadensis*).

Si hay un elemento de la **fauna** de este Parque que el visitante espere ver, éste es la Cabra Montés, que se deja ver con relativa facilidad. Un mamífero no por pequeño menos interesante es el Neverón, que vive por encima de los 2.500 m y que, a veces, puede verse en el interior de algún refugio de montaña. Invisible –pero presente–, el Gato Montés Europeo ha pasado a ser el único felino tras la desaparición del Lince Ibérico.

Aunque debido a las elevadas temperaturas estivales en Sierra Nevada no están presentes la mayoría de las aves representativas de las zonas alpinas europeas, en el Parque Nacional se han contabilizado 84 especies nidificantes. Además, en invierno y durante las épocas de migración, aparecen otras. La orientación de la sierra –perpendicular al flujo migrato-

rio– actúa de barrera y las aves deben desviarse de su recorrido para rodearla. El que sí está presente es el Acentor Alpino, uno de los pájaros más característicos de la avifauna de las montañas europeas. En las alturas le acompañan la Collalba Gris, el Colirrojo Tizón, la Chova Piquirroja, el Roquero Rojo y el Águila Real. En la franja de matorral subalpino cabe citar al Bisbita Campestre, la Alondra Común, el Pardillo Común, los Escribanos Montesino y Hortelano, la Tarabilla Común y la Perdiz Roja, que en estos lares es capaz de ascender hasta los 3.000 metros. En los bosques y zonas más bajas, la avifauna es la habitual en estas latitudes.

Entre los reptiles, cabe destacar a la Víbora Hocicuda, que aquí alcanza los 3.000 m de altitud, y la Lagartija Ibérica, que ha sido observada incluso en la misma cumbre del Mulhacén.

La variedad de insectos es asimismo notable, y se han identificado hasta el momento más de 80 endemismos, como el saltamontes *Baetia ustulata*, sin alas, de color casi negro y vientre amarillo, y los sorprendentes escarabajos *Trechus planipennis* y *Platyderus testaceus*,

Roquero Rojo

Violeta de Sierra Nevada

despigmentados y de pequeño tamaño, que tan sólo habitan debajo de las piedras por encima de 2.800 metros. Es curiosa la presencia de una hormiga emparentada con una especie propia de las estepas frías de Asia Central. De mariposas, existen multitud de especies distintas, pero pocos endemismos, debido a la capacidad de estos animales para desplazarse. Tan sólo citaremos la pequeña Niña de Sierra Nevada (*Plebicula golgus*) que vive a 2.400 m y una subespecie propia de la Apolo (*Parnassius apollo nevadensis*), la mariposa más característica de los ecosistemas montañosos europeos y asiáticos.

CONSERVACIÓN

La intensa presión humana sobre un ecosistema tan frágil como el piso alpino de Sierra Nevada motivó que, en 1997, se decidiera cerrar al tráfico rodado la popular carretera del Veleta. La presencia de la estación de esquí y el complejo turístico que lleva aparejada tiene un impacto brutal en el ecosistema pero, al ser una instalación que ya existía antes de la declaración del Parque Nacional, no hay mucho que pueda hacerse más que intentar compatibilizar su existencia.

Otros peligros son los incendios forestales y la amenaza que la elevada población de Cabra Montés representa para algunas plantas amenazadas –e incluso para ella misma, dados los brotes de sarna y parasitosis que ha sufrido en multitud de ocasiones–. Por ello, hay planes para reducir su población y para la recuperación de la flora. En la actualidad, se están recolectando semillas de diversas plantas para conservarlas en el Banco de Germoplasma de Sierra Nevada.

DATOS DE INTERÉS DEL PARQUE Y RECOMENDACIONES

Extensión: 86.208 hectáreas.

Año de declaración: 1999. Desde 1986, era Reserva de la Biosfera y, desde 1989, Parque Natural.

Dirección:
* Centro administrativo
  Ctra. antigua de S. Nevada, km 7
  Pinos Genil (Granada)
  958 02 63 00 / 95 802 63 10 (fax)
  pn.snevada@cma.junta-andalucia.es
* Oficina administrativa de Canjáyar
  General González, 45
  Canjáyar (Almería)
  950 60 83 12
* Centro de Visitantes El Dornajo
  Ctra. de Sierra Nevada, km 23
  Güejar Sierra (Granada)
  95 834 06 25
  alhori@imfe.es
  Horario: 9,30 a 14,30 h y 16,30 a 19,30 h (todos los días)
* Centro de Visitantes
  Laujar de Andarax
  Ctra. Laujar de Andarax-Berja, km 1
  Laujar de Andarax (Almería)
  95 051 35 48
  Horario: 9 a 14 h y 15,30 a 18,30 h (viernes a domingos)
* Punto de Información de Pampaneira
  Plaza de la Libertad, s/n
  Pampaneira (Granada)
  95 876 31 27
  Horario: 10 a 14 h y 17 a 19 h (lunes a sábados) y 10 a 15 h (domingos)
* Puntos de Información en Puerto de la Ragua, Hoya de la Mora y Hoya del Portillo.
* Jardín botánico La Cortijuela, Monachil (Granada)
  Horario: 9 a 14 (lunes a viernes) y 12 a 18 (fines de semana y festivos)

Sitio web:
www.mma.es/parques/lared/s_nevada

Acceso al Parque Nacional: debido a su extensión, existen varias maneras para acceder a las diversas áreas. Para visitar el sector del Pico Veleta desde la ciudad de Granada hay que coger la autovía N-323 en dirección a Motril y abandonarla en la salida "Ronda Sur". Luego se toma la A-395 en dirección a Pradollano-Veleta. Para desplazarnos hasta La Alpujarra desde Granada mismo, seguiremos por la autovía antes citada hasta la salida de Lanjarón, continuando por la C-348 que atraviesa la vertiente sur del macizo. Para visitar la zona Este de la sierra se sale de Granada en dirección a Jaén por la autovía N-323, desviándose luego por la A-92 en dirección a Almería y, más adelante, por la A-337 en dirección La Calahorra y al Puerto de la Ragua. Desde Almería, el acceso a estas zonas se hace tomando la A-92 en dirección a Granada. Para acceder al sector alpujarrense, en Benahadux habrá que desviarse por la A-348, que recorre La Alpujarra almeriense.

Los autobuses de las empresas Alsina Graells* y Alsa* comunican Almería con diversos pueblos de la Alpujarra y lo mismo hacen los de Alsina Graells desde Granada. La empresa Bonal* sube hasta Hoya de la Mora (por encima de la urbanización de Pradollano). La carretera que une las vertientes Norte y Sur, pasando por las cercanías del Pico Veleta y del Mulhacén, fue cerrada al tráfico rodado y, para acceder a la zona de cumbres, ahora hay que hacerlo a pie, o utilizando el Servicio de Interpretación Ambiental de Altas Cumbres. Este servicio consiste en un microbús de pago que transporta a pasajeros desde Hoya de la Mora hasta los Panderones del Veleta (3.000 m). En la cara sur, existe un servicio similar desde Hoya del Portillo (situada encima de Capileira) hasta el Collado del Cascajar Negro, a 2.560 m de altitud. A partir de estos dos puntos pueden realizarse itinerarios a pie. Para concertar plaza y hora hay que llamar al teléfono 630 95 97 39. Los horarios varían en función de la temporada.

El número de visitantes que pasaron por el Parque Nacional a lo largo del año 2001 se estima en unos 285.000.

Servicios y equipamientos: centros de Visitantes con tienda de libros, mapas y productos artesanales, cafetería, sala de proyecciones y biblioteca. Puntos de información. Servicio de excursiones guiadas. Aulas de Naturaleza. Itinerario botánico en el Jardín Botánico de la Cortijuela. Refugios de montaña de Postero Alto (Jerez del Marquesado) y Poqueira (Capileira).

Recomendaciones generales: ésta es una zona de alta montaña y, como tal, los peligros a los que está expuesto el excursionista son más elevados que en otros Parques de menor altitud o relieve menos escarpado. Hay que tener un cuidado especial con los cambios bruscos de tiempo, la nieve y el hielo, extremando las precauciones al cruzar zonas heladas o neveros. También es peligroso circular por crestas o enclaves sobresalientes durante las frecuentes tormentas eléctricas que se producen en primavera y verano. Hay que equi-

parse convenientemente y protegerse también de la intensa radiación solar que se sufre a estas altitudes. Las travesías y ascensiones de alta montaña quedan para los montañeros expertos. La caza y la pesca están prohibidas, tampoco se puede arrancar flores, acampar sin una autorización, abandonar residuos, hacer fuego fuera de los lugares habilitados al efecto, circular con cualquier tipo de vehículo (tampoco bicicletas de montaña) fuera de los caminos autorizados, ni bañarse en las lagunas. No existe ningún impedimento para realizar las rutas con un perro, siempre que lo llevemos sujeto con una correa.

* ver Información Turística en la ficha del final del capítulo

ITINERARIO A PICO VELETA Y LAGUNILLOS DE LA VIRGEN

Para iniciar este itinerario de alta montaña hay que subir hasta el aparcamiento que hay enfrente del Albergue Universitario, por encima de la urbanización de Pradollano. Es el kilómetro 35 de la carretera que sube de Granada hacia el Pico Veleta. Esta explanada también es conocida con el nombre de "Hoya de la Mora". A este lugar es posible acceder tanto en vehículo propio como en transporte público, ya que hasta aquí llegan los autobuses de la línea regular Bonal Granada-Sierra Nevada. Éste es el punto de partida del "Servicio de interpretación Ambiental de Altas Cumbres", que consiste en un recorrido guiado en microbús que asciende por la carretera hasta el lugar llamado Los Panderones del Veleta. Como los microbuses tan sólo funcionan en verano e, incluso entonces, no parten demasiado temprano, vamos a describir la ruta de ascensión a la cima del Veleta por entero, por si se prefiere hacerla a pie, lo cual permite disfrutar y apreciar mucho mejor lo que nos ofrece la naturaleza alpina.

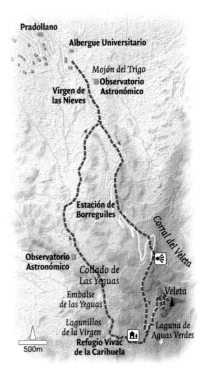

El **aparcamiento** está situado a una altitud de 2.500 metros, por lo que su entorno ya ofrece la oportunidad de observar especies de plantas propias de esta sierra, como las espigas de flores blancas del *Anthericum*

Nevero del Veleta, al alba

baeticum, las margaritas amarillas de la Gamarza (*Lecanthemopsis pectinata*) o las matas rastreras con florecillas blancas de la Piel de León (*Armeria imbricata*). Durante la ruta podríamos seguir a pie todo el recorrido asfaltado, pero ello conlleva dar muchos rodeos y hace más difícil localizar las plantas alpinas. Lo mejor es ascender del modo más directo, cortando las curvas por el sendero, ya marcado por el paso de la gente. De todos modos, hay que evitar abrir nuevos senderos, dado lo delicado de la flora alpina.

Al inicio del itinerario, nos dirigiremos hacia la imagen de la **Virgen de las Nieves**, situada a unos quince minutos de camino en dirección al Pico Veleta. A nuestra izquierda, en lo alto de un peñasco, se levanta el maltrecho edificio de un antiguo observatorio astronómico, hoy en día abandonado. La vertiente sobre la que se levanta suele ser frecuentada por las Cabras Monteses, el coloreado Roquero Rojo y el Colirrojo Tizón, pájaro propio de zonas rocosas que

nos acompañará hasta la misma cumbre del Veleta.

Aunque el paisaje es atractivo, para el naturalista lo más interesante discurre a sus pies. A principios del verano, la "tundra" por la que atajamos los innumerables recovecos de la carretera nos ofrece una notable variedad florística, de la que podemos citar a la Piel de León, la Gamarza, al *Erodium cheilanthifolium*, la Vulneraria (*Anthyllis vulneraria*), y alguna Estrella de las Nieves. Un poco más adelante de la imagen de la Virgen, se llega al **Cruce de Borreguiles**, donde un ramal desciende por la derecha hasta la estación de esquí. Aquí es por donde apareceremos a nuestro regreso. Seguimos ascendiendo, superando la cota 2.800 y, pasada una hora de ascensión, la senda cruza una ladera por encima de la estación de esquí, donde estaremos atentos, ya que puede aparecer algún ejemplar de la famosa Violeta de Sierra Nevada. En media hora se superan los 3.000 metros de altitud y alcanzamos la estación terminal de un telesilla. En el edificio habita el Gorrión Chillón y, en las laderas rocosas a su alrededor, el Colirrojo Tizón.

El siguiente destino es el **Mirador del Veleta**. En este instante estamos a 3.100 metros y hemos recorrido un total de 4,8 kilómetros, en aproximadamente 1 h y 45 min Éste es el lugar donde finaliza el recorrido del microbús del Parque. Una vez aquí, vale la pena separarse por un instante de la carretera y dirigirse unos metros hacia el Este, hasta alcanzar el borde del circo llamado "El Corral del Veleta", para disfrutar de la vista. Aquí podemos ver algunas Estrellas de las Nieves.

Recuperado el aliento, hay que proseguir la ruta por la carretera, ahora con menos desnivel, atentos a los canchales a nuestra izquierda, donde veremos numerosos grupos de Violeta de Sierra Nevada que seguro que nos apetecerá parar a fotografiar. Más adelante, una pista parte a la derecha, llevando al Refugio-vivac de La Carihuela, mientras que, siguiendo el asfalto, hacia la izquierda, se sube hasta otra estación terminal de telesilla. Estamos rozando ya los 3.300 metros y, a principios del verano, la presencia de la Violeta de Sierra Nevada, la *Hormathophylla purpurea* y la Saxífraga de Sierra Nevada nos alivian los últimos repechones que nos separan de la cima. En estos aparentemente estériles canchales de esquistos aún puede sorprendernos la presencia de pájaros, como los Vencejos Común y Pálido, la Chova Piquirroja, la Collalba Gris, el Colirrojo Tizón, el Acentor Alpino, la Perdiz Roja, así como la Cabra Montés, que llega hasta la misma cumbre del Veleta.

A las 2 h y 45 min, tras 8,3 km de subida, coronamos la **cima del Veleta**. Estamos a 3.394 metros de altitud. A pesar de ser una cumbre violada por el hombre, que tiene aquí instaladas nada menos que doce antenas y un edificio en estado ruinoso, celebramos la ascensión y podemos disfrutar –si el tiempo lo permite–, de unas amplias vistas sobre las cumbres que nos rodean.

Pero ahora nos toca descender. A un kilómetro y medio de la cima, bajando primero por la misma pista y luego tomando un sendero, llegamos al Refugio-vivac de la Carihuela, enclavado a 3.220 metros, con una fantástica panorámica de la vertiente sur y bien acondicionado para pernoctar. En su entorno, además de

Acentor Alpino

algunos de los pájaros antes citados, también puede verse al Pardillo Común. Tras el refugio, nace un canchal que desciende hacia los Lagunillos de la Virgen. Éste es el tramo más complicado del itinerario: descenderemos con cuidado por el resbaladizo canchal, por la derecha de una línea de postes que se utilizan para señalizar rutas en parajes nevados, hasta cruzar la línea imaginaria de los 3.000 metros y alcanzar los **Lagunillos de la Virgen**. Estos lagunas de origen glaciar están enclavadas en un precioso borreguil enmarcado por altas cimas, sobrevoladas en ocasiones por el Águila Real. En Sierra Nevada hay censadas una veintena de parejas de esta soberbia rapaz. A orillas de las

La cima del Pico Veleta (3.394 m), vista desde El Corral

Botón de Oro en la cima del Pico Veleta

lagunas habita la Lavandera Cascadeña y abundan plantas como la Estrella de las Nieves, el Ranillo de las Nieves (*Ranunculus angustifolius*), el Botón de Oro (*Ranunculus demissus*) y los Dragoncillos de Sierra Nevada, arraigada en las fisuras de las rocas. El enclave también se presta a sacar la cámara, y la única duda será si fotografiamos primero los picos reflejándose en las claras aguas o la variedad de flores a nuestros pies.

Bordeando el torrente, a las cuatro horas de camino, pasamos a orillas de la antigua **laguna de las Yeguas**, hoy en día convertida en un desagradable embalse por gentileza de la estación de esquí, que necesita grandes cantidades de agua para alimentar a sus cañones de nieve artificial. A partir de aquí, el sendero se convierte en una pista de tierra que sigue el curso del agua. Pasado el embalse, a nuestra derecha, se levantan unas grandes rocas, en las que podemos observar una variada muestra de flora rupícola. Si nos fijamos en las fisuras de la roca, veremos como en el interior de algunas de ellas prosperan algunos helechos.

Luego, el camino se aleja del torrente ascendiendo al collado de las Yeguas, donde de repente aparece ante nosotros el conjunto de instalaciones de la **estación de esquí**. A continuación desciende dejando a la izquierda el actual observatorio astronómico hasta llegar a unas extensiones de prados alpinos, atravesados por las pistas de esquí.

Con la marcha de la nieve, repleto de vallas, torres y terrenos revueltos por excavadoras, este tramo presenta un aspecto desolador. Por ello, lo atravesaremos lo más rápidamente posible, tomando como punto de referencia los lejanos edificios de Hoya de la Mora, donde dejamos el vehículo por la mañana. Al cabo de un rato veremos una carretera que, partiendo de la estación de esquí, se aleja ascendiendo ligeramente por la derecha. Ése es nuestro camino. Hemos andado ya casi 14 kilómetros en cerca de 5 horas. En quince minutos, llegamos al cruce con la carretera del Veleta y, en media hora más, alcanzamos **Hoya de la Mora**, donde aparecen algunas especies de aves que han sabido sacar partido de las instalaciones, como el Gorrión Chillón y el Avión Roquero.

Lagunillos de la Virgen

FICHA ITINERARIO A

Época de visita: aunque depende de la climatología e innivación propia de cada año, en general la ruta puede realizarse desde mediados de junio hasta entrado el otoño, evitando las épocas con nieve debido a la gran altitud a que se desarrolla.

Horario y duración del recorrido: el recorrido es de un total de 16,2 kilómetros y unos 900 metros de desnivel que se recorren en unas 5 h y 30 min de camino. Realizada con calma –observando la flora y la fauna, haciendo fotografías o tomándose algunos descansos–, ésta es una ruta para dedicarle prácticamente todo el día.

Dificultades y recomendaciones: aunque los tramos por pista no presentan dificultades, algunos tramos pedregosos y resbaladizos hacen indispensable calzar botas de montaña. A partir de cierta altura, hace frío –incluso en verano y sobre todo por la mañana temprano–, por lo que una chaqueta de fibra polar nos será útil. Si hace sol, habrá que protegerse de la intensa radiación solar producida por la altitud mediante crema protectora de factor elevado, gafas y una gorra. Y si hace viento o amenaza lluvia habrá que prever una chaqueta impermeable y cortavientos. Agua y un mapa completarán la lista de elementos imprescindibles.
Hay que tener en cuenta que en las cimas mas altas algunas personas sensibles podrían sentirse más fatigadas de lo normal debido a la disminución en el nivel de oxigeno. Para información meteorológica de Sierra Nevada puede consultarse al teléfono 906 36 53 84.

Interés: en esta ruta comprobaremos la abundancia de endemismos vegetales, veremos las aves que colonizan las zonas más altas de España y quizás alguna Cabra Montés. El tramo a través de la estación de esquí nos hace apreciar el formidable impacto que una instalación de este tipo tiene en un ecosistema tan delicado.

ITINERARIO B
REMONTANDO EL RÍO
TREVÉLEZ

Como contrapunto a la ruta anterior, que se desarrolla por la vertiente Norte de Sierra Nevada y sus cumbres más elevadas, este segundo itinerario pretende mostrar la otra cara del Parque Nacional, la de la soleada vertiente Sur, recorriendo el fondo de un tranquilo valle de frondosa vegetación. Primero debemos llegar hasta el pueblo de **Trevélez**, en la Alpujarra. Situado a una altitud de 1.500 metros, asevera ser el pueblo más elevado de España, aunque eso mismo pretenden otras localidades de nuestro país. De lo que no cabe duda es que debe ser el pueblo con más jamones serranos, debido a la fama de sus numerosos secaderos.

El recorrido empieza en la **plaza principal** del pueblo. Por encima del muro de la fuente, hay que ascender por las bonitas callejuelas blancas hasta llegar a la iglesia. Por encima de ella, tomaremos la calle Cuesta, que lleva al cementerio y a un camino

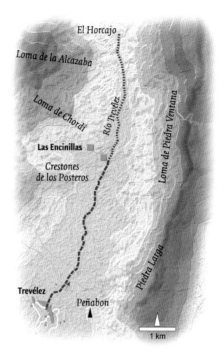

carretero que desciende gradualmente hacia el interior del valle. El paisaje es eminentemente rural, compuesto de campos, prados donde a veces

El pueblo y el río Trevélez, en la Alpujarra

hay unos hermosos caballos andaluces, y bosquetes de distintas especies arbóreas: Nogal, Álamo, Sauce, Olmo y, en primavera, numerosas flores como el Nomeolvides (*Myosotis sp.*), la Digital (*Digitalis purpurea*) o las orquídeas (*Dactylorhiza sp.*). Durante el relajado paseo, nos acompañarán los cantos del Chochín, la Curruca Capirotada o el Verdecillo.

Recorridos 1,2 kilómetros, llegamos a una explanada a **orillas del río Trevélez**, que baja bien alimentado por la fusión de las nieves de la sierra, por donde es posible descubrir al inquieto Mirlo Acuático sumergiéndose en las aguas en busca de los invertebrados de que se alimenta. Aunque aquí nos encontramos con un puente, no hay que cruzarlo. Debemos buscar un sendero escondido que nace por la izquierda, al amparo de un pequeño muro de piedras, y que remonta el valle quedando el río a nuestra derecha. Los primeros metros son un poco confusos, pero si subimos un poco hacia nuestra izquierda, al pie de otro muro de piedra, pasa el sendero principal, bien definido y fácil de seguir.

Ahora nos adentramos en los húmedos bosquetes ribereños donde crecen helechos, nomeolvides y otras plantas amantes de la umbría, y habitan pájaros como el Pinzón Vulgar, el Mirlo Común, el Arrendajo Común, el Agateador Común y el Mito. La senda alterna entre zonas de vegetación cerrada y otras áreas descubiertas, donde crecen rosales silvestres, *Orobanche sp.* y descubriremos una interesante planta: la Digital Oscura (*Digitalis obscura*). En 35 minutos de trayecto desde Trevélez, llegamos a un punto donde una acequia se lleva agua del río. El sendero suele encharcarse bastante, por lo que habrá que saltar de piedra en piedra o buscar el lado del camino menos embarrado para poder pasar. A algunas mariposas, como la Pandora (*Argynis pandora*) o la Blanquita de la Col (*Artogeia rapae*) les encanta succionar el barro con sus espiritrompas en busca de minerales, por lo que quizás veamos pequeños grupos de ellas posadas en el suelo.

Cinco minutos más y nos topamos con una **cerca para el ganado**. No

Río Trevélez y Peña de los Papos

Mariposa Pandora succionando minerales del suelo

hay ningún problema en abrirla y pasar, pero debemos tener la precaución de cerrarla a nuestro paso. A los cuatro kilómetros –algo más de una hora–, a la derecha del sendero, avistamos un pequeño puente que cruza el río, y sale a un prado cercano, con vistas a los abruptos Crestones de los Postreros y sus encinares, al fondo del valle y a unas casas y corrales que hay al Noroeste. Es un buen lugar para un descanso, observando el ir y venir del Pinzón Vulgar, el Verdecillo, el Arrendajo y la Paloma Torcaz. Si lo deseamos, aquí podemos dar por finalizado el paseo. Si tenemos ganas de andar más, el camino continúa hacia arriba, remontando el cauce unos 3,5 kilómetros más, hasta un lugar llamado "El Horcajo", donde la unión de los ríos Juntillas y Puerto de Jerez, que bajan de la sierra, da nacimiento al curso de agua que hemos estado remontando.

FICHA ITINERARIO B

Época de visita: cada época del año tiene su atractivo. En primavera, las flores y las mariposas; en verano, el río; en otoño, el cromatismo de los árboles y arbustos ribereños; y, en invierno, el telón de fondo de las cumbres nevadas.

Horario y duración del recorrido: de Trevélez hasta el puente mencionado en el texto y regresar al pueblo suman un total de 8 kilómetros, que se hacen en algo más de un par de horas. Si queremos llegar hasta El Horcajo, la distancia total aumentará hasta los 15 km.

Dificultades y recomendaciones: se trata de una ruta sencilla, sin agotadoras subidas. El único contratiempo es que el camino puede estar inundado o embarrado y estar resbaladizo.

Interés: el paseo penetra en un valle cálido de la vertiente meridional de la sierra donde el bosque y el matorral mediterráneo se intercalan con los campos y prados fruto del trabajo humano, creando un mosaico de hábitats que es aprovechado por numerosas especies de aves e insectos.

Digital Negra en el valle de Trevélez

**OTROS LUGARES
DE INTERÉS NATURAL**

• Puerto de la Ragua: desde este
collado de 2.000 m de altitud, situado en la carretera A-337, parten varios itinerarios de esquí de
fondo y algunas excursiones,
como la que asciende al pico
Chullo, de 2.612 m.
• Hoya del Portillo: situado a 10 km
del pueblo de Capileira, aquí empieza uno de los itinerarios para la
ascensión al Mulhacén. Los primeros 5 km pueden hacerse a pie, o
en el microbús del Servicio de Interpretación Ambiental de Altas
Cumbres.
• Vereda de la Estrella: esta ruta
asciende por el valle del río Genil,
por encima de Güejar Sierra, siguiendo en parte el antiguo trazado del Tranvía de Sierra Nevada.
• Dehesa del Dílar: zona con pinares, robledales y algunos tejos, al
entorno del río Dílar y a los pies
del pico Trevenque. Para recorrerlo,
puede partirse del Collado de Sevilla o Canal de la Espartera.

**LUGARES DE INTERÉS
HISTÓRICO-ARTÍSTICO**

• Valle de Poqueira: ineludible cita
para todo viajero que se acerque a
la vertiente meridional de Sierra
Nevada, los pueblos escalonados
de Pampaneira, Bubión y
Capileira, nos muestran lo mejor
de la arquitectura alpujarreña y
por ello fueron declarados Conjunto Histórico-Artístico. En Capileira
se encuentra el Museo Alpujarreño
de Artes y Costumbres Populares
Pedro Antonio de Alarcón.
• Granada: la cercanía de Sierra Nevada a esta ciudad monumental de
indudables atractivos hace ineludible su visita. La Alhambra, los
Jardines del Generalife, y los ba-
rrios del Albaicín, El Realejo o
Sacromonte son tan solo algunos
de sus múltiples atractivos.
• Lanjarón: antiguo lugar de ocio y
reposo de la aristocracia e intelec-
tuales, con fuentes termales, balneario, hoteles y famosa planta
embotelladora de agua. La noche
de San Juan se celebra la Fiesta
del Agua.
• La Alpujarra Almeriense: combi-
nando los senderos GR-7 y GR-140
puede organizarse un itinerario
que lleva de Bayarcal (el pueblo
más alto de la provincia) a Laroles;
de esta población a la Venta de los
Arrieros, y luego hasta el Puerto de
la Ragua, recorriendo esta parte
poco conocida de la Alpujarra.

CARTOGRAFÍA

• *Parque Nacional Sierra Nevada.
Alpujarras, Marquesado del Zenete*
(2000). Guía y mapa 1:50.000. Edi-
torial Penibética, Granada.
• *Parque Nacional Sierra Nevada.
Alpujarra Almeriense, Río Nacimiento*
(2001). Guía y mapa 1:50.000.
Editorial Penibética, Granada.

LECTURAS RECOMENDADAS

• **VV.AA.** (2001). *Parque Nacional de
Sierra Nevada*, Canseco Editores,
Talavera de la Reina.

- **Bueno, P.** (1994). *Sierra Nevada: guía montañera*, Editorial Universidad de Granada, Granada.
- **Martín, R.** (1996). *Sierra Nevada y las Alpujarras*. Anaya Touring Club, Madrid.

INFORMACIÓN TURÍSTICA

Granada
- Oficina de Turismo   958 22 59 90
- Patronato Provincial
  de Turismo   958 22 35 27

Almería
- Oficina de Turismo   950 27 43 55

ALOJAMIENTO

Refugios de montaña
- Refugio de Postero Alto
  (Jeréz del Marquesado)
  958 34 51 54
- Refugio de Poqueira (Capileira)
  958 34 33 49
Además hay diversos refugios vivac
- Albergue Puerto de la Ragua
  958 76 01 06

Campings
- El Purche (Monachil) 958 34 04 08

- Trevélez (Trevélez)   958 85 87 35
- Alpujarra (Laroles)   958 34 04 07
- Las Lomas (Güejar-Sierra)
  958 48 47 42
- Cortijo Balderas (Güejar-Sierra)
  958 34 05 50
- Cortijo La Molineta
  (Laujar de Andarax) 950 51 43 15

Hoteles y apartamentos
- Apartamentos Villa
  Turística de Bubión 958 76 31 11
- Hotel Alcazar (Busquistar)
- Hotel El Guerra   958 484 836
- Hotel Don José   958 340 400
- Red de alojamientos
  rurales de Andalucía 954 21 12 66
- Hostal Ruta del Mulhacén
  958 76 30 10
- Casa Rural Barranco del Poqueira
  958 76 30 04

TRANSPORTES

- www.alquiauto.es (Granada)
- Autobuses Alsa   950 28 16 60
- Autobuses Bonal   958 27 24 97
- Autobuses Alsina
  Graells (Granada)   958 18 54 80
- Autobuses Alsina
  Graells (Almería)   950 23 51 68

PARQUE NACIONAL MARÍTIMO–TERRESTRE
DEL ARCHIPIÉLAGO DE CABRERA

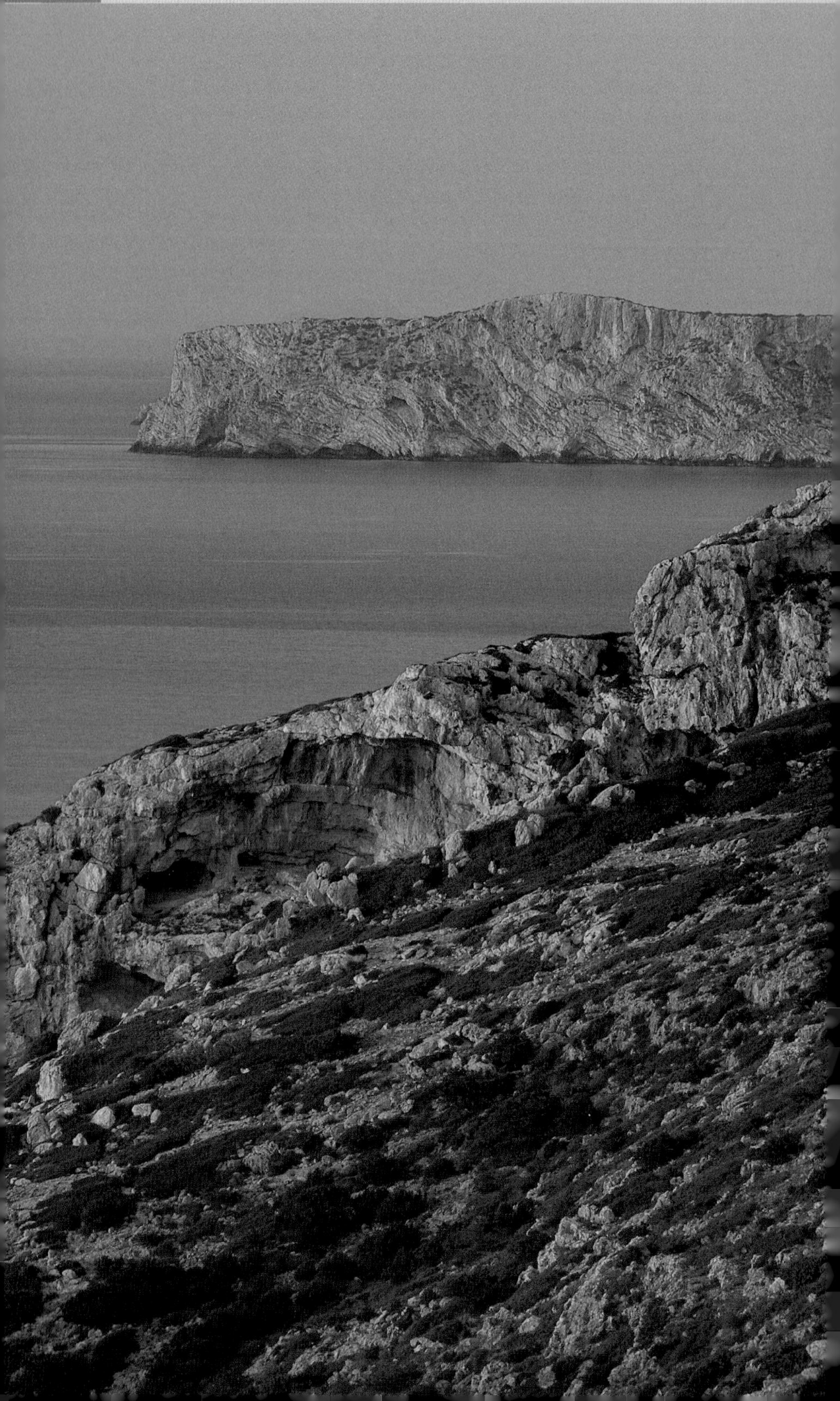

PARQUE NACIONAL MARÍTIMO-TERRESTRE
DEL ARCHIPIÉLAGO DE CABRERA

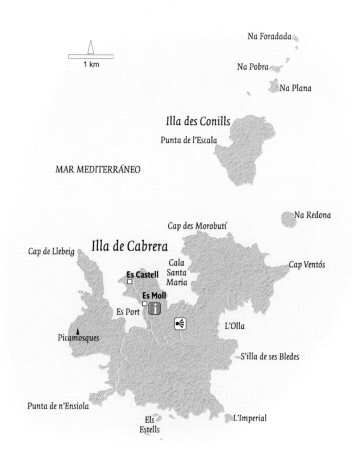

1 km

Na Foradada

Na Pobra

Na Plana

Illa des Conills

Punta de l'Escala

MAR MEDITERRÁNEO

Na Redona

Cap des Morobutí

Cap de Llebeig **Illa de Cabrera**

Cala Santa María

Cap Ventós

Es Castell

Es Moll

Es Port

L'Olla

Picamosques

S'illa de ses Bledes

Punta de n'Ensiola

Els Estells

L'Imperial

Illa des Conills desde Cap Xoriguer

L a existencia de la isla de Cabrera en su estado actual no puede ser más que un milagro. ¿Cómo sino puede haber subsistido en nuestro país un paraje del litoral mediterráneo en tal estado primigenio? ¿Dónde están los hoteles, bloques de apartamentos, urbanizaciones, chiringuitos y carreteras que carcomen todos y cada uno de los rincones de la costa española? En Cabrera, las pistas que discurren entre pinos aún son de tierra. Y, aparte de su imponente castillo de siete siglos de antigüedad, los edificios se limitan a unas pocas casitas de dos plantas y a unos barracones de lo que fuera un campamento militar, todo ello a orillas de una bahía de aguas de un azul inverosímil que ya quisieran para sí los hoteles más lujosos de la costa del Mediterráneo.

Arco de roca en la costa

Después de una vida azarosa, durante la que fue desde campo de concentración para prisioneros franceses hasta blanco para los puntos de mira de los bombarderos militares, a Cabrera le llegó el indulto: el sonido de los reactores y las bombas dio paso al del batir de las olas, al griterío de las gaviotas y al resoplido de los delfines. El litoral mejor conservado de las costas españolas es ahora cuidado con mimo por la Administración, consciente de que tiene una joya en sus manos.

SITUACIÓN

El archipiélago de Cabrera está situado en el mar Mediterráneo, forma parte de las Islas Baleares y se encuentra a nueve kilómetros al sur del extremo meridional de la isla de Mallorca. El archipiélago comprende: Cabrera Gran, de 1.155 hectáreas; S'Illa des Conills (Conejera), de 137; y quince islotes más. Cabrera Gran mide poco más de cinco kilómetros de punta a punta y su punto más elevado es Na Picamosques, de 172 metros. Los límites del Parque Nacional también abarcan una parte de las aguas y fondos submarinos de su entorno. De hecho, 8.703 hectáreas (el 87%) son áreas sumergidas, mientras que tan sólo 1.318 corresponden a tierra firme.

AMBIENTES NATURALES

La función de este Parque Nacional es asegurar la conservación de los sistemas naturales ligados a la plataforma continental y el litoral mediterráneos. Se trata de una serie de islotes formados por calizas terciarias, margas y dolomías, alineados de NE-SW, que serían la prolongación de la Serra de Llevant mallorquina. La costa es muy recortada, pródiga en calas rocosas, algunas playas de reducida extensión, así como peñascos y acantilados marinos de gran altura. Todo ello envuelto por unas aguas transparentes que destacan por su gran visibilidad. El relieve interior de Cabrera Gran es ondulado, sin grandes elevaciones. También existen acantilados submarinos de hasta 90 metros de caída y numerosas cuevas y oquedades submarinas. Una de ellas, la Cova Blava (Cueva azul), es visitada por el barco de transporte público que lleva a la isla.

En Cabrera, el **clima** es típicamente mediterráneo, semiárido cálido, con unas lluvias anuales de tan sólo 334 mm, la mayoría de ellas durante el otoño. La temperatura media es de 17 ° C. Uno de los factores que más influyen en el desarrollo de la vegetación es el estrés producido por el viento y la sal.

La **vegetación** potencial de este archipiélago mediterráneo sería la garriga de Acebuche que, aunque todavía se encuentra muy difundida, en un tercio de Cabrera Gran el hombre la suplantó por el pinar de Pino Carrasco. Además del propio Acebuche (*Olea europaea* var. *sylvestris*), el "Ullastrar" -o garriga de Acebuche- cuenta con diversos arbustos de hojas pequeñas y coriáceas, adaptadas a la sequedad, como la Sabina Negral (*Juniperus phoenicea* subsp. *turbinata*), el Lentisco (*Pistacia lentiscus*), el Romero (*Rosmarinus officinalis*), el "Llampúdol bord" o Aladierno Balear (*Rhamnus ludovici-salvatoris*), el Brezo (*Erica multiflora*), la Efedra (*Ephedra fragilis*), la Lechetrezna Arbustiva (*Euphorbia dendroides*) y la Férula (*Ferula communis),* que da lugar a imponentes inflorescencias de color amarillo que pueden alcanzar los tres metros de altura. En los acantilados de Cabrera, también aparecen interesantes comunidades de plantas y son singulares las formaciones de cojinetes espinosos de porte semiesférico de Astrágalo Balear (*Astragalus balearicus*), *Teucrium subespinosum* y *Dorycnium fulgurans*. Su peculiar morfología les protege del viento, los animales y la escasez de agua. Es curioso comprobar como algunas especies son favorecidas por los excrementos de las aves marinas, como la *Lavatera arborea* y la escasa Alfalfa Arbórea (*Medicago arborea subsp. citrina*).

Como es frecuente en los ecosistemas insulares, cabe subrayar la presencia de varios endemismos propios de las Baleares, otros Tirrénicos (es decir, propios de Baleares, Córcega y Cerdeña) y una subespecie endémica de Cabrera, la Rubia Balear (*Rubia angustifolia caespitosa*). Algunos de estos endemismos son la Alfalfa Arbórea, el Aladierno Balear, el Astrágalo de las

Matorral costero en Cala Santa María

Lagartija Balear

Baleares, el Hipericón Balear (*Hypericum balearicum*), la Peonía Balear (*Paeonia cambessedessi*) y la Tragamoscas (*Dranunculus muscivorum*).

En lo concerniente a la flora submarina, destacan diversas especies de algas y las praderas de Posidonia (*Posidonia oceanica*), de gran importancia como hábitat para variedad de seres vivos. Este ecosistema submarino es uno de los más característicos del Parque Nacional y, debido a la transparencia de sus aguas, puede crecer hasta 45 metros de profundidad, oxigenando unas aguas que, por su pobreza en nutrientes, son de escasa producción.

Debido a su aislamiento de tierra firme, el archipiélago de Cabrera cuenta con un número reducido de especies **animales**. De aves, por ejemplo, se estima que se reproducen tan sólo unas 26 especies. Sin embargo, algunas de ellas son de gran rareza y los censos de los ornitólogos no dejan lugar a dudas de la excepcional riqueza del archipiélago. El Águila Pescadora, por ejemplo, tan escasa a nivel nacional, cuenta aquí con dos parejas reproductoras en Cabrera Gran. Del raro Halcón de Eleonora, hay unas 35 parejas y tampoco faltan varias de Halcón Peregrino. De Gaviota de Audouin, endémica del mar Mediterráneo, existe una colonia de unas 400 parejas. De la más común Gaviota Patiamarilla, crían unas 1.500 parejas. Para terminar con otras aves de excepcional importancia cabe citar a la Pardela Balear –endémica de

Hipericón Balear

Baleares, con entre 80 y 140 parejas criando básicamente en los islotes de Conillera y Fonoll–, la Pardela Cenicienta -que ronda las 450-500 parejas-, el Paíño Europeo -con unas 400 parejas- y el Cormorán Moñudo.

Entre las especies de hábitos terrestres, citaremos el Alcaraván Común, el Roquero Solitario, las Currucas Sarda, Carrasqueña y Cabecinegra, el Papamoscas Gris, y los abundantes Jilguero, Verderón

de los últimos lugares donde subsistió la Foca Monje, llamada "Vell Marí". Y, aunque ahora su hábitat en el Parque Nacional parece recuperado, un posible proyecto de reintroducción sería difícil que funcionara debido a lo reducido de su extensión.

Una de las especies más interesantes del Parque –ésta fácilmente observable por el visitante– es la Lagartija Balear (*Podarcis lilfordi*). En estas islas, ha sufrido un intenso

Delfín Mular

Común y Pardillo Común. Debido a su situación al sur de Mallorca, Cabrera es un lugar de paso y descanso para pájaros migradores, por lo que cada primavera miembros del Grup Balear d'Ornitologia i Defensa de la Naturalesa (GOB) llevan a cabo una intensa campaña de anillamiento.

Aparte de tres o cuatro especies de murciélagos, todas las otras especies de mamíferos son introducidas: Erizo Moruno, Jineta, Conejo, Rata Negra, Ratón Casero y Gato cimarrón. En las aguas, están también presentes los Delfines Mular, Común y Listado, así como el Calderón de Aleta Larga y a veces el Cachalote. Cabrera fue uno

proceso de subespeciación, habiéndose identificado diez subespecies distintas en otros tantos islotes. Sorprende que algunas sobrevivan en lugares como la Illa de ses Bledes, de apenas media hectárea, que es arrasada por el oleaje durante los temporales.

A medida que se profundiza en su conocimiento, también van apareciendo especies raras de invertebrados, como los diversos crustáceos endémicos que han aparecido en las aguas de ciertas cuevas. Entre los diversos invertebrados terrestres, citaremos al Escorpión (*Euscorpius carpathicus balearicus*), endémico de las islas del grupo de las Gimnesias.

Es Castell, que data del siglo XIV

Aunque no sea visible para la mayoría de personas que acuden al Parque, su zona submarina es inmensamente rica, contando con más de dos centenares de especies de peces y un millar de invertebrados, entre los que destacan el Coral Rojo y la Tortuga Boba.

CONSERVACIÓN

Después de una azarosa historia -que se prolongó hasta 1987 con las maniobras militares, durante las cuales se bombardearon algunos de sus islotes, con fuego real, en plena época de cría de las aves marinas-, la paz ha regresado a Cabrera. Los problemas de ahora son nimios comparados con los de antes: la Administración trabaja en el control de algunas especies demasiado abundantes y que perjudican el ecosistema, como la Procesionaria del pino, las ratas y la Gaviota Patiamarilla. Uno de los peligros más temidos son los incendios forestales, aún más desde que, el 21 de noviembre del 2001, un tremendo vendaval -que alcanzó los 150 kilómetros por hora- arrasó multitud de pinos, dañando los bosques y dejando mucho ramaje seco acumulado en el suelo. La pesca tradicional profesional está autoriza-da en aguas del Parque pero sería deseable que, con el tiempo, fuera reduciéndose hasta desaparecer. Al fin y al cabo no es más que un tipo de caza de animales y esto es algo inadmisible en un Parque Nacional.

DATOS DE INTERÉS DEL PARQUE Y RECOMENDACIONES

Extensión: 10.021 hectáreas

Año de declaración: 1991

Dirección:
• Plaza de España, 8, 1ª.
  Palma de Mallorca
  971 72 50 10 / 971 72 55 85 (fax)
  cabrera@mma.es
• Oficina en la Colònia Sant Jordi
  Burguera, 2
  Colònia Sant Jordi, Ses Salines
• Centro-Museo "es Celler"
  630 98 23 63

Sitio web:
www.mma.es/parques/lared/cabrera

Acceso al Parque: para visitar Cabrera, primero hay que llegar a Mallorca, lo cual puede hacerse en avión desde diversas ciudades españolas; o en barco desde Barcelona, Valencia, Menorca o Ibiza. Al Parque, tan sólo puede llegarse en una embarcación (ya sea privada o en una de las golondrinas que parten diariamente de Colònia Sant Jordi y de Porto Petro). No hay transporte público del aeropuerto a ninguno de estos puertos, por lo que primero hay que desplazarse hasta Palma y, de allí, coger un autobús. O lo que es más práctico, coger un taxi que nos lleve directamente del aeropuerto hasta el punto de embarque.
Es conveniente reservar el billete del barco por adelantado, ya que el número de visitantes a la isla está limitado a 300 personas diarias durante el mes de agosto y a 200 el resto del año. El número de visitantes alcanzó los 60.000 en el año 2001-. Las compañías que realizan el trayecto son "Excursions a Cabrera" (Colònia Sant Jordi) y "Cruceros Llevant" (Porto Petro)*. El trayecto hasta Cabrera Gran dura alrededor de una hora: bordea varios de los islotes, desembarca en el muelle con tiempo suficiente para visitar el castillo, el museo, el Monumento a los Franceses y bañarse en La Platgeta -o realizar uno de los itinerarios que proponemos-, para regresar a media tarde realizando una parada en sa Cova Blava. Hay que tener en cuenta que el transporte depende por completo del estado del mar y que no es raro que sea suspendido durante uno o varios días.
Si se dispone de embarcación propia, es necesaria una autorización expedida por el Parque Nacional. Se conceden de tres tipos distintos: de navegación sin fondeo nocturno, de anclaje en la bahía (una noche en julio y agosto, dos en septiembre y hasta siete el resto del año), y de buceo con escafandra autónoma. En caso de querer amarrar en el muelle, es necesario un permiso del Gobierno Militar. El anclaje diurno está permitido en ciertos puntos de la isla, desde las 10 a las 19 horas, pero está prohibido desembarcar en ningún otro sitio que no sea el muelle principal.

Servicios y equipamientos: pequeña oficina de información en el puerto, donde disponen de folletos y venden algunos libros. Excursiones guiadas. Centro-Museo Es Celler, con una interesante exposición, no adaptado para minusválidos. Jardín Botánico enfrente del Museo. Hay cobertura de teléfono móvil. Ni existe la posibilidad de alojamiento, ni está permitido acampar.

Recomendaciones generales: Cabrera es un Parque enfocado a la protección de la naturaleza, por lo que el visitante se encontrará con limitaciones, necesarias para la preservación de la tranquilidad del ecosistema. Uno no puede andar hasta donde desee, sino que hay unos pocos destinos autorizados. El mayor inconveniente es la imposibilidad de pernoctar en el Parque -si no es en un yate o velero privado, a los que sí se permite permanecer fondeados en el puerto-. El horario de los barcos turísticos, tremendamente inadecuado para los interesados en la observación de animales o la fotografía de la naturaleza, tan sólo permite catar el sabor de estas islas, sin permitir profundizar en ellas.
No pueden practicarse deportes náuticos, pesca deportiva ni submarina, ni desembarcar en cualquier punto del archipiélago que no sea el puerto. También está prohibido desembarcar animales domésticos.

---

* ver *Información Turística en la ficha del final del capítulo*

ITINERARIO A
ASCENSIÓN A NA BELLA MIRANDA

Las dos rutas que proponemos y que están autorizadas por el Parque, parten del muelle donde desembarca el barco turístico, tras la interesante travesía durante la cual pueden verse Gaviotas de Audouin, Cormoranes, Pardelas y quizás algún Delfín. En **Es Moll** existe una pequeña oficina de información donde pueden obtenerse diversos folletos informativos o

comprar una guía del Parque Nacional, así como una cantina donde refrescarnos. Del muelle hacia el norte, parte la pista que asciende hasta el castillo, que es el tercero de los itinerarios posibles. Pero nosotros nos dirigiremos hacia el sur, por una pista que va bordeando la magnífica bahía de Es Port, de aguas de color azul de folleto turístico caribeño.

En unos cinco minutos, dejamos a nuestra derecha una pequeña cala donde pueden observarse -bajo el agua- grandes agrupaciones de Posidonia y, a 0,8 kilómetros del muelle, encontramos un grupo de **barracones militares**, construidos en los años 40, actualmente acondicionados para el alojamiento de personal del Parque y científicos que realizan estancias en la isla. En toda esta zona abundan las Lagartijas Baleares y, a nuestro regreso, podemos entretenernos en fotografiarlas si así lo deseamos. Ahora nos espera una subida y más vale hacerla antes de que el sol se levante más.

Seguimos bordeando la bahía y pasamos la Casa des Pagès, frente a

Es Port

Gaviota de Audouin

la cual hay otro **embarcadero**, de donde suele partir el barco de regreso. En esta zona de la bahía es frecuente la Gaviota de Audouin, a la que distinguiremos de su pariente la Gaviota Patiamarilla, por su pico de color rojo intenso. Continuamos andando hasta que en el ángulo posterior de la bahía, encontramos un desvío de caminos: el de la derecha se encamina hacia el Oeste, bordeando la bahía, y lleva a las playas de Sa Platgeta y S'Espalmador, donde a nuestro regreso quizás nos apetezca darnos un baño refrescante; el de la izquierda se dirige hacia el Sudeste, penetrando en el valle y alejándose del mar, por entre antiguos campos de cultivo y Algarrobos. En esta zona, pudo cultivarse porque la erosión de las colinas circundantes depositó en el valle suficiente tierra fértil para hacerlo, en una isla donde el substrato suele ser rocoso e improductivo. Ahora, los campos abandonados están siendo recolonizados por la vegetación autóctona de la isla, en especial Sabina Negral y Jaguarzo Negro

(*Cistus monspeliensis*), que en primavera se adornan de numerosas flores blancas. Aquí abundan los fringílidos como el Jilguero, el Verderón Común y el Pardillo Común, también hay Papamoscas Gris y suelen verse Palomas Torcaces, que bajan a los campos a picotear en busca de alimento. Durante las épocas de paso migratorio, ésta es una de las zonas preferidas por los anilladores de aves, ya que aquí se concentran numerosas especies: Colirrojo Tizón y Real, Petirrojo, Papamoscas Cerrojillo, Oropéndola y diversos zorzales, mosquiteros y currucas migradoras, como la Capirotada, la Mosquitera y la Zarcera.

A la media hora de camino desde el inicio de la ruta, llegamos a **Es Celler** ("La bodega"). Este edificio fue construido por la familia Feliu en los tiempos en que eran los propietarios de Cabrera (1890-1915) y, hoy en día, está restaurado y acondicionado con gran gusto como museo etnográfico, aunque también recomendamos dejar su visita para el regreso. A sus pies, se extiende el Jardín Botánico, donde pueden verse algunas de las especies vegetales más representativas de la isla. Poco antes de Es Celler debemos tomar una pista que parte a la izquierda y pasa por delante la **casa de Can Feliu**, otro edificio construido a finales del siglo XIX para repoblación de la isla, jalonado por varias palmeras. Aquí hay un huerto y una fuente. La vida en la isla era muy dura, debido a la infertilidad de la tierra. Los pastos eran pobres y los habitantes hacían pastar a sus cabras, ovejas y cerdos incluso en los islotes. Los escasos cultivos eran

de cereales y leguminosas, así como de higuera, almendro y viña. En los bosques de la isla, aún pueden encontrarse restos de las carboneras y hornos de cal, que en su día construyeron los lugareños.

Hasta ahora el camino ha sido llano pero, en algo más de un kilómetro y medio, nos toca superar los aproximadamente 150 metros de desnivel de la colina. La subida se hace a través de un denso matorral habitado por una de las aves más características del Parque: la Curruca Sarda. Al llegar finalmente al **collado** nos encontramos con un cruce de pistas. La de enfrente, que

Águila Pescadora

desciende hacia un valle donde domina el pinar de Pino Carrasco con sotobosque de Brezo y Romero, conduce a la península noreste, de acceso no permitido. La de la derecha se dirige hacia la parte sur, también restringida. Nuestro destino se encuentra tomando el cruce a la izquierda, que asciende a la cercana colina de la Miranda. En unos minutos, la pista termina en una explanada. Una vez allí, un rótulo nos indica por dónde asciende un difuminado sendero que, en tres minutos más, nos lleva a la **cima de Na Bella Miranda**, junto a un barracón con diversas antenas, donde nos sentaremos para disfrutar de la privilegiada panorámica, en especial de la vista de la bahía de es Port, que bien se merece una fotografía.

Ya que hemos llegado hasta aquí arriba, vamos a disfrutar un rato de lo que la Miranda nos ofrece. Estamos sobre un promontorio rocoso calcáreo de la era secundaria. Estas rocas se formaron bajo el mar, por la sedimentación de organismos con esqueletos o conchas calcáreas. Durante el plegamiento alpino, salieron a la superficie, siendo las más antiguas que afloran en Cabrera.

En el matorral que nos rodea, podemos identificar a algunas de las especies más importantes del archipiélago, como el Aladierno Balear, con sus características bayas rojo-negruzcas; el Hipérico Balear, de bellas flores amarillas; o la Efedra. Además, una inspección por la cumbre nos permitirá ver los Acebuches, de porte deformado por el viento; al Lentisco; la Sabina Negral; la Cada o Enebro de la Miera (*Juniperus oxycedrus*); el Labiérnago de Hoja Estrecha (*Phillyrea angustifolia*); el Gamón (*Asphodelus aestivus*); los Candiles (*Arisarum vulgare*); la Estrella de Mar (*Astericus maritima*); la Zamarrilla o Poleo Montano (*Teucrium polium*); y el Mastuerzo Marítimo (*Alyssum maritimum*).

Desde estas alturas, es posible divisar el vuelo del Águila Pescadora y del Halcón de Eleonora, siendo un buen lugar para observar el paso de rapaces migradoras en primavera y otoño. En el matorral, a nuestro alrededor, quizás podamos ver alguna Curruca Sarda, al Pardillo Común y a la Lagartija Balear, que en primavera se sube a los matorrales para lamer el néctar de sus flores.

Zamarrilla en plena floración

El regreso se hace por el mismo camino, lo que aprovecharemos para visitar el museo y realizar una visita al cercano Monumento a los Franceses, al que se llega a través de un corto sendero desde Es Celler. Este monolito, erigido en 1847 por el Príncipe de Joinville, recuerda a los prisioneros franceses que murieron en esta isla. Después de la derrota del ejército francés en la batalla de Bailén, que tuvo lugar en 1808 durante la guerra de la Independencia, unos 9.000 prisioneros fueron recluidos en Cabrera y abandonados a su suerte. Las severas condiciones de vida, con agua y alimento escasos, produjeron una enorme mortandad. En 1814, cuando finalmente se les liberó, tan sólo sobrevivían 3.600.

FICHA ITINERARIO A

Época de visita: hasta el mes de mayo aún pueden verse flores en el matorral. Más adelante, el calor agosta la vegetación y, al empezar la subida, dan más ganas de quedarse en la playa que otra cosa.

Horario y duración del recorrido: el recorrido total, entre subir y bajar de Na Bella Miranda, es de 6,4 kilómetros, que pueden hacerse en un par de horas. La ascensión es de unos 150 metros de desnivel.

Dificultades y recomendaciones: hay que avisar en la oficina de que va a hacerse el itinerario. Hay que llevar agua y protegerse del sol con crema protectora y una gorra.

Interés: desde Na Bella Miranda es posible divisar casi toda la isla por lo que, dadas las limitaciones de acceso impuestas por el Parque Nacional, ésta es una buena elección para hacerse una idea general del archipiélago. Observación de aves y plantas de matorral.

ITINERARIO B
DE ES PORT AL FAR DE
N'ENSIOLA

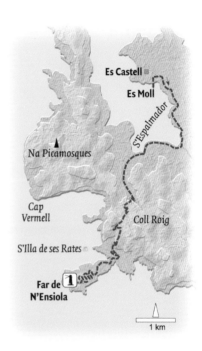

Este segundo itinerario es largo y completo, y hay que asegurarse de regresar al puerto con tiempo suficiente como para coger el barco hacia Mallorca. Si nos decidimos por esta ruta, debemos avisar en la Oficina de Información de es Port y empezarla de inmediato. La primera parte del camino coincide con el Itinerario A, hasta el **cruce** situado a 20 minutos de paseo donde se separan las pistas que conducen al Centro-Museo de Es Celler o a las playas de Sa Platgeta y S'Espalmador. Esta vez cogeremos el ramal de la izquierda, que bordea la bahía entre el mar y la maquia de Lentisco, Acebuche y Sabina Negral.

A la media hora desde el muelle (1,8 km), llegamos a la **Playa de S'Espalmador**, donde suele haber una franja de restos de Posidonia seca. Aquí, la pista gira hacia el Sur y, alejándose del mar, empieza a ascender en zigzag entre un bello matorral de Lentisco, Brezo (*Erica multiflora*), Jaguarzo Negro y Labiérnago de Hoja Estrecha. Este

Maquia de Lentisco y Acebuche ascendiendo al Coll Roig

Faro y península de N'Ensiola

tramo del recorrido, durante el cual vamos dejando atrás el puerto y el castillo, es ideal para localizar a la Curruca Sarda y a sus ariscas compañeras Cabecinegra y Carrasqueña. A pesar de que la mayoría de plantas florecen durante la primavera temprana, en pleno invierno podemos descubrir las extrañas florecillas de los Candiles, con una bráctea en forma de tubo verde con líneas purpúreas, terminada en una caperuza curvada. Des-

pués de veinte minutos de subida -y superados 80 metros de desnivel-, alcanzamos el **Coll Roig**. Hemos recorrido ya 2,75 kilómetros y, aquí, aparece ante nosotros el faro coronando la península de n'Ensiola.

El camino desciende en marcado zigzag, ofreciéndonos magníficas vistas del faro entre algunos pinos, torcidos por los vientos. En poco menos de quince minutos, nos situamos de nuevo a nivel del mar. Cruzamos un torrente y estamos en

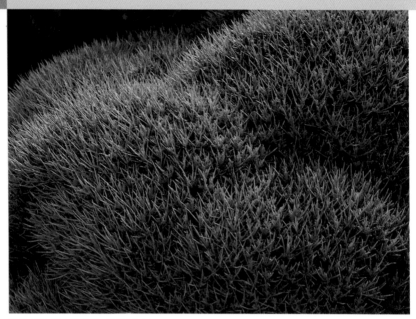

Cojinetes de Astrágalo de las Baleares

S'Avarador des Far, el estrecho istmo que une la península de N'Ensiola con el resto de la isla. En este punto se produce un notable cambio de vegetación: desaparece el matorral que nos ha acompañado a lo largo de la excursión, que es substituido por una comunidad vegetal, en la que destacan los arbustos de Astrágalo de las Baleares y *Dorycnium fulgurans*, en forma de tupidos cojinetes semiesféricos. Eso les permite protegerse del viento y de las salpicaduras del mar, y les convierte en el refugio predilecto para las Lagartijas Baleares, a las que les gusta esconderse entre su espinoso ramaje. Desde el istmo, mirando hacia el Oeste, divisamos por vez primera los islotes de Els Estells, un grupo de inaccesibles peñascos batidos por el mar y que han sido escogidos como hogar por una colonia de Halcones de Eleonora.

A partir de aquí nos toca subir de nuevo. El faro queda a un kilómetro de distancia y a un centenar de metros por encima de nosotros, por lo que aún quedan unos cuantos zigzag por superar. Pero el entorno es bellísimo y el aliciente de coronar el punto más alto de la península nos mueve a poner una pierna delante de la otra y superar, poco a poco, el desnivel. A medida que nos acercamos a la cima los cojinetes vuelven a dejar paso al Lentisco, el Acebuche, el Aladierno Balear, el Mastuerzo Marítimo, la Estrella de Mar, la Zamarrilla, y otras matas y arbustos. Escondidos entre ellos, crecen dos plantas de interés para el aficionado a la botánica. La primera es una discreta mata rastrera de hojas estrechas que resulta ser el único endemismo vegetal exclusivo de Cabrera: la Rubia Balear. La segunda es la insólita Tragamoscas, especie endémica de Baleares, Córcega y Cerdeña. Hacia el mes de abril, desarrolla una gran inflorescencia en forma de embudo de color púrpura manchada de oscuro, que expele un intenso olor a carne podrida, efluvio que, a veces, puede olerse en este camino al faro. Mediante esta artimaña, la planta atrae a las moscas, que caen al fondo del embudo donde quedan atrapadas durante unos momentos, mientras polinizan la flor.

A los 4,6 kilómetros, tras algo más de una hora y media de camino, alcanzamos la cumbre de la península. Un lugar espléndido, coronado por el **faro de N'Ensiola**, pintado a cuadrados rojos y blancos, construido al borde de un vertiginoso acantilado. Este edificio fue construido entre los años 1864 y 1868; las viviendas en ruinas que hay en la cara norte son las de los obreros que lo construyeron. El faro fue habitado por una familia que se ocupaba de su correcto funcionamiento hasta 1958, año en que fue automatizado.

Para admirar al completo la extensa panorámica que nos ofrece esta atalaya hay que ir rodeándola. Hacia el Norte, se extienden los acantilados de Cap Vermell –con Mallorca al fondo–, la cima de Na Picamosques y la Illa de Ses Rates. Este islote es fácilmente reconocible por su arco de piedra, excavado por

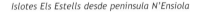

Islotes Els Estells desde península N'Ensiola

Faro de N'Ensiola

el agua y el viento. Más a la derecha se encuentra el Coll Roig, por donde hemos venido y deberemos regresar. Hacia el Este, aparece una costa recortada, formada por acantilados con grandes bloques de roca caídos en su base. Ello es debido a que su parte superior es más blanda que la inferior, por lo que la erosión provocada por la lluvia y el viento, en su parte alta, es más intensa que la del mar por abajo. Todo esto hace que se precipiten grandes rocas hacia el mar. Jalonando esta costa, surgen del mar los peñascos de Els Estells.

Con la ayuda de unos prismáticos quizás veamos las piruetas de los Halcones de Eleonora, su más robusto pariente el Halcón Peregrino, a los Vencejos Comunes, al azul Roquero Solitario, a la abundante Gaviota Patiamarilla –que nidifica en estos acantilados– , y a la más escasa Gaviota de Audouin. Sin perder de vista el reloj -¡que pena estar pendiente de él en un lugar así!-, descansaremos un rato y reemprenderemos la vuelta por el mismo itinerario. Una vez en la bahía, si nos sobra tiempo, podemos optar por visitar el cercano Centro-Museo, o bien darnos un baño en **Sa Platgeta**.

FICHA ITINERARIO B

Época de visita: en abril y hasta mediados de mayo el matorral está en flor, pero aún no han llegado los Halcones de Eleonora. Estos nidifican de julio a mediados de octubre ¡Habrá que escoger!

Horario y duración del recorrido: hay que recorrer un total de 9,2 kilómetros, que nos llevarán como mínimo 3 horas y cuarto, bastante más si nos entretenemos con las plantas, animales y tomando fotografías. La ascensión acumulada durante el trayecto es de unos 180 metros.

Dificultades y recomendaciones: hay que avisar en la oficina de que va a hacerse el itinerario, y volver con el tiempo suficiente tiempo para coger la golondrina de regreso. También hay que llevar agua suficiente para recuperar el sudor de las subidas y algo de comida. En todo el recorrido no hay prácticamente sombras bajo las que guarecerse, por lo que debemos prever la protección solar necesaria.

Interés: comunidades de plantas y de aves propias del matorral mediterráneo y de los acantilados marinos. Bellos paisajes costeros.

OTROS LUGARES DE INTERÉS NATURAL

• En el mismo Parque Nacional, dadas las limitaciones existentes, no hay muchas más alternativas. Un lugar atractivo -por donde pasa el barco de regreso- es Sa Cova Blava, una cueva excavada al pie de un acantilado calcáreo, en la que se entra con la misma embarcación. Por la tarde está iluminada por bellos juegos de luces y colores.

• Cerca de la Colònia de Sant Jordi vale la pena visitar la Playa de Es Trenc, que conserva su cinturón de dunas con pinares y sabinas; y el Salobrar de Campos, unas salinas aún en funcionamiento, donde crían la Cigüeñuela Común, el Chorlitejo Patinegro, el Alcaraván Común y la Curruca Sarda e invernan variedad de aves acuáticas.

LUGARES DE INTERÉS HISTÓRICO-ARTÍSTICO

• Castillo de Cabrera: construido en el siglo XIV para defender la isla de los piratas berberiscos. Está situado en la entrada del puerto, elevado a más de 70 metros de altura sobre una peña. A lo largo de su historia, ha sido derruido y reconstruido varias veces. Para subir, hay que solicitarlo en la oficina de información sita junto a la cantina. Se realizan visitas guiadas varias veces al día.

• Capocorb Vell: se trata del conjunto talayótico más conocido de Mallorca, que data de los siglos VI-IV a.C. Se encuentra en la carretera de S'Arenal a S'Estanyol, bordeando el Cap Blanc, en el km 23.

• Sa Talaia Joana: otro espectacular conjunto talayótico al que se accede desde el pueblo de Ses Salines.

CARTOGRAFÍA

• Mapas 774-I y 748-III, 1:25.000, Instituto Geográfico Nacional, Madrid.

LECTURAS RECOMENDADAS

• **Frontera, M., Font, A., Muntaner, J. y Amengual, J.** (1997). *El Parque Nacional Marítimo-terrestre de Cabrera. Guía de visita.* Organismo Autónomo de Parques Nacionales.

• **Pons, G. X.** (1991). *Las aves del Parque Nacional Marítimo-terrestre de Cabrera.* Ministerio de Medio Ambiente-Grup Balear d'Ornitologia i Defensa de la Naturalesa (GOB), Mallorca.

• **Avellà, F. J., y Muñoz, A.** (1997). *Atles dels aucells nidificants de Mallorca i Cabrera.* Grup Balear d'Ornitologia i Defensa de la Naturalesa (GOB), Mallorca.

• **Garrido, C.** (1988) *Cabrera Mágica.* José J. de Olañeta, Editor, Palma de Mallorca.

INFORMACIÓN TURÍSTICA

• Oficina de Turismo
Colònia Sant Jordi
971 65 60 73
• Salvamento y seguridad marítimas
900 20 22 02
• Información metereológica
906 36 53 65

TRANSPORTE PÚBLICO

• Excursions a Cabrera
(Colònia Sant Jordi)   971 64 90 34
• Cruceros Llevant
(Porto Petro)   971 65 70 12

ALOJAMIENTOS

No hay alojamientos en el Parque Nacional ni la visita puede prolongarse más de un día, por lo que los alojamientos más cercanos están en Colònia de Sant Jordi.

• Hotel Cabo Blanco   971 65 50 75
caboblanco@fehm.es
• Hotel Sur Mallorca   971 65 52 00
surmallorca@fehm.es
• Hostal Doris   971 65 51 47
• Hotel Don León   971 65 64 55

PARQUE NACIONAL
DE LA CALDERA DE TABURIENTE

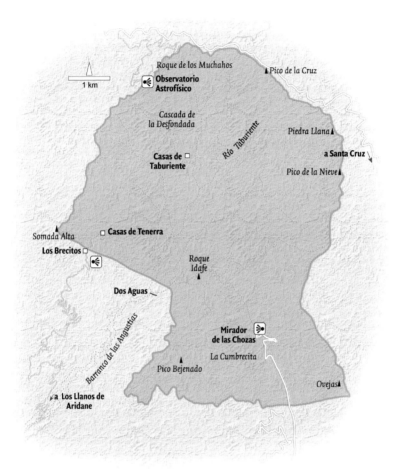

Levantándose altiva en el centro de la pequeña isla de La Palma, La Caldera de Taburiente es una enorme depresión semicircular de origen volcánico, delimitada por un circo de cumbres que rondan los 2.000-2.500 metros de altitud. El paisaje es realmente espectacular, ya que el parque se extiende desde los 430 metros de altitud en el Barranco de las Angustias, hasta alcanzar los 2.426 metros de altitud en el Roque de los Muchachos. Fue su belleza estética la que condujo a un grupo de artistas y estudiosos a solicitar su protección definitiva.

Las laderas que caen hacia el interior de la Caldera forman empinados barrancos de más de 1.000

Luna menguante sobre el Corralejo

metros de desnivel, de tránsito difícil, cuando no peligroso o imposible. Bellos bosques de Pino Canario se extienden por sus vertientes o trepan por escarpadas laderas. Los impresionantes barrancos, crestas y agujas de roca ("roques") albergan diversas especies de plantas y animales endémicos de esta isla atlántica. Además, La Palma o "Benahoare"–su nombre original, antes de la invasión española– conserva buen número de restos arqueológicos de los primeros pobladores de la isla. Abundan en especial los petroglifos, simples grabados sobre roca de figuras geométricas, que pueden aparecer en los rincones más insospechados de este Parque, que fue el último refugio para los indígenas perseguidos.

SITUACIÓN

La Caldera de Taburiente ocupa la zona central de la isla de La Palma. Es un parque pequeño, cuyos límites coinciden en gran medida con el perímetro de crestas que delimitan La Caldera. Por fortuna, tanto la Zona Periférica de Protección como los espacios naturales adyacentes del Parque Natural de las Nieves, la Reserva Natural Integral del Pinar de Garafía, la Reserva de la Biosfera de Los Tiles y el Paisaje Protegido del Barranco de Las Angustias proporcionan una almohada protectora al corazón del Parque Nacional.

AMBIENTES NATURALES

El Parque engloba una depresión calderiforme de ocho kilómetros de diámetro, formada por rocas basálticas de origen volcánico. Todos los barrancos de su interior confluyen en el cauce del Barranco de las Angustias, uno de los pocos ríos del archipiélago canario que cuenta con un caudal de agua permanente. El Parque cuenta con numerosos saltos de agua y algunas bonitas cascadas, como la de la Fondada. Las vertientes exteriores son de pendiente más suave. De La Caldera de Taburiente, sorprende la vitalidad de su morfología, que cambia continuamente debido a la intensidad de los fenóme-

Pinos canarios en el Lomo de las Chozas

Cascada de la Fondada

nos erosivos. Cada año, los desprendimientos modifican el cauce de un torrente o el trazado de algún sendero. La Cascada de Colores del barranco de las Rivanceras, por ejemplo, popular por el color ferruginoso de sus aguas, se derrumbó en parte durante unas avenidas de agua que tuvieron lugar en el año 2001, y ya no tiene el aspecto con el que aparece en las postales que aún siguen vendiendo los comercios de la isla.

El **clima** en la isla de La Palma es de tipo mediterráneo, pero los vientos alisios –tan característicos del archipiélago canario– no permiten que las temperaturas asciendan tal y como cabría esperar, dada la latitud en la que nos encontramos. La orientación de la Caldera, abierta hacia el Oeste, hace que el influjo de los vientos cargados de humedad procedentes del Noreste no le afecten demasiado, impidiendo el desarrollo de la lujuriante laurisilva, que sí aparece en la vertiente nordeste de la isla. Dada la altitud del sector de cumbres, por encima de los 2.000 metros suele nevar todos los inviernos.

La **vegetación** de este territorio puede agruparse en cuatro grandes asociaciones. En primer lugar, tenemos el pinar de Pino Canario, que es la formación vegetal dominante en el Parque. Esta conífera arraiga incluso en laderas pedregosas o de fuerte pendiente. Si profundizamos en la composición del pinar, veremos que pueden apreciarse sutiles diferencias según las especies que le acompañan. El bosque más extendido es el pinar con Amagante (*Cistus symphytifolius*) y Corazoncillo (*Lotus hillebrandii*). En cambio, en los lugares donde se condensa la niebla, aparece el pinar con Brezo Blanco (*Erica arborea*). En las áreas bajas, los pinos se mezclan con el Escobón, mientras que, en las de mayor altitud, lo hacen con el Codeso (*Adenocarpus viscosus*).

Una de las comunidades más interesantes del Parque Nacional es la de las plantas rupícolas, que viven en los escarpes rocosos. Dada su inaccesibilidad, se trata de una comunidad muy variada. El medio rocoso destaca por su sequedad, presentando diversas adaptaciones a la falta de humedad. Abundan los bejeques (*Aeonium spp.*), plantas crasas adaptadas a la sequía y a la vida en un medio vertical y algunas especies, como los Lechugones, pierden las hojas durante la estación seca para reducir en lo posible el consumo de agua. Otras plantas propias de este medio son el Cabezote (*Cheirolophus arboreus*), la Cinco Uñas (*Senecio palmensis*), la Vinagrera (*Rumex lunaria*), los silenes, o el Tagasaste (*Chamaecytisus proliferus*), entre otras.

Otra área de gran interés botánico es la franja de cumbres, donde

Roque del Huso

Malfurada (Hypericum grandifolium)

existen diversas especies capaces de soportar los rigores de un clima extremo, donde destacan el viento, el frío y una intensa radiación solar. En esta zona culminal, pueden observarse matorrales de cumbre formados por Codeso, Retama Blanca o del Teide (*Spartocytisus supranubius*), Retamón (*Genista benehoavensis*), centenarios Cedros Canarios (*Juniperus cedrus*) de torturada fisonomía arraigados en las peñas, y la delicada Violeta o Pensamiento de las Cumbres (*Viola palmensis*).

En los lugares más húmedos del Parque –cerca de los torrentes, en los barrancos o en los riscos en los que rezuma agua–, es posible la vida de algunos vegetales más propios del monteverde como la Faya (*Myrica faya*), el Brezo Blanco, el Viñátigo (*Persea indica*), el Durillo (aquí llamado Follao) o los helechos. Uno de los árboles más importantes del Parque, el Sauce Canario (*Salix canariensis*), también crece en los lechos de estos barrancos.

Entre las especies de la flora más interesantes, destacan tres especies endémicas propias de la Caldera y nada menos que 34 pertenecientes a la isla de La Palma. Entre estos endemismos destacan el Retamón (*Teline benehoavensis*), el Pensamiento de las Cumbres, el Tajinaste Azul Genciano (*Echium gentianoides*), y el *Helianthemum cirae*.

Éste no es precisamente un Parque al que uno acuda para observar su **fauna**, dado que son bien pocas especies las que han alcanzado a colonizar esta isla. Los únicos mamíferos autóctonos son tres especies de murciélagos: el Pipistrelo de Macaronesia, el Murciélago Rabudo y el Murciélago Orejudo Canario. Es mucho más fácil que observemos a alguna de las especies introducidas por el hombre, como el Conejo, el Arruí, la Rata Negra, el Ratón Casero o bien las especies asilvestradas, como la Cabra, la Oveja, el Perro y el Gato. También introducida es la Rana Común, que abunda en los lugares con agua.

Más atractivos para el visitante resultan la subespecie de Lagarto Tizón, propia de La Palma (*Gallotia galloti palmae*), al que es posible encontrar tomando el sol en las rocas junto a los senderos, y el nocturno Perenquén Común (*Tarentola*

Pinzón Vulgar de la Isla de La Palma

delalandii), pariente cercano de las salamanquesas de la Península Ibérica. Entre la fauna invertebrada de este Parque Nacional, destaca una gran escolopendra (*Scolopendra morsitans*) y una araña negra venenosa (*Latrodectes sp.*).

Como es habitual, los animales más visibles son las aves: en los bosques podremos ver sin problemas el Pinzón Vulgar (*spp. palmae*), el Mirlo Común, el Herrerillo Común (*ssp. palmensis*), el Reyezuelo Tinerfeño, el Mosquitero Canario, el Petirrojo, el Canario o la Curruca Capirotada. Más esquivos son son: la Paloma Rabiche, el Gavilán Común, el Busardo Ratonero y el Búho Chico. En los cursos de agua, hay Lavandera Cascadeña. Y, en cumbres y acantilados, existe una importante población de Chova Piquirroja (que aquí llaman graja), el Cuervo, el Cernícalo Vulgar, el Bisbita Caminero y, en verano, el Vencejo Unicolor.

CONSERVACIÓN

Uno de los principales problemas que soporta este Parque Nacional es consecuencia de la introducción de especies foráneas, que invaden el ecosistema perjudicando a las poblaciones autóctonas. El Conejo, la Cabra y el Arruí, por ejemplo, han llevado a ciertas plantas al límite mismo de su extinción. Por fortuna, los programas de control de estas especies invasoras –unidos a las replantaciones de flora autóctona llevadas a cabo en colaboración con los escolares de la isla– han permitido una franca recuperación de algunas de las especies más raras, como el Retamón o el Pensamiento de Cumbre. Asimismo, problemática es la presencia de alguna plantas introducidas y que están expandiéndose por el Parque, como el Haragán (*Ageratina adenophora*) y el Higo Chumbo.

Otro serio problema es el resultante de la extracción de grandes caudales de agua a través de galerías perforadas para regar las plantaciones, básicamente de Plátano, de los alrededores de La Caldera. Para comprender en qué medida eso afecta al acuífero del Parque, baste decir que de 120 fuentes que se conocían en los años cincuenta, ya tan sólo quedaban 70 treinta años después. La única especie extinguida en el Parque es la Anguila, que desapareció al ser canalizadas las aguas del Barranco de las Angustias.

Por último, cabe destacar el siempre latente peligro de los incendios forestales, a los que estos pinares son propensos y que favorecen la erosión del terreno.

DATOS DE INTERÉS DEL PARQUE Y RECOMENDACIONES

Extensión: 4.690 hectáreas (Parque Nacional), 5.956 hectáreas (Zona Periférica de Protección)

Año de declaración: 1954

Dirección:
Centro de Visitantes
Ctra. General de Padrón, 47, El Paso
Kilómetro 23,9 de la carretera TF-812, que une Santa Cruz de La Palma con los Llanos de Aridane.
922 49 72 77
922 49 70 81 (fax)
caldera@mma.es

Sitio web:
www.mma.es/parques/lared/caldera

Acceso al Parque Nacional: la isla de La Palma está comunicada por avión con Tenerife, Gran Canaria y Madrid y, por barco, con Tenerife. Para acceder al interior del perímetro protegido, existe una pista forestal que asciende desde el Centro de Visitantes –sito cerca de la localidad de El Paso–, hasta el Mirador de la Cumbrecita. Por la pista de Valencia, que parte del mismo lugar, se accede al sendero que asciende al Pico Bejenado. De los Llanos de Aridane, parte otra pista que permite alcanzar el fondo del Barranco de las Angustias. Una vez allí, asciende hasta el mirador de Los Brecitos, justo en el límite del Parque Nacional. Dado su estado irregular, es recomendable coger uno de los taxis todoterreno que cada mañana suelen estar en el barranco esperando para llevar a los senderistas.

Dos carreteras distintas permiten acceder a la cumbre del Parque, donde se levanta el Observatorio Astrofísico del Roque de Los Muchachos. Una de ellas parte justo al Norte de Santa Cruz de La Palma y serpentea por la vertiente este de la Caldera. La otra asciende por el Noroeste partiendo o bien de Garafía o de las cercanías de Puntagorda.

Servicios y equipamientos: Centro de Visitantes de El Paso, con servicio de información, librería, sala de exposiciones, sala de proyecciones con audiovisuales, videoteca, biblioteca y un jardín de plantas autóctonas. Abierto todos los días del año de 9 a 14 horas, y de lunes a viernes también de 16 a 18,30 h. Está prevista la construcción de otro Centro de Visitantes cerca del Roque de los Muchachos. Centro de servicios en la Zona de Acampada. Casetas de información en La Cumbrecita, Roque de los Muchachos y Lomo de los Caballos. Sendero autoguiado de los Brecitos hasta la Zona de Acampada. Con permiso previo obtenido en el Centro de Visitantes, es posible pernoctar hasta seis noches en la Zona de Acampada, con capacidad para 100 personas. Campamento-Aula de la naturaleza "El Riachuelo", situado junto a la carretera a la Cumbrecita, para grupos organizados. Servicio privado de taxis desde el fondo del Barranco de las Angustias hasta el mirador de Los Brecitos.

Recomendaciones generales: la Caldera puede visitarse a lo largo de todo el año, aunque en invierno las temperaturas pueden bajar por debajo de los cero grados tanto en su interior como, de manera especial, en las cumbres, donde pueden acumularse nieve y hielo. Por ello es necesario prever ropa de abrigo. En verano la radiación solar es intensa y hay que protegerse debidamente con crema protectora, gorra y gafas de sol. Durante las lluvias, que suelen producirse en otoño e invierno, hay que evitar recorrer los senderos del Parque, ya que se producen desprendimientos y aumenta el nivel de los cursos de agua, lo que ha producido algunos accidentes fatales.

Para andar por el Parque es muy recomendable calzar botas de montaña. En los senderos que transitan por pendientes y barrancos pueden producirse desprendimientos. Vale la pena informarse de su estado, en especial en el sendero que lleva de la Cumbrecita a la Zona de Acampada.

Entre las prohibiciones, destacan las de no hacer fuego, no utilizar jabón para el baño, no abandonar los senderos y no acceder al Parque con animales de compañía.

ITINERARIO A
UN RECORRIDO POR
EL INTERIOR DE LA CALDERA

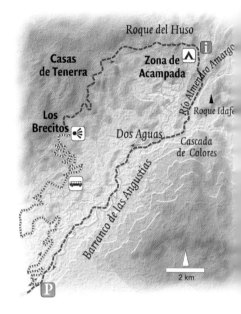

Para empezar esta ruta, hay que coger la pista forestal que, desde la localidad de los Llanos de Aridane, baja hasta el fondo del barranco de Las Angustias. Donde la pista cruza el río, hay un servicio de taxis que permiten superar el fuerte desnivel de 800 metros y los 11 kilómetros de pista forestal que nos separan del Mirador de Los Brecitos. Ésta es la mejor opción para recorrer el interior de la Caldera, ya que permite realizar una completa ruta en bucle. Hay que acercarse al punto de partida de los taxis lo más temprano posible, para empezar a andar antes de que apriete el calor. Sin embargo, los taxistas empiezan a trabajar entre las 8 y las 9 de la mañana, y exigen que el vehículo se llene con ocho personas para partir, lo cual puede producir enervantes esperas. Mientras, podemos distraernos observando a los Canarios o las Currucas Tomillera y Capirotada, que pululan por las Tabaibas y Berodes.

El estrecho sendero nace donde acaba la pista: en el **mirador de Los Brecitos**, colgado en la vertiente noroeste del Barranco de las Angustias. Estamos a algo más de 1.000 metros de altitud, en el punto más elevado de todo el recorrido. De aquí hasta la Zona de Acampada, la vereda desciende a través de un hermoso pinar de Pino Canario, donde nos llaman la atención algunos ejemplares de notable porte. Muchos de los árboles aparecen con la corteza quemada, señal de que en algún

Pinar en el Barranco de las Bombas de agua

Sauces Canarios junto al río Taburiente

momento fueron alcanzados por el fuego. Por fortuna, esta conífera está adaptada a sobrevivir a los incendios forestales, lo que le ha permitido perdurar en unas islas modeladas por las erupciones volcánicas. Al resguardo del pinar, nos acompañan en nuestro andar los Brezos Blancos –que en marzo aparecen recubiertos de millares de florecillas blancas– y los Amagantes –que no florecen hasta más entrada la primavera–. Entre las aves propias de esta masa forestal, las más fáciles de observar son el Reyezuelo Tinerfeño, el Mosquitero Canario y el Pinzón Vulgar.

La senda cruza los barrancos que descienden de los acantilados de la Caldera por tres puentecillos de madera y, a los 650 metros del inicio, llegamos al barranco del Ciempiés. Aquí baja agua todo el año y quizás sorprendamos a alguna Rana Común. Luego ascendemos un poco hasta que, a los casi dos kilómetros, alcanzamos el **Lomo de Tenerra**, un

Senderista descendiendo el Barranco de las Angustias

lugar donde hasta hace unos años se cultivaba tabaco. La conjunción del bosque con los prados alrededor de las casas favorece la presencia de algunos pájaros propios de zonas abiertas, como el Canario y el Bisbita Caminero.

Volvemos a descender hasta alcanzar el Barranco de las Traves, otro de los que suelen llevar agua, lo que permite la presencia del Sauce Canario y de diversas especies de helechos propias de lugares húmedos. En las rocas, también nos fijaremos en las diversas especies de bejeques. Luego pasaremos por el Barranco de las Piedras Redondas, justo bajo las atractivas agujas pétreas de Los Agujeritos y, a poco más de una hora de camino, alcanzaremos el **Mirador del Lomo de Tagasaste**, desde donde se divisa el altivo Roque de Idafe. En cinco minutos, alcanzamos la Fuente de la Mula o de la Faya, donde puede cogerse agua y continuar el descenso hasta alcanzar el barranco de Risco Liso, pasando por rincones más

Roque Idafe

húmedos donde aparecen algunas Fayas y habitan el Petirrojo y el Gavilán Común. Esta pequeña rapaz forestal es difícil de observar, pero a veces es posible encontrar un montón de plumas de paloma, que delata una de sus cacerías.

Pasado el puente que cruza el barranco, encontramos un desvío a la izquierda que, en un kilómetro, lleva a unos petroglifos realizados por los antiguos habitantes de la isla. Pero nuestra ruta sigue hacia abajo: el bosque se abre y aparecen higueras y chumberas, lo que delata la antigua presencia humana en la zona. Al fin, a los 5,3 kilómetros (1 h 45 min de recorrido), hemos alcanzado el fondo del barranco y la denominada **Playa de Taburiente**, junto al arroyo del mismo nombre.

Un desvío a la izquierda asciende hacia Hoyo Verde y la cascada de la Fondada, de más de cien metros de altura, una bonita excursión apta

para quien luego quiera regresar sobre sus pasos hasta los Brecitos. Pero si deseamos realizar el bucle completo por el Barranco de Las Angustias, aún nos queda mucho camino y más vale que prosigamos. Estamos a unos 750 metros de altitud y el curso de agua aparece bordeado de Cerrajones (*Sonchus herrensis*), Gacias (*Teline stenopetala*) y Sauces Canarios. Ésta es la más extensa sauceda que existe en el archipiélago. Estos arbolillos, que forman pequeños bosquetes, son capaces de resistir las avenidas invernales de agua merced a sus ramas flexibles. Nosotros cruzamos el arroyo y llegamos a la **Zona de Acampada**, paraje ideal para sentarse a descansar y comer un poco. Algo más arriba está el Centro de Servicios de Taburiente, donde hay una pequeña exposición, lavabos y equipo para primeros auxilios. Aquí vale la pena informarse sobre el estado del Barranco de las Angustias, ya que en caso de lluvias recientes puede estar intransitable y ser extremadamente peligroso.

Después del bienvenido descanso emprendemos la segunda parte del itinerario, que ahora sigue una estrecha vereda de piedras sueltas que desciende de manera vertiginosa hacia el fondo del barranco de Almendro Amargo, al pie de un acantilado donde es fácil ver el vuelo de las Chovas Piquirrojas. Ésta es la Cuesta del Reventón que, por

Amagante

Lavas almohadilladas, Barranco de las Angustias

fortuna, realizamos de bajada. Como su nombre indica, realizada en sentido ascendente, es capaz de agotar al más pintado. Durante las horas centrales del día, la vida parece detenerse en el interior de La Caldera. No corre ni una pizca de aire y las aves han enmudecido por completo. En este tramo, hay estar atento a las rocas que bordean el sendero, ya que es posible observar algún Lagarto Tizón. En media hora, descendemos unos 240 metros de desnivel y luego el camino se suaviza un poco, hasta que nos ofrece una alternativa: un tramo "para expertos" –tan sólo apto para personas sin vértigo–, y uno

"normal", para el resto de mortales. Ambos se reúnen de nuevo en un enclave donde se aprecia, en toda su belleza, el magnífico **Roque de Idafe**, por donde suelen revolotear las Chovas Piquirrojas.

A algo más de ocho kilómetros de camino, cuando han pasado unos 45 minutos desde que pasamos por el Centro de Servicios, las aguas límpidas del Barranco de Almendro Amargo se mezclan con las amarillentas que descienden por el **Barranco de Rivanceras** o del Limonero. Aguas arriba de este barranco, se encuentra la Cascada de Colores, que aparece citada o fotografiada en numerosos folletos turísticos, pero que fue dañada por una avenida de agua. Un kilómetro y medio aguas abajo, llegamos al lugar conocido como **Dos Aguas**, porque aquí se unen los cursos del barranco por el que descendíamos con el del Arroyo de Taburiente, que baja directamente de la Zona de Acampada. Es a partir de este punto cuando el barranco principal toma el nombre de Barranco de las Angustias. Una represa recoge parte del agua para conducirla hasta los cultivos de la parte baja del valle. A partir de aquí, se desciende a veces por un sendero bien marcado, a veces por el lecho mismo del río, a veces por la izquierda, a veces por la derecha, saltando de roca en roca.

Circulando cerca del agua, es fácil que vayamos cruzándonos con una Lavandera Cascadeña, que nos sorprenda el salto de una Rana Común o que podamos deleitarnos con el vuelo de las libélulas. Y según el caudal de agua, es posible que, en algún momento, nos toque mojarnos los pies.

A los 11,3 km de camino, llegamos a la zona conocida con el nombre de **Morro de la Era**. En el barranco, se levanta una presa y, por la izquierda del camino, baja un pequeño torrente que, en febrero o marzo, luce adornado con las amarillas flores del Cerrajón. Más adelante, aparece una de las curiosidades geológicas más interesantes del recorrido: las lavas almohadilladas. Se trata de rocas de color verdoso que muestran unas estructuras redondeadas o poligonales que recuerdan un enorme panal de abejas, estructura que es debida a que estas coladas de lava se enfriaron cuando discurrían bajo el agua del mar.

A medida que la ruta se acerca a su final nos fijaremos en cómo la vegetación va cambiando, apareciendo especies propias de zonas menos elevadas, como el Escobón, la Vinagrera, el Berode, la Sabina (*Juniperus turbinata*), el Guaidil (*Convolvulus floridus*) y el Granadillo (*Hypericum canariensis*). Por aquí pueden verse también algunos Bejeques Rojos, especie endémica de la isla con hojas de color anaranjado y flores rojizas, que aparece entre mayo y julio. Al fin, el paisaje se humaniza definitivamente y alcanzamos el lugar donde por la mañana tomamos el taxi y dejamos nuestro vehículo, cansados, pero satisfechos con todo lo que nos ha enseñado el interior de la Caldera.

FICHA ITINERARIO A

Época de visita: en principio, la ruta puede hacerse durante todo el año.

Horario y duración del recorrido: un total de 14,7 kilómetros, para los que hay que andar un total de entre 5 y 6 horas, más el tiempo que dediquemos a las paradas. El desnivel ascendido es de unos 430 metros, y el descendido unos 725 metros.

Dificultades y recomendaciones: el primer tramo hasta la zona de acampada no presenta dificultad alguna, aunque conviene no salirse del sendero, ya que la pinaza que tapiza la fuerte pendiente del bosque es resbaladiza. El descenso por el Barranco de las Angustias no presenta demasiadas dificultades cuando el nivel del agua está bajo, pero es intransitable y peligroso en épocas de lluvia, por lo que pueden producirse graves accidentes. Conviene informarse sobre su estado en el Centro de Información.

Interés: este itinerario permite hacerse una clara idea de cómo es el interior de La Caldera de Taburiente, con sus pinares, paredes y barrancos, así como de la vegetación que prospera en ella.

ITINERARIO B
VISITA A LA CRESTERÍA

Este breve sendero parte del aparcamiento que hay justo en la cima del **Roque de los Muchachos**, junto a una de las casetas de información del Parque. Rodea las curiosas formaciones geológicas que coronan esta cima y resigue un espigón rocoso que penetra hacia el interior de la Caldera. Desciende un poco hasta llegar a un gran acantilado, desde donde se disfruta de una extensa vista.

El recorrido es muy pedregoso y nos permite encontrar algunas de las plantas y animales característicos de la zona de cumbres de este Parque Nacional. El Codeso, que a inicios del verano cubre el paisaje con sus flores amarillas, es una de las especies más extendidas y durante el recorrido es posible observar otras más raras. Al poco de empezar, a la izquierda del camino, existe una zona cercada donde la administración del Parque ha repoblado con algunas de las especies vegetales más escasas: el

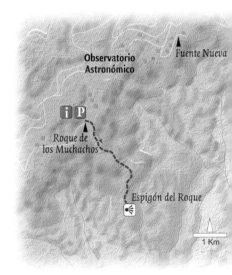

Pensamiento de Cumbre, que empieza a florecer ya a finales del mes de febrero, el Tajinaste Azul Genciano, el Alhelí (*Erysimum scoparium*), la Tonatica (*Nepeta teydea*), la Hierba Pajonera (*Descurainia gilva*), la Retama Blanca y también el Retamón Amarillo. Esta

Crepúsculo en la cima del Roque de los Muchachos

Codeso en el Roque de los Muchachos

leguminosa propia del matorral de cumbre de la Caldera estuvo al límite de la extinción, ya que se vio muy afectada por la presencia de las cabras, los conejos y los incendios. A mediados de los años 80, tan sólo sobrevivían treinta ejemplares. Por fortuna, los esfuerzos para protegerla a base de cercados y de repoblaciones dieron sus frutos y, al cabo de diez años, su población era ya de unos 5.000 individuos. Entre las aves, ésta es una buena zona para ver alguna Paloma Bravía y al Bisbita Caminero.

Durante el trayecto, atravesamos algunos diques volcánicos. Estas alineaciones rocosas, que, en ocasiones, parecen muros hechos por la mano del hombre, están formadas por la lava que se enfrió lentamente en el interior de una fisura por la que afloraba el magma. Al erosionarse y desaparecer el material más blando a su alrededor, tan sólo quedó la lava en forma de pared. Uno de los ejemplos más llamativos es la Pared de Roberto, situada entre los picos Fuente Nueva y de la Cruz.

Violeta de las Cumbres

Siguiendo nuestro camino alcanzaremos un **promontorio rocoso** en el que parece que el sendero ya no tenga continuidad. Si así ocurre, es casi seguro que nos hemos pasado de largo, ya que la vereda desciende de manera inconspicua unos metros antes por la derecha, flanquea la punta rocosa y continúa ya hacia el extremo del espigón. Esta zona suele estar frecuentada por las Chovas Piquirrojas, córvidos a los que reconoceremos por su negro plumaje, pico rojo, vuelo acrobático y su chillido característico, que la diferencian del Cuervo, también presente.

Las plantas sobreviven con dificultad en este ambiente pedregoso. Algunas especies adoptan forma semiesférica –para que el centro de la planta permanezca aislado de las temperaturas exteriores– y crecen aplastadas contra el suelo –para ofrecer una menor resistencia al

FICHA ITINERARIO B

Época de visita: de inicios de la primavera a inicios del verano, para gozar de la floración de las plantas de cumbre. En invierno hay que vigilar la presencia de hielo.

Horario y duración del recorrido: breve itinerario de 1,2 km entre ida y vuelta, que se recorre en unos 45 minutos.

Dificultades y recomendaciones: la ruta transcurre por un sendero de rocas o gravilla suelta, por encima de pronunciadas laderas, por lo que es altamente recomendable calzar botas con una suela adecuada. Las personas con vértigo pueden tener dificultades en algún punto, pero el trayecto no comporta peligro alguno. En invierno, hay que llevar ropa de abrigo y calzado de montaña.

Interés: espectacular panorama sobre las cumbres y los barrancos de La Caldera, ideal para tomar fotografías de La Caldera. Especies de plantas de cumbre endémicas o amenazadas. Importantes observatorios astronómicos de diversos países.

Mar de nubes y Telescopio Óptico Nórdico, Observatorio del Roque de los Muchachos

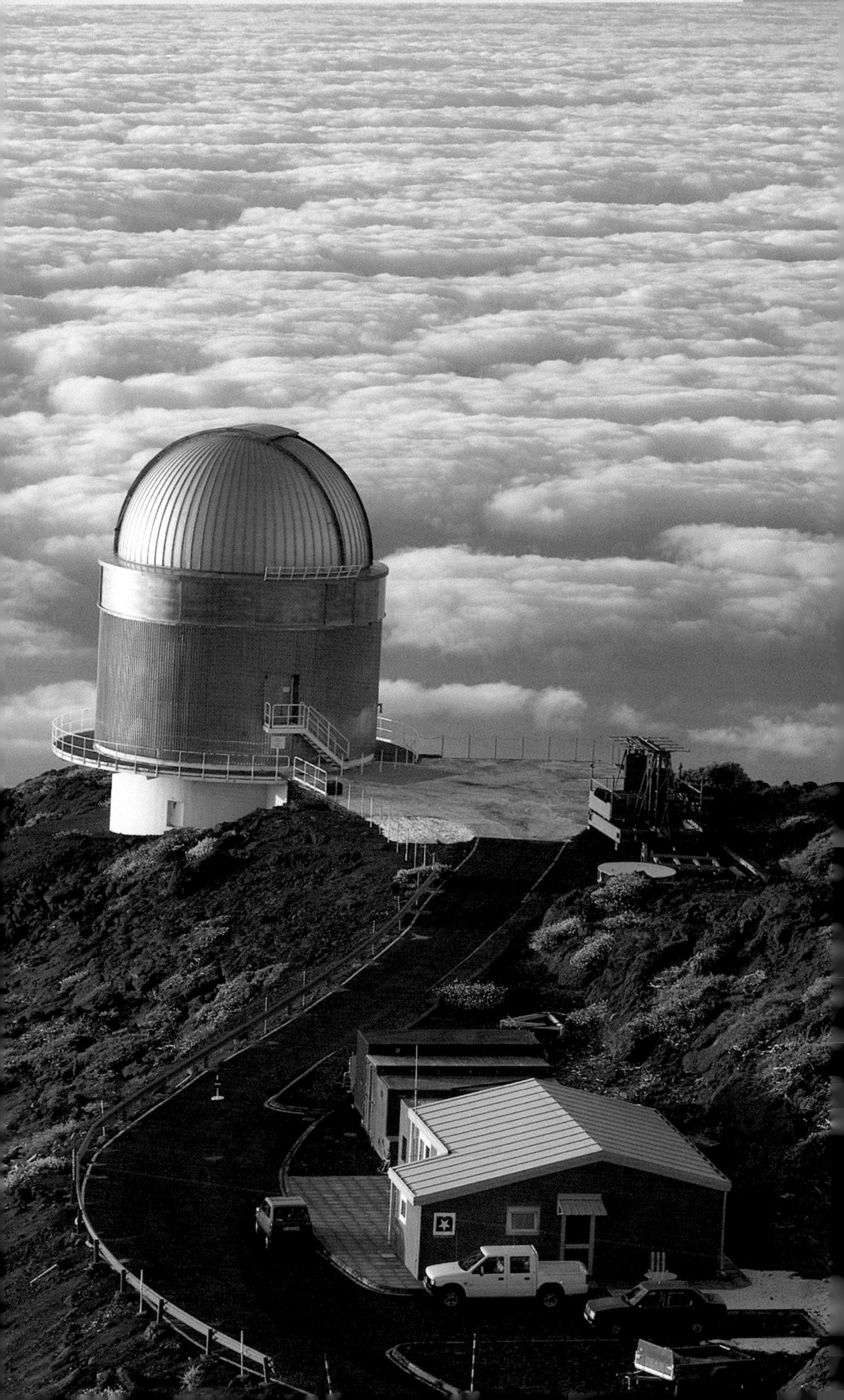

Retamón

viento–. Otras también presentan una densa pilosidad –para evitar la pérdida de agua–. En este tramo, podemos ver las blancas flores del Clavelillo de Cumbre (*Cerastium swentenii*).

Alcanzamos el final del sendero en el **Espigón del Roque** –cuidado con el acantilado–, desde donde podemos observar a la derecha algunos Cedros Canarios arraigados en la roca. Desde aquí, si la visibilidad es buena, pueden verse las islas de Tenerife, La Gomera y El Hierro. Mientras disfrutamos de la vista, podemos seguir también el vuelo del Vencejo Unicolor. Ya de regreso al aparcamiento, podemos fijar nuestra atención en los numerosos telescopios del Observatorio Astronómico. Al anochecer, si el tiempo es propicio, el espectáculo del juego de luces desde la cumbre es magnífico.

OTROS LUGARES DE INTERÉS NATURAL

- Ruta de Crestería: tramo del Sendero de Gran Recorrido GR-131 que recorre la cresta de La Caldera. Impresionantes panorámicas y endemismos vegetales.
- Mirador de la Cumbrecita: accesible en vehículo, ofrece una amplia visión del cono de La Caldera. Debido a su orientación, la luz es mejor por la mañana.
- Pico Bejenado: ascensión a uno de los picos culminantes del Parque desde la pista de Valencia a través del pinar de Ferrer.

LUGARES DE INTERÉS HISTÓRICO-ARTÍSTICO

- Roque de los Muchachos: donde se encuentra el observatorio astrofísico de La Palma, uno de los mejores lugares del mundo para la observación del universo.
- Parques Arqueológicos de Belmaco y La Zarza: dos muestras de petroglifos (grabados rupestres prehistóricos), en los municipios de Villa de Mazo y Garafía.
- Cerámica el Molino: en Hoyo de Mazo. Taller artesano de cerámica basada en diseños de los antiguos aborígenes de la isla.

• Santa Cruz: en su centro antiguo destacan la Plaza de España y las balconadas de estilo colonial de la Avenida Marítima.

CARTOGRAFÍA

• Mapas 1085 y 1090, 1:50.000. Instituto Geográfico Nacional, Madrid.
• *Isla de la Palma*, 1:50:000, edición para el turismo. Instituto Geográfico Nacional, Madrid.

LECTURAS RECOMENDADAS

• **Bacallado, L.** (2000). *Canarias, Parques Nacionales.* Turquesa Ediciones, Santa Cruz de Tenerife.
• **Ortuño, F.** (1980). *El Parque Nacional de La Caldera de Taburiente.* Publicaciones del Ministerio de Agricultura, ICONA, Madrid.
• **Palomares, A.** (Coordinación). (1998). *Guía de visita del Parque Nacional de La Caldera de Taburiente.* Organismo Autónomo de Parques Nacionales, Madrid.
• **Rodríguez, A.** (1998). *Guía de senderos. La Palma, la isla bonita.* Patronato de Turismo del Cabildo Insular.

OFICINAS DE INFORMACIÓN

• Oficina Insular de Turismo O'Daly, 22. Santa Cruz de La Palma 922 41 21 06
• Patronato Insular de Turismo Avda. Marítima, 3 Santa Cruz de La Palma 922 41 19 57

TRANSPORTES

• Transportes Insular La Palma 922 41 19 24 www.tlapalma.com
• Cicar (Alquiler) Aeropuerto de La Palma 922 42 80 48 www.cicar.com info@cicar.com

ALOJAMIENTOS

• Parador Nacional de La Palma El Zumacal, Breña Baja 922 43 58 28 lapalma@parador.es
• Asociación de Turismo Rural Isla Bonita Casa Luján. El Pósito, 3. Puntallana 922 43 06 25 www.canary-islands.com/es/lp-cr islabonita@infolapalma.com

Barrancos bajo el Pico de la Cruz

PARQUE NACIONAL
DE GARAJONAY

PARQUE NACIONAL
DE GARAJONAY

En las brumosas cumbres de la isla de La Gomera, se conserva uno de los mejores reductos de monteverde del planeta. Se trata de un ecosistema forestal subtropical tremendamente singular, que en esta isla canaria ha logrado llegar hasta nuestros días en un notable estado de conservación. Su importancia se vio confirmada en el año 1986, cuando mereció la distinción como Sitio del Patrimonio Mundial por parte de la UNESCO.

Aunque sus orígenes son volcánicos, la Gomera no ha sufrido erupciones desde hace dos millones de años. Ello ha permitido que los fenómenos naturales moldeasen a fondo su relieve, dando lugar a profundos barrancos y altivos pitones rocosos, y que aquí se desarrollaran comunidades vegetales de gran complejidad y riqueza. Un persistente manto de nieblas envuelve Garajonay buena parte del año, impregnándolas de humedad y misterio, permitiendo el desarrollo de un denso bosque monteverde, comunidad vegetal cuyo aspecto recuerda al visitante el de una selva tropical.

SITUACIÓN

El Parque Nacional de Garajonay abarca la altiplanicie de relieve ondulado que ocupa el centro de la isla de la Gomera. También las cabeceras de los numerosos barrancos que, de modo radial, parten de este altiplano. Su máxima elevación es el Alto de Garajonay, de 1.487

Brezal de crestería, Bosque del Cedro

Brezal de Laguna Grande

metros de altitud. En el límite sudeste del Parque se levantan diversos roques, unos característicos e imponentes pitones rocosos de origen volcánico. Los verdes paisajes de Garajonay contrastan con la aridez de las zonas situadas a menor altitud, en el litoral de la isla.

AMBIENTES NATURALES

Con 378 km² de extensión, La Gomera es la segunda isla más pequeña del archipiélago canario después de El Hierro. El Parque Nacional que engloba sus cumbres más elevadas toma su nombre del punto culminante de la isla. Este apelativo tiene su origen en una antigua y romántica leyenda popular: la de los amores del príncipe Jonay de Tenerife, con la princesa Gara de La Gomera. Según esa historia, Jonay cruzó a nado el brazo de mar que separa ambas islas para poder encontrarse con ella, pero el romance no gustó ni a tinerfeños ni a gomeros, que persiguieron a la pareja hasta la cumbre más elevada. Allí, antes de que les atraparan y separaran, Gara y Jonay decidieron seguir juntos para siempre poniendo fin a sus vidas clavándose una aguda rama de brezo.

El Parque Nacional se halla asentado sobre antiguos materiales volcánicos –básicamente lavas y basaltos– profundamente modelados por la erosión. El clima es de tipo subtropical oceánico. En la zona de cumbres, las precipitaciones pueden alcanzar los 900 mm anuales, la mayoría de los cuales caen entre los meses de octubre y mayo.

La laurisilva de Garajonay esta compuesta por una gran diversidad de frondosos árboles de hoja perenne –de ahí el nombre de monteverde–,

Petirrojo cantando entre la niebla

que requieren una elevada humedad y unas temperaturas suaves y estables. En La Gomera, estas condiciones se dan gracias a las nieblas que se forman en las vertientes orientadas al Norte, a altitudes situadas entre los 700-800 y los 1.200-1800 metros, al condensarse las masas de aire cargado de humedad transportadas por los vientos alisios procedentes del Nordeste.

Aunque al observador neófito los bosques de Garajonay puedan parecerle de una monótona uniformidad debido al aspecto relativamente similar de las especies arbóreas que los integran, en realidad presentan una notoria diversidad según las distintas características de orientación y grado de humedad. El más variado y exuberante, con árboles de mayor porte, es la denominada laurisilva de valle, que crece en los valles más húmedos orientados al norte. Aquí dominan árboles como el Viñátigo (*Persea indica*), el Til (*Ocotea foetens*), el Loro o Laurel (*Laurus azorica*) y el Acebiño (*Ilex canariensis*). En las laderas más elevadas y expuestas a las inclemencias meteorológicas aparece la laurisilva de ladera, comunidad vegetal algo empobrecida por la desaparición de algunas especies. Allí predominan la Faya (*Myrica faya*), el Loro, el Acebiño, el Brezo Blanco (*Erica arborea*) y el Paloblanco (*Picconia excelsa*). Las vertientes orientadas al Sur, menos beneficiadas por la niebla, las ocupa el fayal-brezal, una formación vegetal dominada –como su nombre bien indica– por el Brezo y la Faya. En

*Tajinaste Azul (*Echium acanthocarpum*)*

Roque de Agando, de 1.250 metros de altitud

cumbres y crestas aparece el bello brezal de cumbre, también denominado brezal de crestería. Esta comunidad forestal es capaz de captar la humedad de la niebla que los vientos hacen circular con rapidez por las crestas. El vapor de agua impregna las finas hojas del Brezo dispuestas a modo de pinceles y luego se precipita en forma de gotas que empapan el suelo. Ello favorece el abundante crecimiento de musgos y de líquenes, que recubren tanto el piso del bosque como los troncos y ramas de los árboles, proporcionando al bosque un aspecto misterioso y evocador.

Adyacente a los cursos de agua, así como en las paredes rocosas o en los altivos roques, que son restos de antiguos conductos volcánicos, también se forman comunidades vegetales particulares.

La **flora** de Garajonay es realmente singular, ya que se encuentran numerosos vegetales endémicos de Canarias y muchos de este Parque en concreto. Se han contabilizado unas cuatrocientas especies distintas, aunque la mitad de ellas son plantas introducidas por el hombre, que viven en zonas alteradas o marginales. La escasa luz que logra atravesar el denso dosel vegetal y alcanzar el suelo es aprovechada por multitud de hierbas, plantas trepadoras o lianas, musgos, líquenes y helechos. Es notoria la variedad de musgos que, con 150 especies distintas, tapizan la superficie del húmedo suelo o la corteza de algunos árboles, sirviendo de refugio a numerosos invertebrados. De líquenes hay un centenar de especies y de hongos, 115. La mayoría de ellas crecen sobre la madera vieja o en estado de descomposición que tanto abunda en estas espesuras. También abundan los helechos, grupo que cuenta con una treintena de especies, algunas de ellas epífitas. Es decir, que gracias a la elevada humedad ambiental pueden arraigar y crecer lejos del suelo, sobre la misma corteza de los árboles.

El Parque cuenta con una gran riqueza de endemismos, algunos de ellos amenazados. Entre las múltiples plantas que crecen en el suelo del bosque podemos citar al Patagallo o Geranio Canario (*Geranium canariensis*) y la Zarzaparrilla sin Espinas (*Smilax canariensis*), ambos endemismos macaronésicos. Y entre las especies más amenazadas, calificadas como en "peligro de extinción" por la Unión Internacional para la Conservación de la Naturaleza (UICN), el bello endemismo gomero Tajinaste Azul, los endemismos canarios Saúco (*Sambucus palmensis*) y Faya Romana (*Myrica rivas-martinezii*) y el Helecho de Cristal (*Vandenboschia speciosa*).

La diversidad de tipos de vegetación permite la presencia de una gran variedad de **fauna**, aunque el número de grandes vertebrados observables por el visitante esporádico es reducido. Los únicos mamíferos autóctonos son los murciélagos, representados por tres especies: el de Macaronesia, el Rabudo y el Barbastelo. El Conejo –fácil de observar en lugares abiertos como

Brezal de crestería, Alto de Garajonay

Pinzón Vulgar de la subespecie local

el Área Recreativa de Laguna Grande–, la Rata Negra, el Ratón de Campo y el Gato cimarrón fueron todos ellos introducidos por el hombre y su presencia representa un problema para la flora y fauna autóctona.

Entre las aves de Garajonay, destaca la importante presencia de la Paloma Turqué, que con un millar de ejemplares representa la mayor población de Canarias. También está presente la Paloma Rabiche, con unos doscientos ejemplares. Otras aves para las que este monteverde es de gran importancia son la Chocha Perdiz, el Gavilán Común y el Busardo Ratonero –con cerca de una docena de parejas reproductoras cada uno– así como el Cernícalo Vulgar, además de algunos pajarillos como la subespecie *canariensis* del Pinzón Vulgar, el Canario, el Vencejo Unicolor, el Reyezuelo Tinerfeño, el Mosquitero Canario o la Lavandera Cascadeña. En las áreas que reciben mayor insolación aparecen el Lagarto Tizón de la Gomera (*Gallotia caesaris gomerae*), la Lisa Dorada de la Gomera (*Chalcides viridanus coeruleopunctatus*) y, en las zonas más bajas, la Ranita Meridional (*Hyla meridionalis*).

En realidad los verdaderos reyes del Parque Nacional son los invertebrados, de los que se han identificado cerca de un millar de especies, unas 150 de ellas endémicas. Multitud de insectos, arácnidos y gasterópodos habitan en estos bosques y montañas, destacando la abundancia de babosas, que habitan el suelo de hojarasca y los troncos en descomposición. También destacan las mariposas endémicas de Macaronesia o Canarias, como la Cleopatra Canaria (*Gonopteryx cleobule*) -propia de la laurisilva y que puede verse de finales de primavera durante todo el verano-, la Vanesa India (*Vanessa indica*) o la *Pieris cheiranthi*. De octubre a enero también aparecen diversas especies de mariposas nocturnas. El escarabajo *Pimelis laevigata valipides* o el Saltamontes sin Alas (*Acrostira bellamyi*) son otros endemismos exclusivos de La Gomera.

CONSERVACIÓN

La principal amenaza para el ecosistema de Garajonay la constituyen las especies foráneas introducidas por el ser humano, como son los eucaliptos, los pinos, los gatos, las ratas y los conejos. Entre las acciones llevadas a cabo por la administración del Parque cabe destacar la paulatina eliminación de las antiguas plantaciones forestales que se encuentran en el interior de sus límites. Otro peligro omnipresente lo constituye la posibilidad de incen-dios forestales, que destrozan la comunidad vegetal autóctona.

Por otra, parte hay que apuntar que el Parque Nacional, de reducida extensión, deja fuera de su manto protector algunos bosques de gran valor natural que algún día deberían ser incluidos.

DATOS DE INTERÉS DEL PARQUE Y RECOMENDACIONES

Extensión: 3.984 hectáreas, más 4.230 de Zona Periférica de Protección.

Año de declaración: 1981. También declarado Sitio del Patrimonio mundial (UNESCO) en 1986.

Dirección:
• Oficinas
Carretera general del Sur, 6
San Sebastián de La Gomera
922 87 01 05

• Centro de Visitantes Juego de Bolas
La Palmita, s/n, Agulo
922 80 09 93

Sitio web:
www.mma.es/parques/lared/garaj

Acceso al Parque: a la isla de la Gomera puede llegarse por mar o por aire. Existen varios barcos diarios desde la vecina Tenerife (Compañía Fred Olsen* y Compañía Trasmediterránea*) que duran entre 45 y 90 minutos. También hay barcos a la isla de La Palma y a la de El Hierro. Asimismo, hay varios vuelos diarios en avión desde Gran Canaria y desde Tenerife. El pequeño aeropuerto*, construido sobre un acantilado marino, se halla cerca de Playa Santiago, en el sur de la isla.
La carretera TF-713 –más conocida como la "carretera dorsal"– recorre el Parque de un extremo al otro, permitiendo un fácil acceso a las zonas visitables e inicio de los diversos itinerarios, incluso en autobuses de línea regular, localmente denominadas "guaguas" del Servicio regular Gomera S.L.* Hay que tener presente que, debido al fácil deterioro del manto de musgos y líquenes que recubren el suelo del bos-que, la mayoría del Parque está considerado como Reserva Natural, por lo que es recomendable no abandonar los caminos o senderos señalizados, ni adentrarse en los que están cerrados al público. Garajonay recibe unos 600.000 visitantes anuales.

Servicios y equipamientos: Centro de Visitantes Juego de Bolas con exposición, sala de audiovisuales, tienda donde se pueden conseguir folletos, libros y mapas y un extenso e interesante jardín que muestra la flora local, distribuida por hábitats. El centro permanece abierto todos los días de 9'30 a 16'30 h, excepto los lunes. Existe un servicio gratuito de guías-intérpretes para la realización de excursiones guiadas. Senderos auto-guiados, señalizados mediante postes numerados. En el Área recreativa de La Laguna Grande hay bar-restaurante, parque infantil, fogones, un sendero interpretativo y servicio de información. La acampada no está permitida en el interior del Parque.

Recomendaciones generales: debido al peculiar clima de las Islas Canarias, Garajonay puede ser visitado en cualquier época del año. La floración en sus bosques tiene su punto álgido hacia los meses de marzo y abril. La presencia de nieblas y humedad hace recomendable llevar ropa de abrigo y lluvia, calzado adecuado y un mapa. Para las caminatas largas también es recomendable llevar algo de agua. Dada la fragilidad del ecosistema forestal, no hay que salirse de los senderos y conviene tener cuidado con el fuego, sólo permitido en los lugares acondicionados para ello.

ver Información Turística en la ficha del final del capítulo

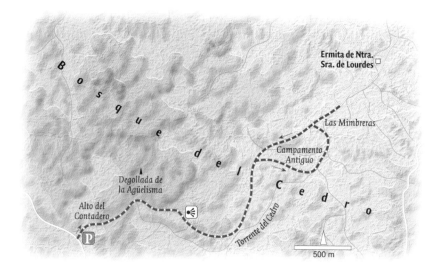

ITINERARIO A
EL CONTADERO-LAS MIMBRERAS

Garajonay cuenta con diversos senderos autoguiados que recorren algunas de sus zonas más interesantes. En el Centro de Información "Juego de Bolas" es posible conseguir un folleto explicativo de los diversos itinerarios que puede sernos de utilidad durante la estancia en el Parque. Nuestra primera propuesta parte del aparcamiento de **El Contadero**, situado a unos 1.350 metros de altitud, prácticamente en el centro de La Gomera, en la carretera que recorre la dorsal del Parque. El nombre del lugar tiene su origen en que éste fue un importante punto de comunicación entre las dos vertientes de la isla, y aquí se detenían tradicionalmente los pastores a contar su ganado.

Tan sólo empezar la ruta, penetramos por un estrecho sendero en un

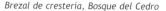

Brezal de crestería, Bosque del Cedro

Cerrajones (Sonchus hierrensis) en flor, Degollada de la Agüelisma

atractivo brezal de crestería. Expuestos a los vientos húmedos, los Brezos son capaces de captar la humedad de la bruma merced a sus hojas en forma de pequeñas agujas, agrupadas a modo de pinceles. Gracias al viento que arrastra la bruma a gran velocidad, aquí el bosque se convierte en una auténtica esponja, capaz de absorber humedad aunque no llueva. El agua así acumulada se precipita hacia el suelo en forma de gotas, de tal forma que éste se empapa y se favorece así el crecimiento de distintas especies de helechos y de musgos. Antiguamente, las raíces de los helechos se utilizaban para obtener harina, y las frondas como alimento para el ganado. Aunque en el resto de España el Brezo raramente es más que un arbusto de poca altura, aquí alcanza porte arbóreo, encontrándonos con ejemplares de gran belleza.

El brezal que recorreremos ofrece un aspecto más o menos abierto, según la intensidad de la explotación que sufrió en tiempos pasados por parte del hombre. En la **Degollada de la Agüelisma**, por ejemplo, la comunidad vegetal es más abierta, siendo más fácil observar a los pajarillos forestales como el Pinzón Vulgar (*subsp. canariensis*) y el Herrerillo Común (*subsp. teneriffae*), las subespecies endémicas de La Gomera, Tenerife y Gran Canaria.

Un poco más adelante, el bosque vuelve a cerrarse y el camino empieza a descender: primero poco a poco, y luego ya descaradamente, incluso por medio de escalones, en busca del fondo del torrente. Hemos penetrado en una laurisilva de ladera, integrada por árboles como la Faya, el Loro, el Brezo Blanco y el Acebiño. Entre los arbustos del sotobosque, destaca el Follao (*Viburnum rigidum*), endemismo canario pariente cercano del Durillo tan característico de nuestros encinares peninsulares. Sus flexibles ramillas eran empleadas en la isla para la elaboración de cestos.

La laurisilva es un bosque relicto, una muestra de los bosques subtropicales que poblaron la región mediterránea durante el periodo

Condensación de la niebla en el brezo

Terciario, hace varios millones de años. Estos bosques siempre verdes desaparecieron del continente como consecuencia de cambios climáticos. En la actualidad, han quedado como una comunidad vegetal propia de la región Macaronésica, que engloba los archipiélagos de Azores, Madeira y Canarias. A partir del siglo XV, con la llegada de los europeos, el monteverde sufre una enorme regresión, de tal forma que se retira paulatinamente de sus parajes habituales. La importancia de estos bosques radica en su capacidad para captar la humedad de las nieblas y transformarla en agua que se precipita hacia el suelo, recargando los acuíferos de la isla.

A poco más de medio kilómetro de andar, se terminan los escalones y llegamos a un **torrente**. Hemos descendido unos 175 metros de desnivel y ahora el camino discurre por un bosque más llano, que recorreremos acompañados por el canto del Mirlo Común -abundante durante todo el recorrido- y por el arrullo de las palomas de laurisilva. En este tramo hay muchos troncos caídos en el lecho del bosque. Esta madera muerta es aprovechada por multitud de organismos, como los hongos, numerosos invertebrados, los gorgojos, la carcoma y las bacterias, todos ellos capaces de descomponer la materia orgánica. Debido a la elevada humedad presente en el aire, algunas plantas –denominadas epífitas– no necesitan estar arraiga- das en el suelo, sino que viven sobre la corteza de árboles o arbustos, sin dañarlos.

Continuando nuestro paulatino descenso, en un momento determina- do, llegamos a un mirador. El brezal que nos rodea se encuentra degrada- do, en parte por la acción del hombre y, en parte, debido a las dificultades para medrar sobre un suelo pedrego- so y en tan pronunciada pendiente. Como se trata de un lugar algo abierto, si nos detenemos un rato es posible que veamos el endémico Reyezuelo Tinerfeño o la subespecie de Herrerillo Común antes citada.

Al cabo de una hora de camino llegaremos al Torrente del Cedro. Ahora podremos observar algún enorme Castaño y, más adelante, llegaremos a un antiguo claro. Esta abertura en el bosque es debida a que, en el año 1962, aquí se construyó un **campamento**. Ahora, después de unos años de abandono, la vegetación está recolonizando el calvero. Aquí crecen numerosos arbustos de Codeso (*Adenocarpus foliosus*) que alcanzan gran altura, Follao, Brezo Blanco, Sanguino (*Rhamnus glandulosa*) que fructifica en verano, o árboles como el Loro, la Faya o el Palo Blanco, así denominado por el color de su madera, que fue utilizada para la construcción y para la elaboración de aperos de labranza.

En la linde del bosque, unos rótulos señalizadores nos indican tres posibles direcciones: hacia el "Alto de Garajonay", que es de donde venimos, hacia el "Arroyo el Cedro", que es por donde regresamos de aquí a un rato, y un simple dibujo de un caminante, que es la ruta que tomaremos y que penetra en el bosque hasta alcanzar de nuevo el **Torrente del Cedro**. Estamos ante uno de los pocos cursos de agua permanentes de todo el archipiélago canario. Es éste un enclave de gran belleza, tan umbrío que resulta casi imposible realizar fotografías sin la ayuda de un trípode. Vale la pena sentarse a contemplar los grandes Viñátigos de casi treinta metros de altura que bordean el curso de agua. Este árbol, también de la familia de las lauráceas y asimismo endémico de la Macaronesia, habita los fondos de barranco -donde haya sombra y una elevada humedad-. Se trata de un cercano pariente del Aguacate americano que, en los años noventa, fue elegido como el símbolo natural vegetal de la isla de La Gomera.

Después de dejar que este especial rincón de La Gomera se haya asentado en nuestro corazón, reemprenderemos nuestro andar. Atravesaremos el torrente y lo

Laurisilva, Bosque del Cedro

Madroño Canario (Arbutus canariensis)

seguiremos por la orilla contraria, hasta encontrarnos con una pista forestal. Llegados a este sitio, si quisiéramos seguir por el sendero, atravesaríamos la pista y continuaríamos descendiendo hasta llegar a la zona conocida como **Las Mimbreras**, y luego a la ermita de Nuestra Señora de Lourdes. Sin embargo, hacia arriba, a nuestra izquierda vemos de nuevo un indicador con el símbolo del caminante. Si ya tenemos suficiente por hoy (¡conviene prever que nos queda una buena subida!) seguiremos esta dirección, que nos llevará de nuevo al antiguo campamento por un camino distinto. Una vez allí la ruta de regreso es la misma que la de antes, aunque en sentido ascendente. Mejor tomárselo con calma, ¡ahora todo viene de subida!

FICHA ITINERARIO A

Época de visita: cualquier época del año. Los Brezos están cubiertos de florecillas blancas a finales del invierno y principios de la primavera.

Horario y duración del recorrido: del aparcamiento de El Contadero a Las Mimbreras y volver a subir, entre 3 horas y 3 horas y media. El recorrido total ronda los 9 kilómetros y el desnivel es de unos 400 metros.

Dificultades y recomendaciones: el sendero está bien marcado, pero suele ser resbaladizo en algunos de sus tramos. Dentro del monteverde puede hacer frío y humedad (¡eso cuando no llueve, claro!). Una guía de árboles y plantas nos ayudará a reconocer las especies más destacadas de la laurisilva.

Interés: recorrido altitudinal por el monteverde de la vertiente septentrional de Garajonay, que constituye una muestra bien conservada de las diversas comunidades forestales, desde el brezal de cumbre hasta la laurisilva de ladera y el bosque de galería.

Laurisilva en Las Mimbreras

ITINERARIO B
JARDÍN DE LAS CRECES

El segundo itinerario propuesto también forma parte de la red de senderos autoguiados del Parque Nacional de Garajonay. Sin embargo, a diferencia del anterior, esta vez no deberemos volver sobre nuestros pasos, sino que se trata de un recorrido circular.

El punto de partida se localiza en el extremo Oeste del Parque Nacional, en la carretera dorsal, junto a un panel indicativo donde pone: "Las Creces 0,7 km". Aquí hay que dejar el vehículo aparcado y seguir a pie la pista forestal que parte hacia el sur, adentrándose en el fayal-brezal. Nos encontramos a una altitud de 1.100 metros y, en diez minutos de cómodo paseo a través del bosque, llegaremos al **área recreativa de Las Creces**, un claro en el monteverde, donde encontraremos varias mesas, barbacoas y una fuente de agua. Hasta mediados del siglo pasado, este calvero se utilizaba para recoger el ganado durante la noche. El apelativo tiene su origen en el nombre que

reciben los frutos de las Fayas, los grandes árboles que vemos a nuestro alrededor. Estos frutos en forma de bolitas negras son comestibles y en su tiempo eran recolectados por los aborígenes canarios. Éste es un buen enclave para -ahora o a nuestro regreso- sentarse a observar a algunos de los pájaros propios de este tipo de bosque: el Pinzón Vulgar, el Mosquitero Canario, el Reyezuelo Tinerfeño o el abundante Mirlo Común.

De Las Creces parte una estrecha vereda que sigue el curso descendente de un pequeño barranco, bajo el tupido dosel de algunas de las especies de árboles más característi- cas de la laurisilva, como la Faya, el Brezo, el Laurel o el Acebiño. Las dos últimas especies son endemismos macaronésicos, siendo el Acebiño un cercano pariente del Acebo de la Península Ibérica. Durante mucho tiempo sufrió un intenso aprovecha- miento por parte del hombre, que lo utilizaba como leña, para fabricar aperos de labranza, o como alimento

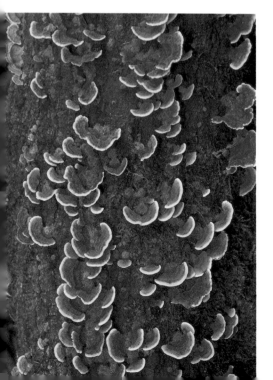

Hongos sobre un tronco, Las Creces

Laurisilva en Las Creces

para el ganado. Al envejecer, el Acebiño suele cubrirse de grandes cantidades de verdes musgos, que reciben el nombre de Barbas de Acebiño, por el hecho de colgar de sus ramas. En las alturas del bosque es posible oír el arrullo de la preciosa Paloma Turqué, algo parecido al de la Tórtola Europea, o el ruido del batido de sus alas al levantar el vuelo asustada por nuestro paso. Mucho más difícil será observarla, dado su carácter receloso y la espesura de la vegetación.

En algunos tramos del recorrido observaremos a nuestros pies los restos de una **antigua acequia**, que fue construida para proporcionar agua a los caseríos cercanos. A lo largo de nuestra ruta, las zonas boscosas antiguamente explotadas se combinan con otras poco o nunca aprovechadas por los campesinos gomeros. En estas últimas, podemos fijarnos en cómo los árboles viejos caídos son descompuestos por invertebrados y bacterias, reintegrándose así al suelo su materia orgánica. Diversas especies de hongos, de gran variedad de formas y colores, también sacan partido de la madera muerta y de la materia en estado de descomposición. El sotobosque, básicamente integrado por Ortigón (*Urtica morifolia*) y Geranio Canario, está deslumbrante en el mes de abril,

Geranio Canario

suerte, la Paloma Turqué. Entre los insectos, cabe destacar el Escarabajo Longicornio (*Leptura palmi*) endémico de esta isla, la Mariposa Cleopatra (*Gonopteryx cleobule*) y un saltamontes también endémico: *Acrostira bellamyi*.

Después de andar algo más de un kilómetro y de haber descendido un centenar de metros, nos encontramos con un **cruce de senderos**: el de la derecha conduce hacia Arure. Nosotros seguiremos el de la izquierda, que indica hacia Las Hayas. A partir de aquí entramos en una zona más cálida, que se nota por la aparición de plantas como la Jara (*Cistus monspeliensis*), la Menta (*Calamintha sylvatica*), el Tomillo (*Micromeria sp.*) o el Poleo de Monte (*Bystropogon origanifolius*). Luego subimos un poco y, a los 1,7 kilómetros, en medio del fayal-brezal, encontramos un nuevo cruce. Hacia la izquierda nos indica "Carretera Dorsal, 1,9 km", y hacia la derecha "Las Hayas, 0,7 km". Seguimos por la pista forestal -cerrada al trafico de vehículos- a través de un bosque algo más luminoso, acompañados por las voces de los canarios, y los colores de las violetas y geranios hasta que, a los 2,4 km, nos encontramos de vuelta al área recreativa de Las Creces. A menos de medio kilómetro está nuestro vehículo.

cuando millares de flores violetas de esta última especie tapizan el piso del monteverde. Las aves siguen acompañándonos en nuestro recorrido: si permanecemos bien atentos quizás podamos observar el Petirrojo, el Pinzón Vulgar, el Reyezuelo Tinerfeño o, con más

FICHA ITINERARIO B

Época de visita: todo el año. El tapiz de Geranio Canario florece hacia el mes de abril.

Horario y duración del recorrido: se trata de un circuito circular, de unos 3 kilómetros de longitud y escaso desnivel, que puede hacerse en una hora y media de camino.

Dificultades y recomendaciones: discurre por un sendero y una pista forestal con pocos desniveles. Sin embargo, si ha llovido, el sendero puede ser resbaladizo en algún punto del trayecto.

Interés: observación del característico fayal-brezal del Parque. Observación de interesantes especies vegetales propias de la isla y de diversas subespecies de aves isleñas.

OTROS LUGARES DE INTERÉS NATURAL

• Sendero de Los Barranquillos: se trata de un corto sendero autoguiado que permite recorrer zonas de fayal-brezal, para acabar asomándose a unos grandes acantilados.
• Alto de Garajonay: visita a las cumbres más elevadas de este Parque Nacional. Si no hay niebla, se disfruta de extensas vistas sobre el resto de la isla de La Gomera.
• Cañada de Jorge a Arure: ruta a pie que transcurre a través de un fayal-brezal de gran interés naturalístico.
• Excursión al Monumento Natural de Los Órganos de Vallehermoso: situado en la costa norte de la isla, constituye una bella y espectacular muestra de disyunción columnar. Tan sólo es visible desde el mar, cogiendo los embarcaciones turísticas que parten de Playa de Santiago y de Valle Gran Rey.

LUGARES DE INTERÉS HISTÓRICO-ARTÍSTICO

• Valle Gran Rey: espectacular valle de escarpado relieve, con bellos bancales. Ermitas de la Adoración de los Reyes y de San Nicolás de Tolentino, ambas del siglo XVI.
• San Sebastián de La Gomera: atractivo núcleo urbano de 500 años de antigüedad.
• Valle de Hermigua: angosto valle agrícola donde se cultiva el plátano con numerosos enclaves de interés, como el caserío del Cedro, el Convento de San Pedro, la iglesia de la Encarnación del siglo XV o el Museo etnográfico Virgilio Brito.
• Agulo: un atractivo pueblo de calles empedradas y casas con tejados de teja, enclavado al pie de unos acantilados de basalto. Iglesia de San Marcos, que data del siglo XVII.

CARTOGRAFÍA

• *Gomera* (1997), 1:35.000. Wander & Autokarte. Freytag & Berndt, Viena.
• *La Gomera*. Naturaleza y magia, 1:48.000. Mapa de senderismo. Hotel Gran Rey, Valle Gran Rey (La Gomera).

LECTURAS RECOMENDADAS

• **Bacallado.** (2000). *Canarias, Parques Nacionales*. Turquesa Ediciones.
• **Bramwell, David y López, J. M.** (1999). *Historia natural de las Islas Canarias: La Gomera*. Editorial Rueda.
• **Fernández, A.** (Coordinador). (1998). *Guía de visita del Parque Nacional de Garajonay. La Gomera*. Organismo Autónomo de Parques Nacionales.
• **Mora, Manuel.** (1995). *Los espacios naturales de La Gomera*. Editorial Globo.

INFORMACIÓN TURÍSTICA

• Patronato Insular de Turismo de la Gomera
Calle Real, 4
San Sebastián de la Gomera
922 14 15 12
922 87 02 81
922 14 01 51 (fax)
turismo@gomera-island.com
www.gomera-island.com
• Aeropuerto de la Gomera
922 87 30 00
• Conexiones marítimas
Compañía Fred Olsen
922 62 82 00
www.fredolsen.es
Compañía Transmediterrànea
922 87 13 24
www.transmediterranea.es
• Autocares de línea regular
Gomera S.L.
922 14 11 01
• Alquiler de vehículos Cicar
info@cicar.com
www.cicar.com

Aeropuerto de la Gomera
922 42 80 48
Ruiz de Padrón, 9, San Sebastián
922 14 11 46

ALOJAMIENTOS

Zona de acampada privada en las inmediaciones del Caserío del Cedro.
• Acantur, Ecotural
  922 14 41 01 (tel /fax)
  gomera@ecoturismocanarias.com
  ecoturismocanarias.com/gomera
• Apartamentos "Los Telares"

El Convento, Hermigua
922 88 07 81 / 922 88 03 02
922 14 41 07 (fax)
telares@canary-islands.com
www.canary-islands.com/gomera/telares.htm
• Casas rurales "El Cedro"
  laurel@canary-islands.com
  www.canary-islands.com/gomera/laurel.htm
• Parador de La Gomera
  San Sebastián de la Gomera
  922 87 11 00 / 922 87 11 16
  gomera@parador.es

Monteverde en el Bailadero

PARQUE NACIONAL
DEL TEIDE

PARQUE NACIONAL
DEL TEIDE

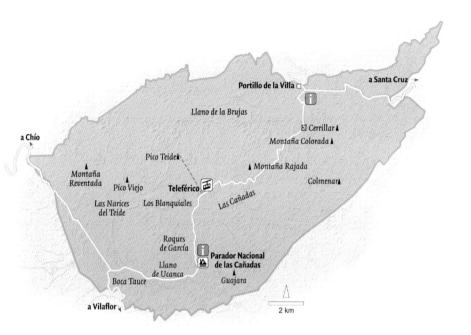

El volcán Teide y el espectacular circo de las Cañadas –donde se encuentra enclavado– nos ofrecen un paisaje de alta montaña volcánica insular realmente excepcional, donde la belleza meramente visual –surrealistas panoramas de extrañas formas y colores, conos volcánicos rozando los 3.800 metros de altitud que se alzan a tan sólo trece kilómetros del mar, altivos pitones rocosos e inmensos campos de lava de atormentado aspecto– se combina de maravilla con el interés naturalista: una historia geológica apasionante, numerosos endemismos vegetales, grandes lagartos manchados de azul, e interesantes pájaros propios de las islas Canarias. Para los guanches, los habitantes originarios de esta isla que debieron verlo en erupción, este volcán era el Echeyde, y era la morada de Guayota el maligno. Incluso se ha dicho que Cristóbal Colón, camino de América, observó una de sus erupciones. La última de ellas tuvo lugar en el año 1.798 y duró tres meses. Los volcanólogos aseveran que, hoy en día, el volcán aún no está apagado...

SITUACIÓN

El Parque Nacional del Teide ocupa toda el área central de la isla de Tenerife, que forma parte del archipiélago canario. El territorio del

*Rosalillo de Cumbre (*Pterocephalus lasiospermus*) en flor ante el Pico Viejo, a primeros de julio*

Parque se sitúa íntegramente por encima de los 1.650 metros de altitud e incluye dentro de sus límites tanto al famoso volcán que le da nombre – que con sus 3.718 metros de altitud es la cumbre más elevada del territorio español–, como al espectacular Circo de las Cañadas en el que se encuentra enclavado. Esta enorme depresión, de unos 17 kilómetros de diámetro y situada por encima de los 2.000 metros de altitud, está formada por dos semicalderas separadas entre sí por los Roques de García. La mayor parte del área protegida corresponde al municipio de La Orotava.

AMBIENTES NATURALES

El imponente estratovolcán Teide-Pico Viejo se levanta sobre los restos de lo que fuera un edificio volcánico mucho mayor, que hace 180.000 años ocupaba el centro de la isla. ¡Se estima que quizás se elevaba hasta los 6.000 metros de altitud! Pero aquel cono se derrumbó y se deslizó por el valle de Icod. Lo único que de

él resta es el anfiteatro de acantilados de Las Cañadas. A ese cataclismo le siguió una fase de intensa actividad volcánica, que fue rellenando el hueco que se había producido, y durante la cual aparecieron el Pico Viejo y el Teide. La última erupción data del año 1.798 y tuvo lugar por las denominadas "Narices del Teide", que pueden verse desde un mirador existente en la carretera a Chio. Hoy en día estos volcanes no están apagados; permanecen activos bajo tierra, como demuestran las fumarolas que surgen en el cono más alto.

Entre el Teide y los acantilados del circo se extienden unos altiplanos de color blanquecino que desde tiempos inmemoriales fueron lugar de paso para trasladar el ganado del Norte al Sur de la isla. A veces, estas planicies se llenan de agua y se forman lagos estacionales donde se reflejan las cimas circundantes. Un recorrido en automóvil por la carretera que atraviesa el Parque nos muestra toda la variedad de paisajes volcánicos que uno pueda desear: conos volcánicos, distintos tipos de coladas de lava,

Una gélida madrugada primaveral en el Volcán Teide

Tajinaste Rojo

piroclastos lanzados al aire por explosiones, campos de cenizas...

El **clima** está claramente influenciado por la elevada altitud, ya que el Parque se extiende entre los 1.650 y los 3.718 metros. La humedad ambiental es muy baja y se producen pocas precipitaciones, básicamente durante el invierno. El Teide suele aparecer rodeado por un mar de nubes, por encima del cual poca agua cae. A lo largo de un mismo día, se producen considerables variaciones de temperatura, y no digamos ya a lo largo del año. En verano y en otoño son frecuentes los vientos procedentes del desierto del Sahara, que traen polvo en suspensión y reducen la visibilidad.

Paso a paso, estos campos de lava van siendo colonizados por diversas especies de **plantas**. La comunidad vegetal más extendida es el retamar de cumbre, del que forman parte integrante la Retama Blanca o del Teide (*Spartocytisus supranubius*), arbusto que en primavera cubre de flores blanquecinas las llanuras, y que suele ir acompañado por el Codeso (*Adenocarpus viscosus*) y la Hierba Pajonera (*Descurainia bourgeauana*) que se viste de flores amarillas. Otras especies propias de esta comunidad son: el Rosalillo de

Margarita del Teide (Argyranthemum teneriffae)

Cumbre o Falsa Conejera, que hasta la declaración del Parque estuvo amenazado por el pastoreo; la Tonática (*Nepeta teydea*); el Cardo de Plata (*Stemmacantha cynaroides*); y el endemismo *Erigeron calderae*.

Para el aficionado a la botánica, la mejor época para visitar el Teide es la primavera avanzada, durante los meses de mayo y junio. De las 168 especies de plantas superiores contabilizadas, 58 de ellas son endemismos canarios. Entre ellos citaremos al Tajinaste Rojo (*Echium wildpretii*); el Rosal del Guanche (*Bencomia exstipulata*), cuya población es de tan sólo medio centenar de ejemplares; la Jara de las Cañadas (*Cistus osbaeckiaefolius*); y la exclusiva y escasa *Helianthemum juliae*. Por encima de los 2.400 metros, vive una de las joyas del Parque Nacional: la Violeta del Teide (*Viola cheiranthifolia*), capaz de sobrevivir en unos parajes donde parece ilógico que un ser vivo pueda prosperar.

En amplias extensiones de los malpaíses aparentemente estériles, los únicos vegetales que veremos son

Arco de lava en el borde de una cañada

los líquenes, que cumplen una trascendental función de colonización y degradación de la roca. Cuando este proceso está más avanzado, ya pueden arraigar especies como la Flor del Malpaís (*Tolpis webii*), la Margarita del Teide, el Alhelí del Teide (*Erysimum scoparium*) y los Tomillos de Las Cañadas (*Micromeria lachnophylla* y *M. lassiophylla*). Una zona especialmente interesante desde el punto de vista botánico son los acantilados y laderas escarpadas de Las Cañadas, donde crecen los Tajinastes Rojo y Picante o Azul (*Echium auberianum*), los Bejeques (*Aeonium spp.*), y algunos ejemplares dispersos de Cedro y Pino Canarios.

Para el visitante ocasional, no parece que en estos yermos campos de lava –y bajo unas condiciones meteorológicas y de altitud tan severas– puedan vivir demasiados **animales**. Cierto que aves y mamíferos escasean, pero la realidad es que se han contabilizado no menos de un millar de especies de invertebrados, el cincuenta por ciento de las cuales son endémicas de Canarias. Aunque poco visibles para los visitantes debido a sus hábitos nocturnos o por vivir escondidos en las fisuras de la

Cañadas del Teide nevadas

lava, ahí están. Cabe destacar la existencia de especies incluso en el interior del cráter culminal, y de artrópodos ciegos y sin pigmentos en su cuerpo, en el interior de oscuras cavidades. Uno de los animales más atractivos –y buscados por el aficionado a la observación o la fotografía de la naturaleza que viaja hasta el Teide– es el Lagarto Tizón, apuesto reptil que puede alcanzar los treinta centímetros de longitud. Los machos, con sus manchas azuladas, son más llamativos que sus compañeras, y un buen lugar para verles es en la entrada del Centro de Visitantes de El Portillo y en el Jardín Botánico adyacente.

Cierto que estas montañas no cuentan con espectaculares aves alpinas como el Quebrantahuesos o el Urogallo Común, pero no es menos cierto que varias de las especies presentes sean de considerable interés para el naturalista proveniente de la Península Ibérica. De plumaje discreto –pero inquieto comportamiento–, el Bisbita Caminero es una de las más visibles. Se trata de un endemismo de las Islas Canarias, Madeira y Salvajes, que puede vivir hasta los 3.000 metros de altitud. El

Pinzón Azul macho

Luz crepuscular en Las Cañadas

inconfundible Canario nos llama la atención con sus trinos, y los gritos del Cernícalo Vulgar resuenan por los pitones y paredes del anfiteatro. El Busardo Ratonero y el Búho Chico son otros de los depredadores de Las Cañadas. Les acompaña en su tarea el más pequeño Alcaudón Real Meridional. Otros pájaros propios del lugar son: la Paloma Bravía, la Perdiz Moruna, el Cuervo, el Herrerillo Común de la subespecie *teneriffae*, la Curruca Tomillera y –excepto en invierno– el Vencejo Unicolor. Una de las especies más buscadas por los aficionados a las aves es el Pinzón Azul, un bello fringílido de plumaje azul grisáceo, endémico de las islas de Tenerife y Gran Canaria. En realidad, su hábitat preferido son los pinares que circundan el Teide, donde nos será fácil observarlo en cualquier área de "pic-nic" de las que existen en las carreteras de subida, pero a veces es posible verlo en los alrededores del Centro de Información de El Portillo.

Mamíferos autóctonos del Parque tan sólo hay cinco especies de murciélagos, destacando el endémico Murciélago Orejudo Canario. Entre los mamíferos introducidos, cabe citar al Conejo, el Erizo Moruno, el Muflón, gatos y perros asilvestrados, así como la habitual cohorte de ratas y ratones que el ser humano se encarga de llevar consigo a cualquier lugar.

CONSERVACIÓN

Con unos tres millones y medio de personas al año, el Teide es el Parque Nacional español más visitado, lo que representa una considerable presión sobre sus ecosistemas. Por suerte, la gente se concentra mayoritariamente en unas zonas en concreto, dejando el resto del área protegida tranquila. Otro problema provocado por la intervención humana es la presencia de animales no autóctonos, como el Conejo, el Muflón y el Gato asilvestrado, que la administración del Parque está intentando ahora eliminar. Como aprovechamiento tradicional se mantiene la obtención de miel y la extracción de tierras y cenizas de colores para confeccionar las tradicionales alfombras de colores de la villa de la Orotava.

DATOS DE INTERÉS DEL PARQUE Y RECOMENDACIONES

Extensión: 18.990 hectáreas, más 12.220 de Zona de Protección.

Año de declaración: 1954, reclasificado en 1981.

Dirección:
• Oficina del Parque Nacional
Emilio Calzadilla, 5, 4°
Santa Cruz de Tenerife
922 29 01 29 / 922 29 01 83
922 24 47 88 (fax)
pnteide@teleline.es
De 9 a 14 h (lunes a viernes)
• Oficina de El Portillo (rutas guiadas)
Ctra. Orotava-Granadilla, km 33,5.
De 9 a 16'30 h (lunes a viernes)
• Centro de Visitantes El Portillo
Ctra. Orotava-Granadilla, km 32,1.
De 9 a 16'30 h.
• Centro de Visitantes Cañada Blanca
Ctra. Orotava-Granadilla, km 46,4.
De 9'15 a 16 h.
• Caseta de Información de El Portillo
Ctra. Orotava-Granadilla, km 31,9.
De 9'15 a 16'15 h.
• Caseta de Información de Boca Tauce
Ctra. Orotava-Granadilla, km 53. De 9'30 a 16 h.

Sitio web:
www.mma.es/parques/lared/teide

Acceso al Parque: Tenerife es una isla de fácil acceso por avión o barco desde la Península Ibérica o islas cercanas. El Parque Nacional es atravesado de Nordeste a Sudoeste por la carretera TF-21 (antigua C-821). Por el Norte de la isla, esta carretera parte de La Orotava, situada a 31 kilómetros de distancia. Por el Sur, asciende desde Granadilla de Abona, pasando por Vilafor, por sinuoso trayecto de 57,5 km. Por el Oeste, viene la carretera TF-38 desde Chío, a 8,3 km y, por el Este, la TF-24, que parte de La Laguna, a 30 km. Al aparcar en el interior del Parque, es recomendable hacerlo en los sitios indicados para ello. También puede accederse al área protegida mediante las líneas regulares de autobuses 348 (El Puerto de la Cruz) y 342 (Playa de las Américas). Los ciclistas sólo pueden circular por las carreteras asfaltadas. En invierno,

puede practicarse el esquí de fondo en la carretera y en las pistas cerradas al tráfico por la presencia de nieve. El esquí de montaña sólo está permitido en Montaña Blanca.

Extensas áreas del Parque están cerradas al público, pero existen más de 30 senderos para satisfacer nuestras ansias andarinas. El Sendero Telesforo Bravo, que es el que asciende a la cumbre del Teide, requiere de una autorización emitida en las oficinas del Parque en SantaCruz, mediante la presentación de una fotocopia del DNI. Aún así, la cumbre es pisada por 30.000 personas al año.

Servicios y equipamientos: centros de visitantes "El Portillo" y "Cañada Blanca", con exposiciones, audiovisuales y tienda, excursiones guiadas, itinerarios señalizados, Jardín Botánico en El Portillo, Parador de Turismo Cañadas del Teide y diversos restaurantes, miradores, parada de autobuses de línea regular, teleférico al Teide. Refugio de Altavista con servicio de cocina y baño*. Con el tiquet del alojamiento se puede subir al pico sin necesidad del permiso de acceso, siempre que se haga antes de las 9 de la mañana.

Recomendaciones generales: la climatología es extrema, con frecuente presencia de nieve y hielo. No hay que fiarse de la temperatura que haga en las zonas costeras: incluso en verano, aquí puede hacer mucho frío. Si vamos de excursión hay que tener cuidado con los cambios bruscos de tiempo. Aparte de ropa de abrigo, hay que pensar en unas botas adecuadas para los pedregosos senderos. La radiación solar es intensa, de tal forma que es necesario protegerse mediante gafas de sol, crema protectora de elevado factor y un gorro. Si nos tienta la ascensión a la cima, hay que tener en cuenta que, rozando los 4.000 metros, la densidad de oxígeno en el aire es menor y el cansancio aparece antes. No está permitido recolectar piedras, plantas o animales, ni hacer fuego. La acampada libre está prohibida pero, mediante una autorización, se puede vivaquear por encima de los 2.500 metros.

ver Información Turística en la ficha del final del capítulo

ITINERARIO A
LOS ROQUES DE GARCÍA

Nuestra primera propuesta consiste en un agradable e interesante rodeo a los Roques de García. Esta ruta está señalizada por el Parque Nacional con el número 3 y cuenta con algunos paneles informativos en su recorrido. La senda empieza en la parte norte del aparcamiento del **Mirador de la Ruleta**, situado enfrente del Parador Nacional de las Cañadas. Este lugar es uno de los más frecuentados del Parque y, a partir de media mañana, bulle de autocares y turistas, por lo que es mejor alejarse de allí lo antes posible.

En el mismo inicio de la ruta nos topamos con el archiconocido Roque Cinchado, que con la imagen del Teide al fondo constituye uno de los iconos de este Parque Nacional. La primera parte del camino es llana, y discurre a una altitud de unos 2.150 metros, entre la alineación de pitones rocosos o "roques", a la izquierda, y de un matorral de alta montaña, a la derecha. Esta forma-ción vegetal está integrada por Retama Blanca –que podremos ver en flor si visitamos el Parque entre mayo y julio–, el Codeso, el Rosalillo de Cumbre y el Alhelí del Teide. En esta maleza, es posible oír –y no es difícil observar– a algunos pájaros

propios del archipiélago: el Mosqui-tero Canario, el Herrerillo Común *subsp. teneriffae*, el Canario y el Bisbita Caminero.

Los **Roques de García** son una línea de formaciones rocosas que separan dos semicalderas del Teide, estando la occidental situada a menor altitud que la oriental. En los Roques, podemos observar varios pitones y algunos diques. Los

Cascada de lava en los Roques de García

Roques de García y Pico del Teide

pitones son conos de lava que se
solidificaron en el interior de las
chimeneas volcánicas, y que luego la
erosión y los deslizamientos han
dejado al descubierto. Algo parecido
sucede con los diques. Éstos tiene su
origen en unas fisuras por las que el
magma ascendió hasta aflorar a la
superficie. Luego se enfrió y solidificó
en el interior de estas grietas. Al
desaparecer las paredes de roca que
lo aprisionaron, la lava endurecida
apareció en forma de muros.

El camino empieza a ascender
pausadamente, con el constante telón
de fondo del Teide levantándose
enfrente de nosotros. Su cono es el
resultado de la superposición de
diversas erupciones. A nuestra
derecha, se extienden coladas de lava
de dos tipos distintos: por un lado
están las lavas cordadas o "pahoe-
hoe" y, por otro, un poco más lejos
del sendero, el "malpaís" o coladas
tipo "aa". Estos dos curiosos nombres
tiene su origen en Hawai, una tierra

Lagarto Tizón

donde el vulcanismo ha tenido –y aún tiene– gran importancia.

Los Roques forman un hábitat rocoso que sirve de morada a diversos animales salvajes. La Paloma Bravía subsp. *canariensis* es uno de ellos y, si tenemos el oído atento, pueden oírse los chillidos del Cernícalo Vulgar subsp. *canariensis* –o verse, en los acantilados, las manchas blancas de sus excrementos que delatan sus posaderos preferidos–. Si estamos pendientes del suelo, quizás sorprendamos a algún Lagarto Tizón y, si no hay suerte, a inicios del verano podemos deleitarnos con la floración de la Margarita del Teide o del sin par Tajinaste Rojo.

Pasada algo más de media hora desde que empezamos a andar, se alcanza el **final de la cadena de roques**. Éste es, asimismo, el punto más elevado del itinerario, unos 2.200 metros. Ahora el camino gira a la izquierda, invierte su sentido y se dirige hacia el punto de partida por la vertiente opuesta de las rocas, a través de la semicaldera inferior. Sin embargo, primero habrá que descender hasta el mismo fondo de la caldera. Desde donde estamos ahora, la panorámica de los Llanos de Ucanca es realmente magnífica, sobre todo por la tarde. Al discurrir a menor altitud, esta segunda parte del itinerario es más espectacular que la primera, ya que los Roques, ahora a nuestra izquierda, aparecen mas altos e imponentes. El camino se estropea algo y el sendero aparece menos marcado, pero puede seguirse sin problemas. Vamos descendiendo un centenar de metros –a veces por escalones sobre la lava– hasta que, a nuestra izquierda, podemos observar una sorprendente **cascada de lava**

Lavas Pahoe-hoe

negra, en la que se aprecia perfectamente que se petrificó mientras caía entre dos *roques*. Hoy en día, aún conserva el aspecto fluido que tenía en aquel instante remoto.

Pero las curiosidades aún no han terminado. A los cincuenta minutos de camino, nos asombra descubrir un solitario Pino Canario que ha logrado enraizar y desarrollarse aprovechando el resguardo que le proporciona uno de los *roques*. Poco después, el sendero pasa cerca de varios pies de Tajinaste Rojo, una de las especies vegetales más atractivas de estos lares. Cuando cumple tres años de vida, el Tajinaste desarrolla una espectacular inflorescencia, repleta de pequeñas flores rojas, que puede alcanzar dos o tres metros de altura. Una vez ha fructificado, la planta muere, y queda tan sólo su llamativo esqueleto. Para disfrutar de la floración de esta especie hay que visitar el Parque a finales de la primavera e inicios del verano. Un poco más adelante, también a la izquierda, podemos ver un ejemplar

de Cedro Canario, arbolillo endémico del conjunto de islas macaronésicas.

Al cabo de una hora y cuarto, alcanzamos el punto menos elevado del sendero, que ahora discurre entre la línea de *roques* y el bello y ciclópeo monolito rocoso conocido con el nombre de **La Catedral**. Esta formación rocosa está compuesta de rocas de fonolita que se enfriaron en el interior de una chimenea volcánica. Al disminuir la temperatura, los minerales se solidificaron en forma de prismas, lo que explica su llamativa estructura.

Un desnivel de 130 metros nos separa ahora del Mirador de la Ruleta. Nos queda, pues, la ascensión, que discurre por un terreno algo resbaladizo por la cantidad de piedras que hay sueltas. Cuando hemos ascendido unos 40 metros, nos encontramos con un cruce de senderos, en un lugar llamado **La Degollada**. Este collado une La Catedral con los Roques de García. Vale la pena desviarse momentáneamente de nuestro camino y acercarse

La Catedral

Canario posado en una retama

a la punta para disfrutar de la vista sobre el Llano de Ucanca y La Catedral, y echar una ojeada a sus paredones, para localizar a la pareja de Cernícalo Vulgar que aquí habita.

Resoplando un poco, pero satisfechos por no habernos conformado con la simple vista desde el Mirador, alcanzamos de nuevo el aparcamiento. Si hemos realizado el recorrido por la mañana, ahora vale la pena acercarse al **Centro de Visitantes de Cañada Blanca**, situado junto al Parador de Turismo, en el lado opuesto de la carretera, tanto para tomarnos un descanso y un refresco, como para observar los numerosos Bisbitas Camineros y Canarios que se afanan a su alrededor. Si realizamos el recorrido por a tarde, mejor realizar esta visita primero, ya que el Centro cierra a las 16 horas.

FICHA ITINERARIO A

Época de visita: cualquier época del año, pero en primavera e inicios del verano los matorrales en flor aportan mayor belleza al recorrido.

Horario y duración del recorrido: itinerario circular de un total de 4,3 kilómetros, que puede llevarnos unas 2 horas. En cuanto al desnivel, en su primera parte asciende unos 40 metros, luego desciende 170 y, en su último tramo, vuelve a ascender 130 más.

Dificultades y recomendaciones: la primera mitad del sendero discurre por una superficie bien arreglada, levemente ascendente, mientras que la segunda es más irregular, pedregosa y con mayores desniveles, en especial la última cuesta. Ello hace recomendable el uso de un calzado adecuado de buen agarre. El recorrido discurre por un lugar sin sombra alguna, por lo que es mejor evitar las horas del mediodía y tomar las debidas precauciones (gafas de sol, crema protectora, gorra...). Tampoco hay agua en todo el recorrido. Por la tarde, el sol ilumina mejor la segunda y más espectacular parte de la ruta.

Interés: observación de diversas manifestaciones volcánicas, como los espectaculares pitones rocosos, una cascada de lava, los campos de lava, y la flora y avifauna propia de la zona.

ITINERARIO B DESCENSO POR LAS LADERAS DEL TEIDE

Por ser la cumbre más elevada de España, ascender por las laderas del Teide es un reto para cualquier montañero. Sin embargo, para el naturalista o viajero más interesado en ver o fotografiar sus paisajes y observar sus plantas o animales que en la meta montañera, no hay mucha diferencia en realizar el itinerario en sentido inverso, de bajada. De este modo puede disfrutar de los mismos atractivos en un recorrido menos agotador.

Para ello hay que aprovechar la existencia del teleférico que, en tan sólo ocho minutos, permite superar un desnivel de 1.200 metros, algo que llevaría muchas horas de ardua subida. Esta instalación fue inaugurada en el año 1971 y cada cabina es capaz de transportar a un máximo de 38 personas. Es recomendable estar en la estación base del teleférico por la mañana bien temprano, para coger billete en uno de sus primeros trayectos. El horario habitual es de las 9 de la mañana a 5 de la tarde, dependiendo de la estación del año y de la climatología. A medida que avanza la mañana, los autocares de turistas convierten el lugar en poco atractivo para los amantes de la tranquilidad.

La ruta propiamente dicha empieza en la **Estación Superior del**

Campos de lava y cono del Teide

Cima del Teide

Teleférico, enclavada a 3.555 metros en la ladera del volcán. Por la mañana y a esta altitud, el frío es intenso, incluso en verano, por lo que deberemos llevar una chaqueta de fibra polar o alguna prenda similar. En según qué épocas del año también es frecuente encontrar nieve o hielo. Dejaremos la ascensión al pico propiamente dicho por el sendero Telesforo Bravo –es una posible opción que añadiría una hora y cuarto al horario final y que requiere de una autorización especial– y cogeremos el Sendero de Lomo Tieso, que se dirige hacia el Refugio de Altavista. En diversos puntos de este camino, existen mesas interpretativas que permiten orien-

tarse o informan sobre distintos aspectos del lugar. Descendemos durante unos quince minutos por entre lavas negras, donde es posible oler el tufo a azufre de las emanaciones del Teide, hasta que nos encontramos con un desvío que, en un minuto, llega al **Mirador de la Fortaleza**, a 3.540 metros de altitud.

Después de contemplar la amplia panorámica, proseguiremos nuestra ruta. A los 50 minutos nos encontramos con un nuevo desvío. Éste nos llevaría a la Cueva del Hielo, una cavidad de 55 metros de longitud, que tiene una sala de unos 7 por 11 metros. La vereda desciende ahora por un torturado malpaís de lavas negras que brotaron durante la

Tajinaste Picante

erupción del Teide que tuvo lugar durante la Edad Media. Las rocas y gravilla suelta dificultan el camino y agradeceremos habernos calzado unas buenas botas de montaña. Al fin, aparece el **Refugio de Altavista**: hemos andado durante 1 h y 20 minutos –y descendido 290 metros– y éste es un buen momento para tomarse un respiro. El edificio original fue construido en 1893 por el naturalista británico Graham Toler, en 1950 fue reconstruido por el Cabildo Insular y, en los años 90, se benefició de una buena reforma. Ahora tiene capacidad para cincuenta personas y dispone de servicio de cocina y baños.

A partir de aquí, el camino serpentea para perder altitud y van apareciendo algunas plantas que han logrado hacer de estos desolados paisajes su hogar. La más significativa es la Violeta del Teide, un pequeño endemismo de flores malva con el centro amarillo y blanco, que sólo vive por encima de los 2.500 metros de altitud, siendo una de las pocas plantas españolas capaces de vivir más allá de los 3.000. Le acompañan en este árido paraje la Tonática, la Margarita del Teide y la Hierba Pajonera. Más adelante, finaliza el denominado Lomo Tieso, una ladera de lava relativamente lisa. Penetramos en un retamar de cumbre, hasta que se llega a una zona con grandes piedras que se denomina la Estancia de los Alemanes. Un poco más adelante, se encuentra la **Estancia de los Ingleses**, así llamada porque aquí acampaban antaño las expediciones científicas de extranjeros que acudían a estudiar este volcán. El campamento solía instalarse en una zona de poca pendiente, resguardado por unas enormes bolas de acreción, piedras de forma redondeada que, debido a la pendiente, se desprendían de las coladas de lava, hasta que se enfriaban y detenían.

Nuestra senda sigue su descenso serpenteando sobre un suelo de piedra pómez suelta. A las tres horas y unos diez minutos de camino (5,85 km), nos encontramos con un nuevo desvío que parte hacia la izquierda y nos conduce hasta el **"Puesto de Mulas"**, donde el sendero termina en una pista de tierra, cerrada al público. Aquí descansaban las mulas que subían al Refugio de Altavista transportando a los viajeros y su equipaje. Nosotros seguiremos la pista hacia abajo, a la izquierda, que en 4,5 kilómetros nos llevará hasta la carretera de Las Cañadas recorriendo la loma volcánica de Montaña Blanca, recubierta de piedra pómez.

Bisbita Caminero

Los Huevos del Teide

A partir de ahora, el descenso se hace más cómodo. A la izquierda vemos una zona donde crecen varios Tajinastes Picantes, con sus flores de color azul. A las 3 h 25 min, llegamos a los **Huevos del Teide**, enormes bolas de acreción cuya formación viene explicada en una mesa interpretativa.

La pista sigue descendiendo por la ladera del Teide, a base de dar vueltas y más vueltas. Al cabo de un rato, encontramos otro desvío a la izquierda: es el camino antiguo del Teide, el que fuera utilizado por antiguos exploradores como el alemán Alexander Von Humboldt, que en 1799 subió a esta montaña un año después de su última erupción para estudiar su flora. A lo largo de toda la ruta será difícil ver algún animal, como mucho el Vencejo Unicolor, el Cernícalo Vulgar o quizás un Lagarto Tizón. Más adelante, hay una nueva bifurcación: en este caso, la pista de la izquierda se dirige hacia la zona de Montaña Rajada. Si el tiempo es bueno, a esta hora estaremos ya un poco cansados del millar de metros de desnivel descendidos y del sol impenitente sobre nuestras cabezas, por lo que recibiremos con gusto el encuentro con la **carretera TF-21**. El aparcamiento donde por la mañana dejamos nuestro vehículo queda ahora a dos kilómetros y medio de camino hacia el Oeste por la carretera asfaltada, lo que nos llevará unos cuarenta minutos más.

FICHA ITINERARIO B

Época de visita: en primavera y verano. El resto del año (e incluso en estas épocas) puede haber nieve y hielo.

Horario y duración del recorrido: el recorrido es de 10,5 kilómetros y 1.200 metros de desnivel, que se bajan en unas cinco horas.

Dificultades y recomendaciones: la ruta no es fácil y hay que ir convenientemente equipado: ropa de abrigo para las zonas altas, calzado de montaña para el pedregoso sendero, así como crema de protección solar, gorro y gafas de sol para protegerse de la altísima radiación que se recibe a estas altitudes. No hay agua en todo el recorrido, por lo que conviene llevar como mínimo un litro por persona.

Interés: a lo largo de esta excursión pueden observarse bien pocas plantas y casi ningún animal, pero sí impresionantes paisajes volcánicos que permiten imaginarse –aunque sea de forma vaga– lo que debieron representar las sucesivas erupciones de esta imponente montaña.

OTROS LUGARES DE INTERÉS NATURAL

• Ascensión a la cumbre del Teide: el sendero Telesforo Bravo es de uso restringido y se requiere una autorización. Desde la cumbre se disfruta de una amplia panorámica y puede verse el cráter de Pico Viejo.

• Ruta de las Siete Cañadas: larga excursión de 16 kilómetros (sólo ida) que une el Centro de Visitantes de El Portillo con el Parador Nacional, permitiendo disfrutar de paisajes abiertos y la observación de plantas endémicas.

• Mirador de Ucanca: espléndida vista del Teide con los Roques de García en primer plano. Algunos inviernos, en el llano se forma un lago que acrecienta la belleza del lugar.

• Jardín Botánico: situado junto al Centro de Visitantes de El Portillo, este jardín muestra la flora nativa del Parque, con el aliciente añadido de que es un lugar frecuentado por el Lagarto Tizón y por el Pinzón Azul.

LUGARES DE INTERÉS HISTÓRICO-ARTÍSTICO

• Icod de los Vinos: situado en la vertiente Norte de la isla, presenta un bello casco histórico y un famoso Drago milenario.

• Güímar: municipio que cuenta con diversos atractivos, como el Malpaís de Güímar, el barrio de Chacaica, las iglesias de Santo Domingo y San Pedro y las pirámides de Chacona.

• La Orotava: conserva parte de su arquitectura civil y religiosa tradicional, y cuenta con un jardín botánico con unas 3.000 especies.

• Masca: un pueblecito escondido entre los fascinantes barrancos del macizo de Teno que, a pesar del turismo mantiene su encanto. El acceso es a través de una tortuosa y estrecha carretera.

CARTOGRAFÍA

• *Mapa del Parque Nacional del Teide* (2001), 1:25.000. Organismo Autónomo de Parques Nacionales, Madrid.

LECTURAS RECOMENDADAS

• **Bacallado, J. J.** (2000). *Canarias, Parques Nacionales*, Turquesa Ediciones, Tenerife.
• **Hernández, J. C., Llaría, M. A. y Reñasco, J. A.** (1999). *Guía de visita del Parque Nacional del Teide*, Organismo Autónomo de Parques Nacionales, Madrid.
• **Madado, A.** (2001). *El Teide, Parque Nacional*, Turquesa Ediciones, Tenerife.

INFORMACIÓN TURÍSTICA

• Patronato de Turismo
  Santa Cruz de Tenerife
  922 24 70 88
• Patronato de Turismo
  Puerto de la Cruz
  922 38 60 00

TRANSPORTES PÚBLICOS

• Autocares de línea regular (TITSA)
  Santa Cruz   922 21 93 99
  Puerto de la Cruz   922 38 18 07
  La Orotava   922 33 27 02
  Granadilla   922 77 06 06
• Teleférico del Teide 922 69 40 38
  Oficinas   922 28 78 37
  www.teleferico-teide.com

ALOJAMIENTOS

• Parador de Turismo
  Cañadas del Teide   922 38 64 15
  En el interior del Parque, km 46,5 de la carretera TF 21.
• Refugio de Altavista 922 23 98 11
• Tenerife Sur Turismo Rural
  922 77 03 62 / 922 77 03 62 (fax)
  teneriferural1@navegalia.com
• Aponte (Turismo Rural)
  info@fincalasdulces.com

PARQUE NACIONAL
DE TIMANFAYA

PARQUE NACIONAL
DE TIMANFAYA

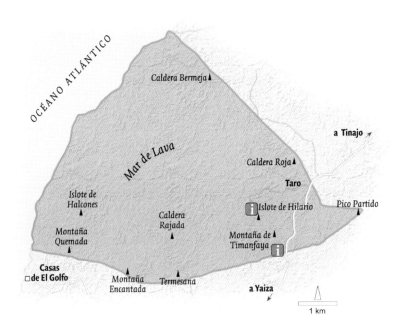

Timanfaya es un Parque Nacional único y tremendamente peculiar. Destaca por ser el único de nuestro país declarado por motivos eminentemente geológicos, ya que constituye una fascinante muestra de vulcanismo relativamente reciente. Situado en la árida isla de Lanzarote, esta área protegida salvaguarda un paisaje destruido por la misma naturaleza hace ahora casi trescientos años. Fue entonces cuando tuvieron lugar una serie de erupciones volcánicas en las antiguas vegas de Timanfaya y Los Miraderos que sepultaron bajo mares de lava a llanuras, playas, cultivos, caseríos y pequeños lugares. Hoy en día, Timanfaya ofrece al visitante

unos paisajes austeros, meramente minerales, donde la fascinación nos la produce la variedad de texturas y tonalidades de color, y la constatación de cómo estas tierras yermas están siendo colonizadas por los seres vivos. Por otra parte, la actividad volcánica aún está presente: en algunos lugares, la superficie del suelo alcanza temperaturas de hasta 100 grados, pudiéndose observar curiosos fenómenos geotérmicos.

SITUACIÓN

El Parque Nacional de Timanfaya se encuentra en la costa oeste de Lanzarote, la más oriental de las Islas

Alga en una playa volcánica

Mar de lava y Caldera Blanca

Canarias. El nombre original de la isla era Tyteroygaka, mientras que el actual hace referencia a Lancetotto Malocello de Génova, navegante del siglo XIV. El área protegida engloba parte de las tierras que fueron afectadas por las erupciones de los siglos XVIII y XIX. Un hecho paradójico es que, tratándose de unas islas, Timanfaya sea el único de los cuatro Parques Nacionales de las Canarias que incluye dentro de sus límites una zona litoral. La carretera que une las localidades de Yaiza y Tinajo cruza por el interior del espacio protegido, ofreciendo un fácil acceso al lugar.

AMBIENTES NATURALES

Los límites del actual Parque Nacional abarcan aproximadamente un 25% de la zona que se vio afectada por las magnas erupciones volcánicas –y que tuvieron lugar entre los años 1730 y 1736–, básicamente en la zona conocida con el nombre de macizo de Timanfaya o Montañas del Fuego. En este periodo, más de veinticinco cráteres escupieron enormes cantidades de lavas basálticas a temperaturas superiores a los mil grados, que afectaron a una cuarta parte de la isla. En 1824, una nueva erupción volvió a afectar la misma zona, surgiendo los volcanes Tao, Volcán Nuevo del Fuego o Chinero y Tinguatón. Luego la Tierra se calmó, permaneciendo así hasta nuestros días.

La mayoría del Parque está ocupado por las formaciones volcánicas fruto de estas erupciones. Para el visitante, el ambiente más evidente es el mar de lavas solidificadas: una vasta superficie de atormentado aspecto, que ocupa el 70% del Parque. En Timanfaya, pueden distinguirse campos de lava de dos tipos distintos: en primer lugar, tenemos las lavas denominadas "aa", cuyo aspecto es el de campos sembrados de abruptas rocas de tamaño variable, tremendamente difíciles de transitar. El segundo tipo de formación de lava es el "pahoehoe", de aspecto mucho más liso y fue originada por lavas más fluidas, que se enfriaron conservando el aspecto de un líquido espeso.

A veces, los campos de lava son atravesados por tubos volcánicos. Éstos tienen su origen en ríos de lava subterráneos que, al vaciarse de lava, se solidificaron conservando su forma tubular. Al derrumbarse el techo, dan lugar a los llamados "jameos". Por entre estos campos de lava surgen los conos eruptivos, que es por donde salieron las coladas de lava. Algunos de ellos, los conos de cínder, están recubiertos por material volcánico de pequeño tamaño, al que técnicamente se denomina "piroclastos".

Los "islotes" constituyen uno de los ambientes más interesantes y de mayor valor biológico. Así se denomina a los antiguos cerros o zonas elevadas que quedaron a salvo de la inundación de las coladas de lava. El hecho de no ser afectados por las erupciones los convirtió en un inestimable refugio para las plantas y animales que allí vivían. Hoy en día, son las áreas del Parque que presentan una mayor cobertura vegetal y variedad animal. Uno de los más importantes es el Islote de Halcones, a medio camino entre los volcanes y el litoral. El **clima** puede clasificarse de subdesértico, con precipitaciones que no superan los 125 milímetros anuales.

En Timanfaya, los aficionados a la observación de la **flora** y de la **fauna** salvajes no tendrán muchas oportunidades para ejercitar su afición. Sus atractivos son básicamente geológicos, estando las comunidades vegetales y animales en un estadio temprano de colonización. Los seres

Temporal en el litoral de Timanfaya

Uvilla de Mar en una playa

vivos más evidentes son los líquenes, capaces de colonizar la lava desnuda y de transformarla lentamente, abriendo la puerta a la instalación de otras plantas superiores. Sus modestas tonalidades blanquecinas o amarillo-verdosas, constituyen la única nota de color en el negruzco universo del mar de lava. En Timanfaya, se han contabilizado 71 especies distintas de ellos aunque, al parecer, su número real podría rondar las doscientas. Las especies de líquenes varían según las diversas áreas del Parque Nacional, y se hacen más escasos a medida que nos acercamos al mar.

Las plantas intentan colonizar este sobrio paisaje mineral. Y aunque su presencia se limita mayoritariamente a los "islotes" y a otras zonas de escasa extensión, aquí se han contabilizado nada menos que 239 especies vegetales, ocho de ellas endémicas de Lanzarote. Las que el visitante observará con mayor frecuencia son la Aulaga (*Launaea arborescens*), la Tabaiba Dulce

(*Euphorbia balsamifera*), la Vinagrera (*Rumex lunaria*) y el Berode (*Kleinia neriifolia*). También el Salado Blanco (*Polycarpea robusta*), endémico de Lanzarote y –curiosamente– el Junco (*Juncus acutus*), una planta amante de la humedad que aparece en pequeños grupos debido a las propiedades higroscópicas de cenizas y lapillis. En los islotes del mar de lava domina la Tabaiba Dulce (*Euphorbia balsamifera*), un arbusto propio del archipiélago y del norte de África que fue escogido como el símbolo vegetal representativo de la isla.

En las playas y acantilados a lo largo del litoral, aparece otro tipo de vegetación de carácter halófilo, donde predomina la Uvilla de Mar (*Zygophyllum fontanesii*). Otra comunidad vegetal diferente son los restos de antiguos cultivos que aparecen al Sur y Este del Parque, donde hay plantadas Higueras y algunos frutales.

Aunque al observador que contempla los yermos campos de lava pueda parecerle inaudito, en Timanfaya se han contabilizado 119 especies de invertebrados, varias de ellas endémicas. En un paraje tan improductivo, muchas de estas especies se alimentan de las partículas nutritivas que el viento arrastra y deposita en la lava. Durante el día son poco visibles pero, con la llegada de la noche, abandonan su refugio en fisuras y oquedades de la roca, para cumplir sus ciclos vitales.

El Conejo es el único mamífero que puede verse en el Parque, ya que la Rata Negra y la Musaraña Canaria –las otras dos especies de mamíferos presentes– tienen un comportamiento discreto. De reptiles hay dos especies, el endémico Lagarto Atlántico y el Perenquén Majonero.

En lo concerniente a las aves –aunque se han citado muchas más especies– el número de las que se reproducen en estas inhóspitas tierras no llega a la veintena. Las más patentes para el observador ocasional son: la Paloma Bravía, el Bisbita Caminero, la Gaviota Patiamarilla, el Cernícalo Vulgar y el Cuervo. Especies menos visibles son: el Alcaudón Real Meridional, la Perdiz Moruna, el Alimoche Común y el apuesto Halcón Tagarote, desaparecido durante años, pero que ahora surca de nuevo los cielos de Timanfaya. En la zona litoral, existen importantes colonias de cría de aves marinas, como el Petrel de

Paloma Bravía

Bulwer, el Paíño de Madeira y la Pardela Cenicienta. Esta ave se reproduce en las cavidades existentes en las lavas, entre los meses de febrero y octubre. Los acantilados de la Playa del Paso –al Norte de las Casas del Golfo–, acogen una de sus colonias. Otras aves presentes son: el Cernícalo Vulgar, la Abubilla, la Tórtola Europea, la Curruca Tomillera y el Camachuelo Trompetero.

Mención aparte merece la fauna marina que, aunque no es visible

Liquen Ramalina

Bisbita Caminero

para el visitante, contiene gran variedad de peces moluscos e invertebrados marinos. En el litoral, fuera del agua, los seres más patentes son el Cangrejo Rojo (*Grapsus grapsus*), la Lapa (*Patella piperata*), los pequeños caracoles Burgados (*Oslinus spp.*) y otros moluscos.

CONSERVACIÓN

La isla de Lanzarote está declarada Reserva de la Biosfera por el programa MaB (Man and Biosphere) de la UNESCO y Timanfaya se beneficia tanto de esta figura, como de la de Parque Nacional. Los terrenos del Parque se hallan zonificados en diversas categorías, según el uso que se les da. El más alto nivel de protección lo ostentan las "Zonas de Reserva". Ocupan el 96% de la superficie del Parque y, dada la fragilidad del ecosistema, no está autorizado el acceso al público. Luego están las "Zonas de Uso restringido", sólo accesibles mediante una autorización, en las que se encuentra incluida la zona de Termesana y Montaña Quemada. En tercer lugar, existe la "Zona de Uso Moderado", que es la franja costera de cincuenta metros de amplitud que bordea el mar. Puede recorrerse a pie, pero está prohibido el acceso a todo tipo de vehículos. Y para terminar existen las "Zonas de uso especial", que son los terrenos con servicios orientados al público en general. A pesar de esta zonación, no son raros los intentos de transitar por la zona protegida a pie o incluso en vehículos todoterreno. También existen unos pocos furtivos que marisquean en la zona o expolian nidos de Pardela Cenicienta.

El estado de conservación de Timanfaya es muy bueno, en parte gracias a lo inaprovechable del lugar para cualquier otro tipo de actividad humana. Los problemas se limitan al numeroso trasiego de visitantes, que ronda el millón y medio de personas anuales. Ello obliga a imponer severas limitaciones al tránsito humano, favoreciendo sin embargo un tipo de turismo masivo a bordo de grandes autocares o folklóricas caravanas de dromedarios. Eso limita en gran medida la experiencia, habiéndose olvidado un poco del senderista y amante de la naturaleza, al que –hasta hace poco– no se le ofrecía ninguna alternativa para poder captar la verdadera esencia del Parque sin ventanillas de por medio.

DATOS DE INTERÉS DEL PARQUE Y RECOMENDACIONES

Extensión: 5.107 hectáreas

Año de declaración: 1974

Dirección:
- Oficinas de la administración del Parque Nacional
La Mareta, 9, Tinajo.
Isla de Lanzarote
928 84 02 38 / 928 84 02 40
928 84 02 51 (fax)
- Centro Montañas del Fuego
928 84 00 56 / 928 84 00 57
- Centro de Visitantes de Mancha Blanca (Servicio de guías oficiales)
928 84 08 39

Sitio web:
www.mma.es/parques/lared/timan

Acceso al Parque: hay vuelos a Lanzarote desde la Península Ibérica y desde Gran Canaria y Tenerife. Para acceder al Parque desde Arrecife, la capital de la isla, se toma la carretera LZ-2 hasta Yaiza. Luego hay que tomar la LZ-67 que, pasando por el Echadero de los Camellos, atraviesa el Parque y lleva hasta el Centro Turístico de las Montañas del Fuego, donde hay que pagar entrada. Esta carretera sigue hasta el Centro de visitantes de Mancha Blanca y Tinajo.

Desde Yaiza también puede tomarse la LZ-704, que nos conducirá a orillas del mar, en Las Casas del Golfo. Desde el final del pueblo puede accederse al litoral del Parque.

Para llegar a Tinajo desde Arrecife, se hace por la carretera LZ-20. Allí se encuentra la LZ-67, que puede tomarse en sentido inverso al antes comentado para penetrar en el Parque. El acceso a la zona litoral norte del Parque se hace desde Tinajo o Mancha Blanca, por dos pistas que llevan hacia la Montaña de Tinajo y luego a la playa de la Madera. Hay servicio regular de autobuses (aquí denominado "guaguas") desde Arrecife a Yaiza y Tinajo, las localidades más cercanas al Parque, desde donde puede cogerse un taxi.

Servicios y equipamientos: existe la posibilidad de realizar dos rutas guiadas que deben concertarse con bastantes días de antelación en el Centro de visitantes de Mancha Blanca. La primera –para la cual el guía no es obligatorio–, es una senda que discurre por la franja litoral del Parque. Para la segunda, la Ruta Termesana, se exige contratar un guía.

En el Echadero de los Camellos es posible realizar un breve recorrido a lomos de Dromedarios, de nulo interés para el aficionado a la naturaleza. En este mismo punto se encuentra el Museo-Punto de información del Echadero de los Camellos, abierto de lunes a viernes, de 9 a 15 horas. Aquí pueden comprarse algunas publicaciones, hay bar, tienda, aseos e información sobre el uso del Dromedario en la isla.

El Centro Turístico de las Montañas del Fuego, dependiente del Cabildo Insular de Lanzarote, cuenta con una cafetería, restaurante, tienda y aseos, situados en la zona denominada Islote de Hilario. El precio de la entrada incluye un recorrido de 14 kilómetros en autocar por la "Ruta de los volcanes" y unas demostraciones de la geotermia del lugar.

Fuera ya de los límites del Parque, en la carretera de Tinajo se encuentra el Centro de Visitantes e Interpretación de Mancha Blanca. Se trata de un edificio semienterrado en un mar de lavas, que cuenta con una interesante exposición permanente, sala de proyecciones, biblioteca, un mirador sobre el mar de lava y una pequeña tienda de recuerdos. El horario de visita es de 9 a 17 horas, todos los días del año. Cuenta con acceso para minusválidos.

Recomendaciones generales: algunas formaciones rocosas y las poblaciones de líquenes son frágiles, y el trasiego humano puede echar a perder años de tarea colonizadora. Por ello, no se permite el acceso a pie a la mayor parte del Parque. Asimismo, existe el peligro de que puntos del suelo puedan hundirse al pisar sobre ellos. Tanto en el Parque como en el Centro de Mancha Blanca, no se permite la entrada de animales domésticos, excepto los perros lazarillos. Conviene no dejar nada de valor en el interior del vehículo aparcado.

ITINERARIO A
RUTA DE LOS VOLCANES

El itinerario más conocido de los que pueden realizarse en Timanfaya es la denominada Ruta de los Volcanes. El recorrido se inicia en las instalaciones turísticas del Islote de Hilario. Para acceder al sitio, el visitante debe abonar la entrada al Centro turístico en el **Taro de entrada**, que parte de la carretera Yaiza a Tinajo. El vehículo particular tan solo puede llegar al conjunto turístico del **Islote**

asfaltada que discurre entre los diferentes conos volcánicos que se formaron durante las erupciones producidas en el siglo XVIII. Aunque para el amante de la naturaleza resulta frustrante realizar el trayecto encerrado en un enorme autocar, la cruda realidad es que se trata del único modo autorizado para poder ver los mejores paisajes volcánicos del Parque.

En primer lugar recorreremos un extenso campo de lava del tipo "aa", que los lugareños han bautizado con el muy adecuado y descriptivo

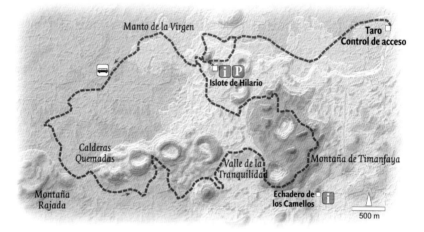

de Hilario, donde los máximos atractivos parecen ser una barbacoa que funciona con el calor geotérmico y las exhibiciones de la temperatura del subsuelo. El espectáculo consiste en mostrar cómo una Aulaga metida en una cavidad del suelo arde en unos pocos segundos, y cómo se produce un fugaz géiser al vaciar un cubo de agua en un tubo de metal clavado en el suelo y que llega a varios metros de profundidad.

Mejor será dejar estas demostraciones para el regreso y apresurarse en tomar lo más pronto posible una de las guaguas que realizan el recorrido turístico. Serán 14 kilómetros por una estrecha carretera

calificativo de "malpaís". En este primer tramo, pasaremos a tocar del hornito volcánico de **"El manto de la Virgen"**. Esta estructura alberga a Palomas Bravías, aves a las que estamos más acostumbrados a observar en nuestras ciudades que en su estado salvaje. A lo lejos, a la derecha, puede observarse el mar y el Islote de Halcones. La carretera llega a las cercanías de la Montaña Rajada, donde el malpaís da paso a extensiones de rojizo lapilli y a alguna que otra "bomba" volcánica. A partir de aquí empieza a ascender, serpenteante, por un áspero malpaís. Al final del campo de lava que soltaron estos volcanes –hace ahora cerca de

Mar de lava desde Montaña Rajada

Volcanes desde las Montañas del Fuego

trescientos años–, aparece el pueblo de Yaiza. La guagua se detiene en **Calderas Quemadas**, enclave donde había uno de los pueblos que quedaron sepultados por las erupciones. Durante el recorrido debemos fijarnos en como las plantas están colonizando el lugar, empezando por los líquenes, que abren la puerta a otras especies de mayor porte como la Vinagrera o la Aulaga.

Al reemprender el trayecto, la carretera recorre un tramo del campo de lava por el interior de un tubo volcánico. En sus paredes interiores conviene fijarse en las bellas formas producidas por la lava al enfriarse. Saliendo del tubo la carretera empieza a ascender hacia la cumbre. En la vertiente nos sorprende apreciar algunos ejemplares de Junco. Luego llegamos a los bellos campos de piroclastos del **Valle de la Tranquilidad** y seguimos ascendiendo a través de vertientes de picón que en años recientes están empezando a ser colonizadas por los verdes arbustos de Vinagrera. A nuestra derecha gozamos de una gran vista panorámica sobre el Valle de la

Interior de un tubo volcánico

Tranquilidad y la alineación de policromos conos volcánicos. La ruta va ascendiendo hasta alcanzar la zona más elevada de las **Montañas del Fuego**, donde la guagua realiza una nueva parada. Desde lo alto del volcán Timanfaya, que da nombre al Parque Nacional, puede admirarse la belleza de los numerosos cráteres que se extienden hasta el horizonte. Al reemprender el

viaje, el autocar rodea el volcán, pasa cerca de un bello cono –que dejamos a nuestra izquierda– y luego empieza a descender por una vertiente en la que sorprende la gran cantidad de líquenes que crecen sobre las rocas. La ruta se acerca a su fin: frente a nosotros, abajo, ya queda el **islote de Hilario** donde se da por terminada la visita.

Cuervo

FICHA ITINERARIO A

Época de visita: cualquier época del año.

Horario y duración del recorrido: el recorrido en guagua es de unos 14 kilómetros y su duración es de alrededor de 45 minutos.

Dificultades y recomendaciones: ninguna, ya que se realiza a bordo de un autocar. Conviene intentar coger una de las primeras guaguas de la mañana, ya que entonces hay menos acumulación de turistas y la luz es más bonita. ·

Interés: ruta a través de un fascinante paisaje, modelado por erupciones volcánicas relativamente modernas. Posibilidad de ver cómo plantas y animales están colonizando las tierras yermas.

Hornito volcánico Manto de la Virgen

Montaña Quemada · Pedro Perico · Mar de Lava · Montaña Encantada · Montaña Hernandez · Caldera Rajada · Lago de lava · Termesana · Montaña Rajada · 500 m

ITINERARIO B
RUTA DE TERMESANA

Para poder realizar esta ruta interpretativa guiada a pie, hay que concertar plaza previamente (personalmente o bien en el teléfono 928 84 08 39) en el Centro de Visitantes e Interpretación de Mancha Blanca. Este servicio es gratuito, y se lleva a cabo en grupos de, como máximo, siete personas. La ruta se realiza los lunes, miércoles y viernes por la mañana.

El lugar de encuentro es el mismo **Centro de Mancha Blanca**, desde donde el visitante será transportado en un vehículo del Parque hasta el pueblo de Yaiza. De allí se toma una pista que durante 3,5 kilómetros atraviesa el severo malpaís que nos separa de la Montaña Termesana, lo que permite hacerse una idea de la magnitud de las erupciones que tuvieron lugar de 1730 a 1736. En este trayecto, es interesante comprobar la abundancia de líquenes de color blanquecino en el lado de las piedras orientado al Norte –y su ausencia en su cara meridional–. Eso hace que, según en la dirección hacia donde miremos, el color del malpaís sea claro u oscuro.

Al alcanzar la ladera de lapilli del cono volcánico que veíamos enfrente de nosotros, hay una valla que marca el **límite del área protegida** e impide el acceso a los vehículos no autorizados. A partir de aquí nos tocará

Cultivo de Higueras sobre lapilli

Mar de lava en Termesana

andar, siempre acompañados por nuestro guía, que nos comentará los diversos aspectos de interés de este recorrido. El camino empieza rodeando el cono volcánico, en el que podemos observar como los arbustos de Aulaga logran arraigar en la vertiente de picón suelto, ayudando a fijarlo con sus raíces. Más adelante, llegaremos a una depresión cónica, al fondo de la cual crece una Higuera que algún campesino plantó allí hace mucho tiempo. Vamos descendiendo de manera muy suave hasta que, a unos 0,8 kilómetros, encontramos un cultivo de Higueras al modo tradicional de la isla, envueltas por un muro de piedras que las protege del poder desecante del viento. A la derecha se extiende un árido malpaís en el que destacan una profunda depresión y, más lejos, la Montaña Rajada. Es realmente sorprendente ver cómo algunas plantas logran arraigar en un paraje tan desolado. Vale la pena fijarse en las adaptaciones que

Lavas cordadas «Pahoe-hoe»

algunas de ellas han desarrollado para sobrevivir en estas condiciones: hojas pilosas o convertidas en espinas, hojas o tallos suculentos capaces de almacenar líquido... Uno de los recursos que utilizan estos vegetales para obtener el agua que precisan para su sustento es captar la humedad de las "rociadas" nocturnas. En lo que respecta a como absorber minerales, son capaces de aprovechar el polvo que a veces viene arrastrado por los vientos provenientes del desierto del Sáhara y que va depositándose en este estéril suelo.

Ahora el itinerario se dirige hacia la Montaña Encantada. De vez en cuando, unos rótulos van comentando los diversos puntos de interés de la ruta lo que, unido a las aportaciones del guía-interpretador, nos permitirá entender algo más de los sucesos geológicos que modelaron este inhabitual paisaje. En quince minutos llegaremos a un llano que, en tiempos de las erupciones, era

una depresión donde se formó un lago de ardiente lava. A nuestra izquierda, aparece otro bonito **grupo de Higueras**, que crecen entre muros de piedra. Aquí es posible ver las carreras del Conejo y de la Perdiz Moruna, que se diferencia de la Perdiz Roja presente en Europa por su cara y garganta grises y el collar rojizo moteado de blanco. Aunque la fauna no es frecuente en este desolado paraje, es posible observar también algún Cuervo, al Cernícalo Vulgar o a un Alcaudón Real Meridional. A lo mejor también tenemos la fortuna de sorprender algún Lagarto Atlántico. Este reptil es endémico de las islas de Fuerteventura y Lanzarote, puede alcanzar casi 30 centímetros de longitud y tiene la piel adornada con vistosas manchas u ocelos azules en los costados.

A partir de aquí la lava fluyó del lago, por lo que el abrupto malpaís deja paso a coladas de relieve más suave formadas por lava fluida. La vereda desciende paulatinamente hasta pasar entre los volcanes **Montaña Encantada** y Montaña Hernández. A la izquierda, a pocos metros del camino, puede verse un interesante tubo volcánico con jameos y colada lávica en el fondo. Al fin, a los dos kilómetros y medio de camino alcanzamos el límite del Parque, a la vista de la montaña de **Pedro Perico**. Luego continuaremos hasta el punto donde nos recogerá el vehículo del Parque Nacional, satisfechos de haber visto estos interesantes fenómenos geológicos.

Superficie cuarteada del lago de lava

FICHA ITINERARIO B

Época de visita: cualquier época del año.

Horario y duración del recorrido: hay que andar unos 3 kilómetros, siendo el desnivel de unos 25 metros. La duración suele ser de unas tres horas.

Dificultades y recomendaciones: esta ruta guiada tan sólo se realiza los lunes, miércoles y viernes y está limitada a un máximo de 14 personas, siendo necesario reservar con antelación. El sendero es pedregoso, pero bien acondicionado. Conviene llevar calzado cerrado, agua y una gorra para protegerse del sol, ya que no hay sombras en todo el recorrido. Es importante extremar el cuidado para no dañar el frágil entorno natural.

Interés: altamente recomendable. Su interés radica en la posibilidad de observar una parte de Timanfaya sin las aglomeraciones propias de Las Montañas del Fuego y sin las limitaciones del recorrido en un autobús cerrado. Junto con la Ruta del Litoral, ésta es la única oportunidad de recorrer el Parque Nacional a pie, lejos de las hordas de turistas. Se recorre una zona donde pueden observarse de primera mano distintos tipos de formaciones volcánicas. Restos de cultivos tradicionales con los típicos muros de protección.

OTROS LUGARES DE INTERÉS NATURAL

• Ruta del Litoral: es el único itinerario que puede realizarse libremente sin permiso especial o de la obligación de ir acompañado un guía-interpretador, aunque debido a su conocimiento del lugar y lo complicado del camino –transcurre por un abrupto malpaís–, su compañía puede ser bienvenida.

LUGARES DE INTERÉS HISTÓRICO-ARTÍSTICO

• Los pueblos situados en los alrededores del Parque (Yaiza, Uga, Tinajo, Mancha Blanca...) contienen buenas muestras de arquitectura popular.
• La Geria: uno de los paisajes agrarios mas sorprendentes de nuestro país, donde las cepas de las viñas crecen en el interior de unos conos excavados en la ceniza volcánica, que les protegen del viento y les proporcionan humedad.
• Salinas de Janubio: situadas al Oeste de Yaiza, aún están en explotación, conservando interesantes construcciones. Son un buen lugar para la observación de aves acuáticas, en especial durante los períodos de migración.
• Jameos del Agua: el artista lanzaroteño César Manrique diseñó diversas construcciones arquitectónicas integradas con elementos naturales. Los Jameos del Agua, el Mirador del Río y el restaurante "El Diablo" en el islote de Hilario, son algunas de sus obras.

CARTOGRAFÍA

• *Mapa y guía del Parque Nacional de Timanfaya* (2001), 1:25.000. Organismo Autónomo de Parques Nacionales, Madrid.
• *Lanzarote Geographical Map, Volcanic Map* (1995), 1:100.000. Ediciones A. Murillo.

LECTURAS RECOMENDADAS

• **Bacallado, J. J.** (2000). *Canarias, Parques Nacionales,* Turquesa Ediciones.
• **Martínez, E., Prieto, J., y Centellas, A.** (1997). *Guía de visita del Parque Nacional de Timanfaya,* Organismo Autónomo de Parques Nacionales, Madrid.

INFORMACIÓN TURÍSTICA

• Patronato de Turismo
Aeropuerto de Lanzarote
928 81 37 92
• Arrecife
Parque Municipal, s/n
928 81 18 60
• Puerto del Carmen
Avda. Marítima de la Playas
928 81 37 92
• Playa Blanca, Edificio del Puerto
928 51 77 94
www.lanzarote.com

TRANSPORTES PÚBLICOS

• Estación de Guaguas
Velacho, 19, Arrecife
928 81 24 58 / 928 81 24 60
• Taxis
Tinajo   928 84 00 49
Yaiza   928 83 01 63

ALQUILER DE COCHES

• Cicar
Carretera Arrecife-Aeropuerto, km 3,7, San Bartolomé
928 822 900
www.cicar.com
info@cicar.com

ALOJAMIENTOS

Hoteles
• Club La Santa
Avda. Krogager, s/n
La Santa (Tinajo)   928 59 99 99
• Lanzarote Princess
Maciot, s/n
Playa Blanca   928 51 71 08

- Natura Palace
  Urb. Montaña Roja
  Playa Blanca   928 51 90 70
- Playa Dorada
  Avda. Papagayo, s/n
  Playa Blanca   928 51 71 20
- Timanfaya Palace
  Urb. Montaña Roja, 27-28
  Playa Blanca   928 51 76 76
- Lanzarote Park
  Urb. Montaña Roja
  Playa Blanca   928 51 70 48
- Sun Park
  Janubio, s/n
  Playa Blanca   928 51 70 63

Casas rurales
- Asociación de Turismo Rural de
  Lanzarote "Isla Mítica"
  García Escámez, 64, Arrecife
  928 81 16 54 / 928 80 04 56
  aetur@aetur.infonegocio.com
  www.aetur.es
- Isla Viva, casas en el campo
  Plaza Clavijo y Fajardo, 4, Teguise
  928 84 57 23
  islaviva@teguise.com
- ACANTUR
  922 80 05 62
  acantur@ecoturismocanarias.com
  www.canary-islands.com

Volcanes desde Montaña de Timanfaya

GLOSARIO

de nombres comunes y científicos de animales y plantas citadas en el texto

A

Abedul *Betula pendula*
Abedul Pubescente *Betula pubescens*
Abejaruco Común *Merops apiaster*
Abejero Europeo *Pernis apivorus*
Abeto *Abies alba*
Abubilla *Upupa epops*
Acacia *Acacia melanoxylon*
Acebiño *Ilex canariensis*
Acebo *Ilex aquifolium*
Acebuche *Olea europaea var. sylvestris*
Acentor Alpino *Prunella collaris*
Acentor Común *Prunella modularis*
Acónito Amarillo *Aconitum anthora*
Acónito Azul *Aconitum napellus*
Agachadiza Común *Gallinago gallinago*
Agateador Común *Certhia brachydactyla*
Agateador Norteño *Certhia familiaris*
Águila Imperial Ibérica *Aquila adalberti*
Águila Real *Aquila chrysaetos*
Aguililla Calzada *Hieraaetus pennatus*
Aguilucho Cenizo *Circus pygargus*
Aguilucho Lagunero Occidental *Circus aeruginosus*
Aguilucho Pálido *Circus cyaneus*
Aladierno Balear *Rhamnus ludovici-salvatoris*
Álamo *Populus nigra*
Álamo Temblón *Populus tremula*
Alca Común *Alca torda*
Alcaraván Común *Burhinus oedicnemus*
Alcaravea *Carum verticillatum*
Alcatraz Atlántico *Morus bassanus*
Alcaudón Real Meridional *Lanius meridionalis*
Alcornoque *Quercus suber*
Alfalfa Arbórea *Medicago arborea subsp. citrina*
Alga Japonesa *Sargassum muticum*
Alga Roja *Chondrus crispus*
Alga Verde *Ulva rigida*
Algarrobo *Ceratonia siliqua*
Alhelí del Teide *Erysimum scoparium*
Alimoche Común *Neophron percnopterus*
Aliso *Alnus glutinosa*
Almajo *Suaeda vera*
Alondra Común *Alauda arvensis*
Amagante *Cistus symphytifolius*
Amapola *Papaver rhoeas*
Ánade Azulón *Anas platyrynchos*
Ánade Friso *Anas strepera*
Andarríos Chico *Actitis hypoleucos*
Apolo *Parnassius apollo*
Arándano *Vaccinium myrtillus*
Araña Negra *Latrodectes sp.*
Arao Común *Uria aalge*

Arce Acirón *Acer opalus*
Arce de Montpellier *Acer monspessulanum*
Arce Granadino *Acer opalus subsp. granatense*
Ardilla Roja *Sciurus vulgaris*
Arlequín *Zerynthia rumina*
Armiño *Mustela erminea*
Arraclán *Frangula alnus*
Arrendajo Común *Garrulus glandarius*
Arruí *Ammotragus lervia*
Astrágalo Balear *Astragalus balearicus*
Atrapamoscas *Drosera rotundifolia*
Aulaga *Launaea arborescens*
Aulaga Morisca *Genista versicolor*
Autillo Europeo *Otus scops*
Avefría Europea *Vanellus vanellus*
Avellano *Corylus avellana*
Avetorillo Común *Ixobrychus minutus*
Avetoro Común *Botaurus stellaris*
Avión Roquero *Ptyonoprogne rupestris*
Avoceta Común *Recurvirostra avosetta*
Avutarda Común *Otis tarda*
Azafrán Bravo *Crocus nudiflorus*
Azor Común *Accipiter gentilis*
Azucena de los Pirineos *Lilium pyrenaicum*
Azucena de Mar *Pancratium maritimum*
Azucena Silvestre *Lilium martagon*

B

Barbo Cabecicorto *Barbus microcephalus*
Barrón *Ammophila arenaria*
Bayunco *Scirpus palustris*
Bejeque *Aeonium sp.*
Berode *Kleinia neriifolia*
Bigotudo *Panurus biarmicus*
Bisbita Alpino *Anthus spinoletta*
Bisbita Caminero *Anthus berthelotii*
Bisbita Campestre *Anthus campestris*
Blanquita de la Col *Artogeia rapae*
Boj *Buxus sempervirens*
Botón de Oro *Ranunculus demissus*
Brecina *Calluna vulgaris*
Brezo *Daboecia cantabrica*
Brezo Blanco *Erica arborea*
Brezo de Pantano *Erica tetralix*
Brunela Grande *Prunella grandiflora*
Bucardo *Capra pyrenaica*
Búho Chico *Asio otus*
Búho Real *Bubo bubo*
Buitre Leonado *Gyps fulvus*
Buitre Negro *Aegypius monachus*
Buitrón *Cisticola juncidis*
Bupleurum spinosum
Burgado *Osilinus sp.*

Busardo Ratonero *Buteo buteo*
Buscarla Unicolor *Locustella lusciniodes*

C

Cabezote *Cheirolophus arboreus*
Cabra Montés *Capra pyrenaica*
Cachalote *Physeter catodon*
Cada o Enebro de la Miera *Juniperus oxycedrus*
Calamino Dulce *Salsola vermiculata*
Calamón Común *Porphyrio porphyrio*
Calandino *Tropidophoxinellus alburnoides*
Calandria *Melanocorypha calandra*
Calderón de Aleta Larga *Globicephala melaena*
Camachuelo Común *Pyrrhula pyrrhula*
Camachuelo Trompetero *Bucanetes githagineus*
Campanilla Cantábrica *Campanula cantabrica*
Canario *Serinus canaria*
Canastera Común *Glareola pratincola*
Candiles *Arisarum vulgare*
Cangrejo Rojo *Grapsus grapsus*
Cárabo Común *Strix aluco*
Caracol *Pyrenearia carrascalopsis*
Carbonero Común *Parus major*
Carbonero Garrapinos *Parus ater*
Carbonero Palustre *Parus palustris*
Cardo Blanco *Eryngium bourgatii*
Cardo de Mar *Eryngium maritimum*
Cardo de Plata *Stemmacantha cynaroides*
Carraca *Coracias garrulus*
Carraspique *Iberis procumbens*
Carricero Común *Acrocephalus scirpaceus*
Carricero Tordal *Acrocephalus arundinaceus*
Carrizo *Phragmites australis*
Castaño *Castanea sativa*
Castañuela *Scirpus maritimus*
Cebolla Albarrana *Urginea maritima*
Cedro Canario *Juniperus cedrus*
Cerceta Carretona *Anas querquedula*
Cerceta Común *Anas crecca*
Cerezo *Prunus avium*
Cernícalo Vulgar *Falco tinnunculus*
Cerrajón *Sonchus hierrensis*
Ciervo Rojo *Cervus elaphus*
Cigüeña Blanca *Ciconia ciconia*
Cigüeña Negra *Ciconia nigra*
Cigüeñuela Común *Himantopus himantopus*
Cinco Uñas *Senecio palmensis*
Clavel de Montaña *Dianthus sp.*
Clavel Rastrero *Silene acaulis*
Clavelillo de Cumbre *Cerastium swentenii*
Cleopatra *Gonopteryx cleobule*
Codeso *Adenocarpus sp.*
Cogujada Común *Galerida cristata*
Cogujada Montesina *Galerida theklae*
Cola de Caballo *Equisetum sp.*
Colirrojo Real *Phoenicurus phoenicurus*
Colirrojo Tizón *Phoenicurus ochruros*
Colmilleja *Cobitis paludica*
Cólquico *Colchicum autumnale*

Collalba Gris *Oenanthe oenanthe*
Collalba Rubia *Oenanthe hispanica*
Colleja de Mar *Silene uniflora*
Conejo de Monte *Oryctolagus cuniculus*
Coral Blando *Gorgonia sp.*
Coral Rojo *Corallium rubrum*
Corazoncillo *Lotus hillebrandii*
Cormorán Grande *Phalacrocorax carbo*
Cormorán Moñudo *Phalacrocorax aristotelis*
Corneja *Corvus corone*
Cornicabra *Pistacia terebinthus*
Correhuela Rosa *Calystegia soldanela*
Corzo *Capreolus capreolus*
Cuchara Común *Anas clypeata*
Cuervo *Corvus corax*
Culebra de Escalera *Elaphe scalaris*
Culebra Lisa Meridional *Coronella girondica*
Culebra Viperina *Natrix maura*
Culebrera Europea *Circaetus gallicus*
Curruca Cabecinegra *Sylvia melanocephala*
Curruca Capirotada *Sylvia atricapilla*
Curruca Carrasqueña *Sylvia cantillans*
Curruca Mosquitera *Sylvia borin*
Curruca Rabilarga *Sylvia undata*
Curruca Sarda *Sylvia sarda*
Curruca Tomillera *Sylvia conspicillata*
Curruca Zarcera *Sylvia communis*

CH

Charrán Patinegro *Sterna sandvicensis*
Chocha Perdiz *Scolopax rusticola*
Chochín *Troglodytes troglodytes*
Chova Piquigualda *Pyrrhocorax graculus*
Chova Piquirroja *Pyrrhocorax pyrrhocorax*

D

Delfín Común *Delphinus delphis*
Delfín Listado *Stenella coeruleoalba*
Delfín Mular *Tursiops truncatus*
Desmán de los Pirineos *Galemys pyrenaicus*
Diente de Perro *Erytrhronium dens-canis*
Digital *Digitalis purpurea*
Digital Oscura *Digitalis obscura*
Drago *Dracaena drago*
Dragoncillos de Sierra Nevada *Chaenorrhinum glareosum*
Durillo *Viburnum tinus*

E

Edelweiss *Leontopodium alpinum*
Efedra *Ephedra fragilis*
Elanio Común *Elanus caeruleus*
El Bajá *Charaxes jasius*
Encina *Quercus ilex*
Encina Carrasca *Quercus ballota*
Endrino *Prunus spinosa*
Enea *Typha dominguensis*

Enebro *Juniperus communis*
Erizo Europeo Occidental *Erinaceus europaeus*
Erizo Moruno *Erinaceus algirus*
Erizón *Echinospartum horridum*
Escarabajo Longicornio *Leptura palmi*
Escolopendra *Scolopendra morsitans*
Escorpión *Euscorpius carpathicus balearicus*
Escribano Hortelano *Emberiza hortulana*
Escribano Montesino *Emberiza cia*
Escribano Palustre *Emberiza schoeniclus*
Escribano Soteño *Emberiza cirlus*
Esfagno *Sphagnum sp.*
Eslizón Ibérico *Chalcides bedriagai*
Eslizón Tridáctilo Ibérico *Chalcides striatus*
Esmerejón *Falco columbarius*
Esparraguera *Asparagus sp.*
Espino Albar *Crataegus monogyna*
Espino Majuelo *Crataegus monogyna*
Estrella de las Nieves *Plantago nivalis*
Estrella de Mar *Astericus maritima*
Eucalipto *Eucalyptus globulus*
Eufrasia *Euphrasia sp.*

Gavilán Común *Accipiter nisus*
Gaviota Patiamarilla *Larus cachinnans*
Gaviota Reidora *Larus ridibundus*
Gaviota Sombría *Larus fuscus*
Gayuba *Arctostaphyllos uva-ursi*
Genciana *Gentiana acaulis*
Genciana Alpina *Gentiana alpina*
Genciana Amarilla *Gentiana lutea*
Genciana de Burser *Gentiana burseri*
Genciana de Primavera *Gentiana verna*
Genista *Genista legionensis*
Geranio Canario *Geranium canariensis*
Gineta *Genetta genetta*
Gorrión Alpino *Montifringilla nivalis*
Gorrión Chillón *Petronia petronia*
Gorrión Molinero *Passer montanus*
Gorrión Moruno *Passer hispanoliensis*
Grajilla *Corvus monedula*
Granadillo *Hypericum canariensis*
Grasilla *Pinguicula longifolia*
Grasilla de Sierra Nevada *Pinguicula nevadensis*
Guaidil *Convolvulus floridus*

H

Halcón de Eleonora *Falco eleonorae*
Halcón Peregrino *Falco peregrinus*
Halcón Tagarote *Falco pelegrinoides*
Haragán *Ageratina adenophora*
Haya *Fagus sylvatica*
Helecho Culantrillo Menor *Asplenium trichomanes*
Helecho de Cristal *Vandenboschia speciosa*
Hepática *Hepatica triloba*
Hepática Blanca *Parnassia palustris*
Herrerillo Capuchino *Parus cristatus*
Herrerillo Común *Parus caeruleus*
Hierba Centella *Caltha palustris*
Hierba de la Tos *Ramonda myconi*
Hierba de Namorar *Armeria pungens*
Hierba Lobuna *Aconitum lamarckii*
Higo Chumbo *Opuntia ficus-indica*
Higuera *Ficus carica*
Hinojo Marino *Crithmum maritimum*
Hipericón Balear *Hypericus balearicum*

F

Falsa Conejera *Pterocephalus lasiospermus*
Faya *Myrica faya*
Faya Romana *Myrica rivas-martinezii*
Férula *Ferula communis*
Fiteuma *Phyteuma hemisphaericum*
Flor de Nieve *Leontopodium alpinum*
Flor del Malpaís *Tolpis webii*
Foca Monje *Monachus monachus*
Focha Común *Fulica atra*
Focha Moruna *Fulica cristata*
Follao *Viburnum rigidum*
Frambuesa *Rubus idaeus*
Fresal Silvestre *Fragaria vesca*
Fresno Común *Fraxinus excelsior*
Fresno de Hoja Estrecha *Fraxinus angustifolia*
Fresno de Hoja Grande *Fraxinus excelsior*
Fumarel Cariblanco *Chlidonias hybridus*

G

Gacias *Teline stenopetala*
Galápago Europeo *Emys orbicularis*
Galápago Leproso *Hauremys caspica*
Gallineta Común *Gallinula chloropus*
Gamarza *Lecanthemopsis pectinata*
Gamo *Dama dama*
Gamón *Asphodelus aestivus*
Ganga Ibérica *Pterocles alchata*
Garceta Común *Egretta garzetta*
Garcilla Bueyera *Bubulcus ibis*
Garcilla Cangrejera *Ardeola ralloides*
Garza Imperial *Ardea purpurea*
Garza Real *Ardea cinerea*
Gato Montés *Felis sylvestris*

J

Jabalí *Sus scrofa*
Jacinto Silvestre *Hyacinthoides paivae*
Jaguarzo *Halimium sp.*
Jaguarzo Negro *Cistus sp.*
Jara *Cistus monspeliensis*
Jara Cervuna *Cistus populifolius*
Jara de las Cañadas *Cistus osbaeckiaefolius*
Jara Pringosa *Cistus ladanifer*
Jarabugo *Anaecypris hispanica*
Jilguero *Carduelis carduelis*
Junco *Juncus acutus*
Junco Lanudo *Eriophorum angustifolium*

L

Labiérnago *Phyllirea angustifolia*
Labiérnago de Hoja estrecha *Phillyrea angustifolia*
Lagartija Balear *Podarcis lilfordi*
Lagartija Colilarga *Psammodromus algirus*
Lagartija Ibérica *Podarcis hispanica*
Lagartija Pirenaica *Lacerta bonnali*
Lagartija Roquera *Podarcis muralis*
Lagarto Atlántico *Gallotia atlantica*
Lagarto Ocelado *Lacerta lepida*
Lagarto Tizón de La Palma *Gallotia galloti palmae*
Lagarto Tizón *Gallotia galloti*
Lagarto Tizón de la Gomera *Gallotia caesaris gomerae*
Lagarto Verdinegro *lagerta schreiberi*
Lagópodo Alpino *Lagopus mutus*
Lapa *Patella piperata*
Laurel *Laurus nobilis*
Lavandera Cascadeña *Motacilla cinerea*
Leche de Gallina *Ornithogalum sp.*
Lechetrezna Arbustiva *Euphorbia dendroides*
Lentisco *Pistacia lentiscus*
Liebre Ibérica *Lepus granatensis*
Liebre del Piornal *Lepus castroviejoi*
Limonio *Limonium longibrachiterum*
Lince Ibérico *Lynx pardina*
Lirio Amarillo *Iris pseudacorus*
Lirio Pirenaico *Iris xiphioides*
Lisa Dorada *Chalcides viridanus coeruleopunctatus*
Lobo *Canis lupus*
Loro *Laurus azorica*
Lución *Anguis fragilis*
Lúgano *Carduelis spinus*

LL

Llampúdol Bord *Rhamnus ludovici-salvatoris*

M

Madreselva *Lonicera implexa*
Madroño *Arbutus unedo*
Malfurada *Hypericum grandifolium*
Malva Silvestre *Malva tournefortiana*
Mancaperros *Arenaria pungens*
Manto Bicolor *Lycaena phlaeas*
Manzanilla Real *Artemisia granatensis*
Margarita del Teide *Argyranthemum teneriffae*
Margarita Mayor *Leucanthemum merinoi*
Mariposa de Graells *Graellsia isabelae*
Marmota Alpina *Marmotta marmotta*
Marta *Martes martes*
Martín Pescador *Alcedo atthis*
Martinete Común *Nycticorax nycticorax*
Masiega *Cladium mariscus*
Mastuerzo Marítimo *Alyssum maritimum*
Matalobos *Aconitum lamarckii*

Meloncillo *Herpestes ichneumon*
Menta *Calamintha sylvatica*
Milano Negro *Milvus migrans*
Milano Real *Milvus milvus*
Milenrama *Achillea sp.*
Mirlo Acuático *Cinclus cinclus*
Mirlo Capiblanco *Turdus torquatus*
Mirlo Común *Turdus merula*
Mirto *Myrtus communis*
Mito *Aegithalos caudatus*
Mochuelo Boreal *Aegolius funereus*
Mochuelo Común *Athene noctua*
Mosquitero Canario *Phylloscopus canariensis*
Mosquitero Común *Phylloscopus collybita*
Mostajo *Sorbus torminalis*
Muflón *Ovis musimon*
Murciélago de Bosque *Barbastella barbastellus*
Murciélago Orejudo Canario *Plecotus teneriffae*
Murciélago Rabudo *Tadarida teniotis*
Musaraña Canaria *Crocidura canariensis*

N

Narciso de Asturias *Narcissus asturiensis*
Niña de Sierra Nevada *Plebicula golgus*
Niña Gris *Agriades pyrenaicus*
Níspola *Coenonympha pamphilus*
Nogal *Juglans regia*
Nomeolvides *Myosotis sp.*
Nutria Paleártica *Lutra lutra*

O

Olmo de Montaña *Ulmus glabra*
Olmo *Ulmus minor*
Onosma Borda *Saxifraga paniculata*
Oreja de Oso *Ramonda myconi.*
Ortigón *Urtica morifolia*
Oso Pardo *Ursus arctos*

P

Págalo Grande *Stercorarius skua*
Paíño de Madeira *Oceanodroma castro*
Paíño Europeo *Hydrobates pelagicus*
Pájaro Moscón *Remiz pendulinus*
Paloblanco *Picconia excelsa*
Paloma Bravía *Columba livia*
Paloma Rabiche *Columba junoniae*
Paloma Torcaz *Columba palumbus*
Paloma Turqué *Columba bollii*
Pandora *Argynnis pandora*
Papamoscas Cerrojillo *Ficedula hypoleuca*
Papamoscas Gris *Muscicapa striata*
Pardela Balear *Puffinus mauretanicus*
Pardela Cenicienta *Calonectris diomedea*
Pardillo Común *Carduelis cannabina*
Parra Silvestre *Vitis vinifera*

Patagallo *Geranium canariensis*
Pato Colorado *Netta rufina*
Pensamiento de las Cumbres *Viola palmensis*
Pensamiento *Viola tricolor*
Peonía *Peonia broteroi*
Peonía Balear *Paeonia cambessedessi*
Perdiz Moruna *Alectoris barbara*
Perdiz Pardilla *Perdix perdix*
Perdiz Roja *Alectoris rufa*
Perenquén Común *Tarentola delalandii*
Perenquén Majorero *Tarentola angustimentalis*
Petirrojo *Erithacus rubecula*
Petrel de Bulwer *Bulweria bulwerii*
Pico Mediano *Dendrocopos medius*
Pico Picapinos *Dendrocopos major*
Piel de León *Arenaria imbricata*
Pino Canario *Pinus canariensis*
Pino Carrasco *Pinus halepensis*
Pino Insigne *Pinus radiata*
Pino Negro *Pinus uncinata*
Pino Rodeno *Pinus pinaster*
Pino Silvestre *Pinus sylvestris*
Pinzón Azul *Fringilla teydea*
Pinzón Común *Fringilla coelebs*
Piorno *Cytisus purgans*
Piorno Azul *Erinacia anthyllis*
Piorno de Crucecitas *Vella spinosa*
Pipistrelo de Macaronesia *Pipistrellus maederensis*
Piquitos Clara *Carchorodus lavatherae*
Piquituerto *Loxia curvirrostra*
Pito Negro *Dryocopus martius*
Poleo de Monte *Bystropogon origanifolius*
Poleo Montano *Teucrium polium*
Porrón Europeo *Aythya ferina*
Posidonia *Posidonia oceanica*
Primavera *Primula veris*
Pulpo *Octopus vulgaris*
Pulsatila de Primavera *Pulsatilla vernalis*

Q

Quebrantahuesos *Gypaetus barbatus*
Quejigo *Quercus faginea*
Quitameriendas *Merendera montana*

R

Rabilargo *Cyanopica cyana*
Rana Bermeja *Rana temporaria*
Rana Común *Rana perezi*
Rana Verde *Rana perezi*
Ranillo de las Nieves *Ranunculus angustifolius*
Ranita de San Antón *Hyla arborea*
Ranita Meridional *Hyla meridionalis*
Ranúnculo Acuático *Ranunculus aquatilis*
Ranúnculo de los Pirineos *Ranunculus pyrenaeus*
Rascón Europeo *Rallus aquaticus*

Rata de Agua *Arvicola sapidus*
Rata Negra *Rattus rattus*
Ratón Casero *Mus spretus*
Ratón de Campo *Apodemus sylvaticus*
Rebeco *Rupicapra pyrenaica*
Regaliza *Trifolium alpinum*
Retama Blanca *Spartocytisus supranubius*
Retama del Teide *Spartocytisus supranubius*
Retama Mansa *Osyryis alba*
Retamón *Genista benehoavensis*
Reyezuelo Sencillo *Regulus regulus*
Reyezuelo Tinerfeño *Regulus teneriffae*
Rey Moro *Kanetisia circe*
Roble Albar *Quercus petraea*
Roble Carballo *Quercus robur*
Roble Melojo *Quercus pyrenaica*
Rododendro *Rhododendron ferrugineum*
Romero *Rosmarinus officinalis*
Roquero Rojo *Monticola saxatilis*
Roquero Solitario *Monticola solitarius*
Rosal del Guanche *Bencomia exstipulata*
Rosal *Rosa sp.*
Rosalillo de Cumbre *Pterocephalus lasiospermus*
Rubia Balear *Rubia angustifolia caespitosa*
Ruiseñor Bastardo *Cettia cetti*
Ruiseñor Común *Luscinia megarynchos*

S

Sabina *Juniperus turbinata*
Sabina Negral *Juniperus phoenicea*
Salado Blanco *Polycarpea robusta*
Salamandra Común *Salamandra salamandra*
Salmón *Salmo salar*
Saltamontes *Baetia ustulata*
Saltamontes sin Alas *Acrostira bellamyi*
Sanguino *Rhamnus glandulosa*
Sapillo Pintojo Ibérico *Discoglosus galganoi*
Sapo Partero *Alytes obstetricans*
Sapo Partero Ibérico *Alytes cisternasii*
Sarrio *Rupicapra pyrenaica*
Sauce *Salix atrocinerea*
Sauce Cabruno *Salix caprea*
Sauce Canario *Salix canariensis*
Saúco *Sambucus palmensis*
Sauco Rojo *Sambucus racemosa*
Saxífraga de Sierra Nevada *Saxifraga nevadensis*
Serbal de Cazadores *Sorbus aucuparia*
Serotino *Eptesicus serotinus*
Siempreviva *Sedum arenarium*
Siempreviva Cantábrica *Sempervivum cantabricum*
Silbón Europeo *Anas penelope*
Sisimbrio *Sisymbrium austriacum*
Sisón Común *Tetrax tetrax*
Somormujo Lavanco *Podiceps cristatus*

T

Tabaiba Dulce *Euphorbia balsamifera*

Tagasaste *Chamaecytisus proliferus*
Tajinaste Azul *Echium acanthocarpum*
Tajinaste Azul Genciano *Echium gentianoides*
Tajinaste Picante *Echium auberianum*
Tajinaste Rojo *Echium wildpretii*
Tarabilla Común *Saxicola torquata*
Taray *Tamarix canariensis*
Tejo *Taxus bacatta*
Tejón *Meles meles*
Til *Ocotea foetens*
Tilo de Hoja Grande *Tilia platyphyllos*
Tiraña *Pinguicula lusitanica*
Tojo *Ulex europaeus*
Tomillo Bravo *Helychrysum picardii*
Tomillo de Las Cañadas *Micromeria lassiophylla*
Tomillo *Thymus vulgaris*
Tonática *Nepeta teydea*
Topillo Nival *Microtus nivalis*
Tortuga Boba *Caretta caretta*
Tragamoscas *Dranunculus muscivorum*
Trepador Azul *Sitta europaea*
Treparriscos *Tichodroma muraria*
Triguero *Miliaria calandra*
Tritón Ibérico *Triturus boscai*
Tritón Pigmeo *Triturus pygmaeus*
Tritón Pirenaico *Euproctus asper*
Trucha Común *Salmo trutta*

U

Urogallo *Tetrao urogallus*

Uvilla de Mar *Zygophyllum fontanesii*

V

Vanesa Índia *Vanessa indica*
Vara de Pastor *Asphodelus albus*
Vencejo Común *Apus apus*
Vencejo Pálido *Apus pallidus*
Vencejo Real *Apus melba*
Vencejo Unicolor *Apus unicolor*
Verdecillo *Serinus serinus*
Verderón Común *Carduelis chloris*
Verderón Serrano *Serinus citrinella*
Víbora Áspid *Vipera aspis*
Víbora de Seoane *Vipera seoanei*
Vinagrera *Rumex lunaria*
Viñátigo *Persea indica*
Violeta *Viola riviniana*
Violeta de las Cumbres *Viola palmensis*
Violeta de Sierra Nevada *Viola crassiuscula*
Violeta del Teide *Viola cheiranthifolia*
Vulneraria *Anthyllis vulneraria*

Z

Zamarrilla *Teucrium polium*
Zampullín Cuellinegro *Podiceps nigricollis*
Zampullín Chico *Tachybaptus ruficollis*
Zarzaparilla sin Espinas *Smilax canariensis*
Zorro *Vulpes vulpes*
Zorzal Charlo *Turdus viscivorus*

Otros libros disponibles:

- *On Observar Ocells a Catalunya* (14 autores)
- *Els Ocells del Delta de l'Ebre* (A. Martínez Vilalta y A. Motis; dibujos en color de F. Jutglar)
- *Els Ocells del Delta del Llobregat* (R. Gutiérrez, P. Esteban y F.X. Santaeufemia; dibujos en color de F. Jutglar)
- *La Fauna del Parc Natural del Cadí-Moixerò* (J. García Petit)
- *Els Ocells d'Osona* (17 autores)
- *Las Aves Marinas de España y Portugal / Seabirds of Spain and Portugal* (A. Paterson)
- *Castells i Castellers -Guia completa del Món Casteller-* (X. Brotons)
- *Terra de Gantes -Història dels Aiguamolls de l'Empordà segons la Cigonya Guita-* (5 autores; dibujos en color de T. Llobet)
- *Veus d'ocells* (C. Fonoll, incluye un CD elaborado per E. Matheu)
- *Els ocells del Vallès Oriental* (J. Ribas)
- *Guía de las Aves de España* (E. de Juana; dibujos en color de J. M. Varela)
- *Guía sonora de las Aves de Europa* (10 CDs; J. Roché y J. Chevereau)
- *Flora y Fauna de España y del Mediterráneo* (P. Sterry)
- *A Field Guide to the Birds of Peru* (J. F. Clements y N. Shany; dibujos en color de D. Gardner y E. Barnes)
- *Guía de las Mariposas de España y de Europa* (T. Tolman; ilustraciones en color de R. Lewington)
- *Guía de las Orquídeas de España y de Europa* (P. Delforge)
- *Catàleg dels ocells dels Països Catalans* (J. Clavell)
- *Mamíferos Carnívoros Ibéricos* (J. Rodríguez Piñero)
- *Arte de Pájaros / Art of Birds* (P. Neruda)
- *60 ocells comuns i rars i de noms singulars* (C. Fonoll, incluye un CD elaborado per E. Matheu)
- *Threatened Birds of the World* (BirdLife International)
- *Handbook of the Birds of the World* (J. del Hoyo, A. Elliott y J. Sargatal)
  Vol.1: Ostrich to Ducks
  Vol. 2: New World Vultures to Guineafowl
  Vol. 3: Hoatzin to Auks
  Vol. 4: Sandgrouse to Cuckoos
  Vol. 5: Barn-owls to Hummingbirds
  Vol. 6: Mousebirds to Hornbills
  Vol. 7: Jacamars to Woodpeckers
  Vol. 8: Broadbills to Tapaculos

Para más información, pueden consultar nuestra web:
www.hbw.com

Lynx Edicions

Montseny, 8, 08193 - Bellaterra, Barcelona
Tel: 93 594 77 10
Fax: 93 592 09 69
E-mail: lynx@hbw.com